霍桑探案 ————

程小青作品

霍桑探案

程小青　著
DETECTIVE
HUO SANG

矛盾圈

12

海南出版社
·海口·

图书在版编目（CIP）数据

霍桑探案. 12，矛盾圈 / 程小青著. -- 海口：海南出版社，2025. 1. -- ISBN 978-7-5730-2073-4

Ⅰ. I247. 7

中国国家版本馆 CIP 数据核字第 2024CX0984 号

霍桑探案 12　矛盾圈

HUO SANG TAN'AN 12　MAODUN QUAN

作　　者：程小青
策 划 人：彭明哲
责任编辑：高婷婷
插　　画：杨冬梅
封面设计：张　军
责任印制：郄亚喃
印刷装订：河北盛世彩捷印刷有限公司
读者服务：张西贝佳
出版发行：海南出版社
总社地址：海口市金盘开发区建设三横路 2 号
邮　　编：570216
北京地址：北京市朝阳区黄厂路 3 号院 7 号楼 101 室
电　　话：0898-66812392　010-87336670
电子邮箱：hnbook@263.net
经　　销：全国新华书店
版　　次：2025 年 1 月第 1 版
印　　次：2025 年 1 月第 1 次印刷
开　　本：880 mm × 1 230 mm　1/32
印　　张：10.375
字　　数：234 千字
书　　号：ISBN 978-7-5730-2073-4
定　　价：46.00 元

· 目录 ·

矛 盾 圈

霍桑病了

的确，这一件案子是别开生面的。这是件凶案吗？是，但也许不是。我并不是故意发这种模棱两可的论调，实因这案子的性质和发展的步骤，在我老友霍桑以往的数百件疑案之中，竟可说绝无仅有。这案中处处现着矛盾的事实。我承认我始终陷在这矛盾圈里，没法自拔，并且我也不敢为朋友讳言——霍桑也不许我讳言——像霍桑这样的聪明干练，被矛盾的疑碍一层又一层地包围着，也险些跳不出这个圈子！

这是个初秋的早晨，我因着要到市上去买几本书，顺便从公园中绕了一个圈子。秋令的公园景色，的确有显著的变化了。疏疏的柳条，挂着些半绿微黄的叶子，在一阵阵凉风中动荡。围墙上爬满了蔓条，那藤叶的尖上已在开始染红。色彩不一的丛菊，却仍冒着霜露，把一缕缕的清香播送到空气中去。高茎的芙蓉，也擎着浅绯或白色的花苞，准备渐渐舒展。不过那铺地的草茵，已从碧油油的嫩绿变成了黯黯的老翠，仿佛一个青春的少女已到了美人迟暮的境界，不久便兴"两鬓苍苍"之感了！

秋天的公园，从一年间的时令上说，果然有显著的变化，但从气候的循环上看，却年年如此，不能说今年的秋天和往年有怎样特殊的不同。可是我一走出公园的门口，跳上了那条素称繁荣的民生路，那却真是特殊光景了！

马路两旁固然还耸立着那些高大的巨厦，那些大公司和大商铺，固然还可以说林林总总，但它们都张着形形色色的"大减价"的旗子，几乎没有一家例外。在这些大商铺的隔邻，却挂着不少以前绝对找不到的"召盘""召租"的广告片子，但靠着这些"大减价""大赠送"旗帜的荫蔽，近视眼的人们一时还瞧不出来。这些旗帜，当真把这条繁盛的马路装点得似乎比往日热闹得多，可是所谓热闹，却只寄托在这些"大赠送""大减价"的旗子上面。假使你把眼光略略移到下面，瞧瞧那些商铺里进出的顾客，你绝不会贸然加上"热闹"的评语。如果你的神经再敏锐些，你也许感觉到这些旗子后面，潜伏着一种恐怖，同时也会联想到如果这样子下去，没有补救的方法，这些鲜艳悦目的旗帜，不久也都会变成一方方毫无美术意味的"召盘"或"召租"的广告片子！

我在中华书店里买了一本《社会问题概论》走出来后，重新从公园里穿过，脑子里还在盘旋着那种民生前途的恐怖问题。我低着头从人行道上慢吞吞前进，想到我们在这阽危的年头事事落后，经济的衰颓，更是一天显著一天。大多数人因着失业和生活艰难的驱使，柔驯的趋于投机侥幸和行诈施诡的一途，强悍的铤而走险，干出种种不法的勾当。可是那一班享乐阶级，还是醉生梦死地自顾自纵乐寻欢。而且他们还有天生的奴性，到了这地步，还有勇气自认为舶来品的推销者。他们有钱挥霍，宁可恭恭敬敬孝子顺孙般地送给外人，却不愿和不屑遗留在本国境内，使一般人沾光些！我走出了公园，一边低头缓步，一边还在寻思这社会上绝端的矛盾现象，假使没有意外的岔子，我的冥想神思，不知什么时候才能收束拢来。

"包先生，往哪里去？"

这呼叫的声浪似发生在我的前面，不禁使我怔了一怔，我抬头一瞧，在我前面不到五尺的距离，有一个穿黑绸棉袍、戴黑呢铜盆帽的胖子，正笑嘻嘻地向我走近。这人就是警察总署的侦探长汪银林。

我忙着应道："银林兄，我刚才买了一本书，现在要回去了。你好早啊。"

汪银林已走到我的面前，很亲热地和我握了握手，说："早？我还没有睡哩。刚才你在想什么？如果你在马路上构思小说，那是非常危险的。"

我微微笑了一笑，并没有把我的思想的过程告诉他，因为他的回答已引起了我的好奇心。

我问道："你昨夜没有睡？是不是办什么案子？"

汪银林肥圆得像皮球似的脸上又露出一丝笑容，同时点了点头说："正是，我们捣毁了一个大赌窟，整整地忙了大半夜。"

"唉，原来如此！"

汪银林似觉得我语声中的好奇意味已减到零度，忽又自动地加上一句富于引诱力的说话。

他道："现在的赌案显然已经成了家常便饭，赌案的记载也差不多成了每天报上刻板的点缀。不过这件案子却很有趣，我怕有一部分实事最终也不会在报纸上发表出来。"

我正在降落的好奇情绪，果真又被他的话语钩住了。我瞧着他发问："怎样有趣？这里面有什么不能宣布的秘密？"

汪银林淡淡地答道："那也没有什么。我们一共捉住了七十六个赌客，二十八个是女子。内中有十一个是所谓社会上的交际花，两个是阔佬的太太，五个是女学校里的学生。男的方面，大亨更多——有机关里的课员，大学学校的学生，还有几个在上海做寓公的遗老。最想不到的是这赌场幕后的设计人，却是一个美国留学生！这些大亨们的神通自然广大，报纸上当然不会把他们的姓名发表出来的。"

我听了他的报告，又暗暗叹了一口气。我还没有答话，汪银林又继续说：

"那赌窟的位置和设备也可算是非常严密的。赌场的地点，在黄河路一家烟草公司隔邻的地底下面，一共有三条出路，从地面下去，经过了三层曲折方才达到。我们守候了大半夜，直到天明方才攻进门去。我又在地窖中闷了好几个钟头，弄得头昏脑涨，故而我此刻打算走到公园去松散一下，然后再回去睡。"

"那么，这件案子可曾有流血的事件？"

"我们虽开过几枪，幸亏没有流血。不过事情很险，若不是霍桑先生的指示，我们进这地窖里去，还不一定能这样容易，也决不能这样子一网打尽。"

我作惊异声道："什么？这件事霍桑也有份？"

汪银林摇头道："不，我昨天到他寓里去瞧他，顺便告诉他这大赌窟的地点已有了线索，他就告诉我利用女警察混进去做内应的方法。我们如法炮制，果然省了不少麻烦。唉，我想着了。包先生，你多长时间没见霍先生了？"

"约有两三个星期吧。"

"那么，你大概还不知道他这几天害着病呢。"

我微微吃了一惊，忙道："唉，我当真不知道。他害的是什么病呀？"

汪银林的眉峰急而皱缩拢来，显得他对于霍桑的病，有一种真挚的关切。

他答道："我不太清楚。昨天下午三点钟时，我到他寓里去，他躺在楼上。我问他有什么病，他却轻描淡写地只说身子上觉得懒惓，似乎不愿告诉我的样子。但据我观察，他的左腕的举动有些木强，仿佛有什么隐疾。不过他既不愿多说，我也不便问什么底细。我想你应得去瞧瞧他。"

"不错，我在惦念着他。我打算立刻就去。"

"好，请你顺便告诉他一声，黄河路的赌窟已被捣毁，晚上我再打电话给他。"

我在无意之中忽而得到霍桑患病的消息，不禁有些吃惊。一星期前，我曾出过一次门，和霍桑已三星期不曾见面。但他如果患病，也应给我一个信息。他怎么秘而不宣？汪银林还说他有什么隐疾，这话越发蹊跷。况且下午三点钟时，他还躺在床上，那"懒惓"的说法，的确不能使人满意。因为霍桑是天性好动不好静的，他如果没病，绝不会在床上消遣。因这一番思索，我急于要见见霍桑的情绪，越觉得迫切，再不能一刻延迟。

我赶到爱文路七十七号的时候，他的旧仆施桂告诉我霍桑还在楼上。我正要奔上楼去，霍桑忽已听得我的声音，先隔着楼梯向我招呼："包朗，你在办公室中坐一坐，我立即就来。"

这一着更使我怀疑起来。他为什么不让我上去？不是他当真害了病躺在床上？但害了病为什么瞒人，并且连我也不例外？这种种都足以增加我的疑团。

他的办公室，还是数年如一日的老样子。书桌上依旧不太整洁，那张靠窗的藤椅旁边，也照例排列了许多散乱的书籍和报纸。那枚因《活尸案》而得到的手榴弹，仍赫然供在书桌上面。这时办公室中的窗开着，早晨淡淡的阳光照满了半室，故而壁炉中虽还没有着火，却也觉得暖气融融。

我刚在那张藤椅对面的安乐椅上坐下，烧着了一支纸烟，霍桑也橐橐地从楼梯上下来。我留心瞧他进门时的神气，却并不见显著的异常。他穿着一身章华出品的黑色细条花呢的西装，足上皮鞋和颈项间的硬领领带也都非常整齐，仿佛他为避疑起见，故意穿得这样子齐整。他向我点头时，脸上虽带着微笑，可是他的面颊上和眼睛里，的确露着些憔悴的神气。

他先开口道："包朗，你忙得怎样？你近来写些什么呀？"

我答道："我不写什么。我曾到汉口去过一次，那是为了一个亲戚的应酬。你近来怎么样呀？"

他一边从书桌上的烟罐中抽出了一支白金龙纸烟，擦着火柴，一边旋转来向我答话："我闲得很，竟像书呆子一般地整天拿书本来消遣。"

他竟绝不提起患病。为什么呢？他越是不说，我越觉得有查究的必要。

我道："你不是才起床吗？"

他在那藤椅上坐下，摇头说道："不，我日常的早操已做完回来。今天的报纸也瞧过了。"他说时眼光向旁边地板上散开的报纸瞧了一瞧。

他举出这种种反证，分明要掩饰他的病情。我觉得我若要揭穿他的秘密，而且要希望有效，那就不得不采取单刀直入的办法，问："霍桑，你不是曾患病吗？"

他呼了一口烟，眼光凝住在我的脸上。一会儿，他的唇角上露出一丝勉强的微笑："你要诅咒我？"

"我早知道了！你何必瞒我？"

"谁造的谣？你瞧，我是不是一个病夫？"

"那么，昨天你为什么睡了一天？这不是你平日的习惯啊。"

他呆了一呆，接着点头应道："唉，原来是汪银林弄的嘴舌。我没有病，你不要信他。我最恨那一班无病装病的人，忸怩作态，看了真是难受！还有人往往把小病自认为大病，这在心理上也有影响。我都是坚决反对的。我认为历史上的那些多愁多病的典型美人和才子，现时代都应被打倒！"

我微微笑了一笑，答道："你的议论果然是很积极而合乎时代性的。不过有病而讳病，那也许过度积极些了吧？"

霍桑点头道："不过我并没有病，何尝讳病？"

"但你昨天为什么躺了一天呢？"

"那是偶然的。前夜里我在瞧一本英国呵勃克的《奇案纪闻》，看得出神忘了时刻，直到凌晨三点钟才睡。昨天早晨我又照例一早出去散步，回来时就有些头痛，所以在午饭过后，便睡下去休息。汪银林来时，我懒得下楼，请他到楼上去谈，他就认为我有病。你想这可能算得病？"

我暗忖他的理由虽也说得动听，但据汪银林告诉我，他觉得霍桑的手臂木强，似有什么隐疾，现在霍桑却绝不提起。莫非汪银林的观察错误？这时我的眼光不禁注视到霍桑的左臂上去。外表上虽然瞧不出什么，但他的左手动作很少，的确表现得有些不自然。

我突然问道："霍桑，你的左臂怎样？"

我的问句还没有说完，霍桑的神态突然变了，他的身子分明也在微微震动。他的头猛然旋了转来，眼光在我脸上凝视了一下，颊骨上略略泛出一丝红色。我倒反觉得有些不安。霍桑分明有什么秘密，被我无意间揭穿了！

他呼了一口烟，恢复了他的镇静的神气，缓缓说道："唉，我想不到汪银林的眼力，竟有这样子惊人的进步。包朗，这的确是我的一个小小的秘密，此刻却被你揭穿了。不过你用不着向我抱歉的。"他立起身来，走到书桌面前，把纸烟放在烟灰盆的边上，随即将他身上的那件玄色花呢短褂脱了下来。他又将白衬衫的左袖口的纽子解开，将里面的一件棉纶内衣的袖子向上卷起。

他把左臂送到我的面前，说道："包朗，你索性仔细瞧瞧。"

我依旧处在不安状态之中。因为霍桑的面容和声调，都显得非常严冷。我见他左臂近肘骨的部分，贴着一小块棉花，外面用橡皮胶粘住，里面分明掩护着什么伤痕。

我低声问道："你受过伤？"

霍桑点点头，沉着脸缓缓将内衣的袖子重新舒展下来。

我又道："什么伤？刀伤？还是——"

霍桑接嘴道："那是手枪伤的。"

唉，霍桑竟受过枪伤，我却丝毫不知！而且他又守着秘密！这事实怎能不引起我的注意？

"你怎样会受枪伤？莫非你新近曾经历过凶残的案子？"

霍桑忽又紧蹙着双眉，摇了摇头。他将短褂穿上，重新坐到藤椅上面去：

"这是一件小小不幸的事，说出来也有些惭愧，故而我绝对不曾向任何人提起。不料昨天汪银林来，竟被他瞧破。今天我的手臂已轻松得多了，若不是汪银林告诉你，我想你未必瞧得出。对不对？"

我点头应道："是的，但这究竟是什么一回事？莫非你遭遇什么仇人？"

霍桑又摇头道："也不是。事情是很简单的。今天是九月二十四日，星期四了。在上星期二，九月十五日的清早，我照常出去散步，走到柳荫路的转角，忽遇见一件意外事情。我一时不忍，冒险上前去干涉，就受着了一粒枪弹报酬。"

"什么事？"

"那是一幕绑票的把戏。那时我见转角上停着一辆汽车，有一个十一二岁的男孩，被一个中年的女仆领着，从柳荫路松柏里出来。不料弄口有两个绑匪伏着，突然上前抢夺那孩子，那女仆便大声呼叫。正在这时，我恰巧走到转角。那时我身上并不曾携带武器，但在这紧急关头，我也不顾利害，便凑到那匪徒的背后，用力在他的脑后打了一拳。那人的身子晃了几晃，几乎站立不住，他的手顿时松了。还有一个匪徒，一见这种情状，也立即放手，先自拔脚飞逃。那被击的一匪旋转来瞧向我，也急忙逃到停着的汽车前去。我当时正在自己庆幸，这样一件危险的勾当，竟想不到如此容易。可是在这一刹那间，骤然间一声枪响，那子弹早已飞到我的面前。原来那匪徒在开车的当儿，从车厢中发了一枪，目的是报仇出出气的。幸亏我的身子偏向一面，并未直面汽车。那枪弹只在我左臂擦过，伤了些肌肉、破裂了几根小血管。否则，我此刻也许不能见老朋友你的面了。"

他说了这番话，脸色依旧沉着，仿佛对这件事，他绝不愿回忆的样子。

我顿了一顿，又道："那匪徒当时就乘汽车逃走了？"

霍桑点点头，并不答话。他仍自顾自地吸烟。

我道："你可曾瞧清那汽车的号数？"

霍桑忽放了纸烟，向我谛视了一会儿，说："这又何必追究？那孩子当时既安全无恙，我也只受了微伤。况且这班人所以铤而走险，或许也是因着生活的压迫。因此，我定意把这一页小小的不幸史轻轻翻过，不愿意再多生枝节。况且……"他说到这里，忽戛然而止，把身子靠向藤椅的背继续吸烟。

我等不耐，又问道："你还有什么话呀？"

霍桑皱着眉毛，答道："这回事也不能不算是我的失着。当时我委实太疏忽了。这里面的确含有一种'骄必败'的教训。总而言之，这一页不幸史，也就是我的失败史。我之所以不愿提起，这也是原因之一。"

"那么，那孩子是哪一家的，你可曾查明？"

霍桑有些不耐烦的样子，反问我道："这也有查问的必要吗？我从中干涉，完全是为了尽一个市民应有的义务。我既不想报酬，又何必去调查这孩子姓张姓李？老实告诉你，连这手臂上的枪伤，也是我自己回来包扎的。我在这件事上牺牲了一件哔叽短褂，却换得了'轻敌必覆'的教训，此外便绝对不值回忆和称道。现在我问你，你什么时候遇见汪银林的？他的赌窟案结束了没有？"

我答道："我刚才在公园外面遇见他的。他说那黄河路的赌窟，已照了你的计划胜利了。他本叫我通知你一声，停一会儿他自己会来报告你。我觉得这件赌案足以暴露社会的病态和教育的失败，并且——"

霍桑突地从藤椅上坐直了身子，停着目光向外面倾听，接着，他丢了烟尾，向我摇了摇手。

他低声道："外面有什么陌生人来哩。你没听到施桂正在向他要名片吗？"

我定神一听，门口果真有一种嘈杂声音。施桂在向来客要名片，那来客却似拒绝不给，因此，才引起了争执。不多一会儿，那争执的声浪跟着杂乱的脚步声，直送到霍桑办公室的门外。转瞬间，那来客竟毫无礼貌地破门而入。

怎能敌得过这些魔鬼

那来客是一个少年，身材和我相仿，穿一件暗青色布的薄棉袍子，左臂缠着一块黑布，脚上穿上一双黑纹皮的皮鞋，襟角上扣着一支镶金箍的墨水笔，模样像一个学生。他的年纪在二十二三岁，长方形的脸，皮色苍黑，一副白金边的眼镜，罩着一双小眼，近视的程度似已很深。从他的外表上看，很像是一个用功的学生，原没有什么可疑之点。但我仔细观察他的行动，却发现了几种不近情处。第一，他进门时太鲁莽。第二，他既受过教育，应有相当的礼貌。但他进门以后，那顶颜色不甚调匀——估量起来至少戴过两年以上——的棕色呢帽，还依旧套在头上，没有除下。第三，他举动更是奇特。他用目光在霍桑和我的脸上瞅了一瞅，忽而连连点着头。接着，就把那办公室的门用力推上，并且把门上的小铁闩闩住，仿佛防什么人追踪进来的样子。

这时霍桑也像我一般默默地向他端详，并无表示。我从观察上所得的结果，料想这少年一定怀着什么严重的问题，因此影响了他的神经。等到他开口以后，我的料想果真得到证明。

他站在办公室的门口，把背心贴在门上，似乎还防有人推门进来的样子。他的眼睛仍在我们两人的脸上瞟来瞟去。他的头依旧不住地点动，嘴里还在自言自语地咕噜着："我认识你们……我认识你们！这位是霍先生……这位是包先生！"他这种模样，在胆小些的人的眼中，也许要把他认作是刚从疯人院中逃出来的人物。

他突然提高了声浪，说道："霍先生，我妈死了——被人谋杀了！"

他的声浪由高而低，说到"谋杀"二字，忽把他的右手掩在嘴上。他的头颈也缩短了些，两只眼睛却仍灼灼地凝视着霍桑。

霍桑也沉着脸色点了点头，端重地说："唉！这事情很严重。请坐下来谈……我还没有请教——"

那少年仍站在门口，摇摇头说道："我没有名片。你们太贵族化了！"他的手又掩到嘴上，忙着改口："唉，对不起，我叫王保盛，在南京中华大学三年级读书。现在我的母亲已被人谋死了，我自己的性命也有危险！霍先生，你必须给我解决一下。你不能推辞的！你若使推辞，那我一切都完了……霍先生，你能答应我吗？"

我暗忖他的异常态度的来由，就因着他母亲的被害。如果实在，他倒是一个孝子。因此，他的种种特异的动作，不但都能可原，而且还引起了我的深切的同情。

我抢着答道："王先生，你请坐下来。你既然认识我们，应当知道霍先生的为人。你无论有什么困难，只要他能力所及，一定不会拒绝你的。"

霍桑缓缓走到那少年的面前，伸手在他的肩膀上轻轻拍了两下，同时发出一种父亲抚慰孩子般的声音向他说：

"你尽可放心吧，我一定给你尽力，这地方更绝对安全，你用不着顾忌什么。来，来，到这里来。"

霍桑拉着他的手臂，送到那只藤椅对面的安乐椅的面前，又扶着他坐下。接着他拔去了办公室门上的铁闩，向施桂吩咐了一声，然后回过来，自己也坐到藤椅上去。那少年因着霍桑温婉的语调，似已镇静了少许，不过他的忧惧和紧张的神气，和进来时仍没有多大变异。他直僵僵地坐着，他的眼睛仍从眼镜背后盯着霍桑的脸：

"霍先生，你当真能给我妈申冤吗？"

霍桑仍用温婉的语声答道："当真，我一定给你尽力。但你现在须定定神，好好地和我谈一谈。"

王保盛仍答非所问地自言自语说："我一定要给我的慈爱的母亲报仇！我不能放弃这个责任！不过我现在已成了世界上无亲无友的孤零人了！我一定敌不过他们啊！唉！我怎能敌得过这些魔鬼？"

我觉得这少年倒很可敬，在现时代委实不容易多得。我对于他的同情心，在不知不觉间逐渐增长起来。

我也慰藉道："你用不着害怕。你有这样的孝心，我虽没有多大能力，也愿意助你一臂。眼前最切要的，就是你将事情的经过好好地告诉我们。"

那少年的目光移到我的脸上，眼眶中包含着晶莹的泪珠，兀自向我点着头，却不说话。我觉得在这种状态之下，要希望他做有条理的叙述，在事实上大概未必可能。霍桑也感觉到这个困难，便利用提示的方法，唤醒他的回忆。

他瞧着那少年问道："保盛兄，你听着，你母亲怎样死的？"

王保盛的身子微微一震，抬起眼睛，和霍桑的视线相接，却仍不答话。

我又从旁解释道："你说出来啊，你要人家帮助，不能不说个明白。否则，我们也无能为力了。"

他忽咬紧牙齿，屏着气说道："伊是被人谋死的！"

霍桑忙接嘴道："这个你说过了。现在我要问的是伊的死法，伊可是被毒死的吗？"

王保盛的头不自然地动了一动——这动作起初像是点头，接着又有几分像是摇头，真使人莫名其妙。

霍桑又道："不是毒死的吗？那么，可是刀伤的？"

他仍利用他的头部动作来回答，但这一次却是显明地摇头。

霍桑道："都不是吗？莫非是枪伤？"

王保盛忽像迷梦中醒转来的样子，大声道："我不知道！"

"不知道？你母亲的尸体有什么异状？"

"我不知道！"

"那么，伊的尸体此刻在什么地方？"

"在斜桥路河南会馆里。"

这一番问答，竟越发使人摸不着头绪。我开始怀疑这少年的神经，也许已到了完全反常的状态。霍桑也皱着双眉，低了头，不再发问，显见他也和我同样的感觉。这时候施桂推开了门进来，手中捧着一只福建金漆的茶盘，盘中放着三玻璃杯沸热的浓茶。

霍桑说道："保盛兄，你且喝一杯热茶，在这椅子上靠一靠。"

那少年果真接受了霍桑的建议，接了茶杯，慢慢地喝着。

我一边喝茶，一边暗自思忖，我料想这件事一定是非常幽秘曲折的。但瞧他精神错乱的状态，便可知他所受的刺激有多严重，因此可以联想到这件事所含的恐怖意味。他又说过"他们"和"魔鬼"的字样，可见这里牵涉的人一定不少。不过他说话既然这样子东鳞西爪地没有头绪，眼前若要得到一种有条理的叙述，似乎没有多大希望。

室中静了，霍桑喝了一会儿茶，又向那少年说：

"保盛兄，我看你最好先安安静静地躺一会儿，养养你的精神。你的眼圈儿发黑，显见你昨夜一定失眠，况且你受了这重大的刺激！"

那少年来客忽抢口道："霍先生，我昨夜的确一夜没有合眼！我在给我母亲复仇的事情解决以前，是万万睡不着的。霍先生，我不能睡！我不能睡！"

"不过你所希望的复仇，也不是一刹那所能办到的啊。"

"霍先生，你不能推辞！"

"唉，可惜我不是幻术家！"

"霍先生，你方才已应许我了啊。你是唯一能救助我的人，你不能使我失望！"这时他端茶杯的手颤动了，眼眶里包含的泪珠，竟禁不住从镜片后面迸流出来。

霍桑又温婉地说道："不错，我确实已应许给你尽力。但第一着，我须知道这事经过的情由，你此刻却说不清楚，故而我劝你最好暂时回去休息一下，然后再到这里来商量。"

王保盛喝了最后一口余茶，带着哽咽的语声，接嘴道："我能说话！我能说话！我现在觉得安心得多了。只要你答应我给我妈复仇，我可以把一切事情告诉你！"

"好！我答应你了，假使你母亲当真被人谋死，我一定给你复仇。你可以完全信托我。"

王保盛放了茶杯，水汪汪的眼睛合成了缝，唇角上露出一丝笑容，霍桑的保证分明已使他产生了一种新的希望。他的神气，果真也振作些了：

"霍先生，你能如此，我一辈子也忘不掉你！"

"那么，你此刻能不能回答我的问句？"

"能！能！"

"好，现在我问你，你既然说你母亲的尸体已进了会馆，分明已经棺殓，你自己既没有瞧见死状，你怎能知道你母亲是被人谋害的呢？"

"我相信伊一定是被他们谋死的！"

"相信？唉，原来这事是你料想如此的！"

霍桑的语声之中含着明显的失望意味。我也不禁发生同样的感想。这少年的精神状态，即使不能说已陷于病态，却也不能说十二分健全。那么，他所料想的是否有合乎事实的可能，我委实不敢抱多大希望。但王保盛用一块白纱巾在面颊上抹了一抹，忽而睁大了一双小眼，现出一种坚决的态度，说：

"霍先生，你不用疑心，我不是疯子！我的话不是凭空说的，都有事实的根据。不过这话我实在不敢出口，说出来责任太大，又怕人把我当作疯子看待。我其实并不疯，现在我可以举事实出来，我相信你们两位先生一定能够信我。"

霍桑仍耐着性子婉言应道："是的，我们决不当你是疯子，我们都准备信你，你就安安静静地说吧。"

王保盛的精神振作得多了，他这时方才把他头上的那顶半旧的棕色呢帽除了下来，放在他旁边的茶几上，又用白巾从眼镜后面抹了抹眼睛，低垂头沉吟了一下，接着他又叹了一口气，经过了两分钟以上的静默，才开始报告他的家庭小史。他虽因着获得了霍桑的同情，精神状态已有显著的进步，故而说话已不像先前那么没头没脑，但说话时心急气喘，程序上还不算怎样清楚。我为经济篇幅起见，特地把他的话，做一种简单的归纳。

他家本来是河南郑州人，在八年前，合家迁到上海来，住在梨园路润身坊第一弄第六号。那是一宅两上两下的石库门住屋，并无分租的住户。他的父亲叫作王训义，是一个贩皮货的商人，在河南时就有一妻一妾，到上海以后也依旧住在一起。训义的正妻刘氏——保盛的生母——在结婚后五年，还没有生育，他就另娶了一位偏房，这偏房姓倪，这时年已四十六岁。倪氏过门后的第二年，就生一个儿子，名叫保荣。又过了四年，刘氏自己忽也生育起来，生下了保盛。后来倪氏又生下一个女儿，一共兄妹三人。所以我们这位主顾王保盛，有一个年长五岁的异母生的哥哥保荣，他还有一个异母生的妹妹，名叫保凤，这时伊才十九岁，比保盛小三岁。

三年前，保盛的父亲死了，他们因着留恋上海的繁华，舍不得离开，又因略有积蓄，便住定在上海，不再回郑州去。保盛的生母刘氏，年龄比倪氏高出十岁，故而丈夫死后，家庭间一切的财权，都由刘氏掌管。那侧室倪氏倒也相安无事，三年来并没有什么争执口舌。不过倪氏的儿子保荣，虽是庶出，在年龄上却是长子。据保盛说，保荣竟是一个游手好闲的无赖，他曾进过六个中学，却被开除了三次。他没有擅长的职业，对于各项的赌博，却可算是一个专家。他因着遗产的分配，曾与保盛的生母发生过争执，刘氏因此把保荣的名分提出来给他，又给他娶了一位妻子。但保荣在外面自立门户不到一年，竟把所得的财产在赌博上挥霍完尽，他的妻子也跟人家跑了。保荣落魄无依，又染上了嗜毒，景况自然不堪。刘氏看在伊丈夫的分上，重新把他收留回来，又给他把鸦片的嗜好戒掉。这就是王保盛的家庭状况。

王保盛足足费了半个钟头，方始说明了他的家庭状况，他略停一停，便继续说到这疑案问题。

他道："霍先生，现在我要说到我妈被害的事实了。前天二十二日半夜过后，我在南京学校里接到一张电报，那是我的不长进的哥哥保荣发来的。电报上只有'大母病故，即归'六个字。那时我大吃一惊，心里就有些怀疑。我母亲虽然有一气喘病，有时也常发作，但这一次事前既然绝没有发病的消息，怎么凭空里竟会病亡？那时已两点钟相近，夜班火车已来不及了，我只能等到昨天早晨八点钟，乘了联运特快回来。唉……霍先生，你猜猜看，我到家里的时候，瞧见些什么样的景状？"

霍桑不提防他有这一问，但他仍忍着性子淡淡地回答："莫非你母亲已经收殓了吗？"

那少年直视着霍桑应道："是啊，不但如此，连棺材的影子都不见了！他们……他们在我回家以前，已将我母亲的灵柩一早就送到河南会馆去了！"

霍桑的眼光在藤椅边上的空玻璃杯上打了几个旋子，微微点了点头。他答道："是的，这的确有些出乎常情，但你的姨母可曾说出什么理由？"

王保盛伸手把他的眼镜向鼻梁上端推了一推，连连摇头："毫无理由！毫无理由！唉！这一点我不能不先告诉你，我敲门的时候，足足在门口等了五六分钟，那出来开门的，并不是那个多年服侍我母亲的菊香，却是一个素不相识的江北妈子。客堂中空无一人，除了椅桌杂乱以外，绝不见有办丧事的痕迹。我问那江北妈子，伊只支支吾吾地说了几句不相干的话，使我莫名其妙。我还以为电报有什么错误，正要奔到楼上我母亲的房间里去，忽见我姨母从次间里探出头来，鬼鬼祟祟地向我瞧了一瞧，接着，伊才向我说出一大串鬼话。那时我自然要查问根由，伊的答话真是可笑已极！我追问下去，伊便支吾着说不出了。"

"伊怎样说？"

这少年又定了目光，连连摇头，口中却喃喃有词，仿佛他先前的神经性的状态，又将一度表现：

"唉。简直毫无理由……伊说……伊说为着节省经济起见，故而一早偷丧。先生，你也知道这里有偷丧的风俗吗？"

我代替霍桑答道："我知道的，乘着清早悄悄把棺材抬出去，可以免去一切排场的开支，这就叫作偷丧。"

王保盛的眼光凝注着我的脸，抗辩似的答道："但我母亲还不至于穷到这个地步！我知道我母亲有不少金饰，还有一朵珠花，此外还有现款，数目多少我虽不知道，但料理伊的丧事一定有余。但姨母却说完全没有。后来我到楼上去，见我母亲的两只皮箱都已开过，除了天源皮货号的一张一万五千元的股单和两个交通银行六千元的存折以外，一切都不在了！"

王保盛说到这里，又呆怔怔瞧着霍桑，似要等霍桑的断语。霍桑却把眼光凝住在地席上面，似在欣赏从玻璃窗中射进来的秋令的阳光。接着，他摸出纸烟盒来，烧着一支白金龙纸烟缓缓吐吸。

一会儿，他抬起头来，问道："那么，你的意思可是说你的母亲，就因着夺产而被害的吗？"

王保盛大声道："当然是谋财害命！霍先生，你也同意了吗？"

霍桑缓缓摇着头，答道："这还太早。我想如果你姨母真要吞产，为什么不连那股单存折一起吞没呢？"

"那是不能吞没的。那天源的股单，只能支取些红利息金，却不能提本，伊吞没了也没有用。"

"还有银行存折呢？"

"那也是定期的，一个是三年期的两千，一个是五年期的四千，拿去也等于废纸。"

霍桑低头沉吟了一下，又道："那么，你母亲的首饰，一共约有多少，你可也知道吗？"

王保盛又用手推了推眼镜，咬着嘴唇，现出一种疑迟的样子：

"究竟值多少钱，我不知底细，但我听我母亲说过，那一朵珠花已足值千把块钱。此外还有我父亲的贵重皮衣，似乎也少了几件。不过我还没有仔细查过。"

霍桑紧皱着双眉，把纸烟灰弹去了些，低垂了头，忽而静默起来。

四种疑点

王保盛的举动处处都足以显示他的神经还没有完全脱离不健全的状态。他匆匆忙忙地伸手到那件暗青色布的棉袍袋里去摸索了一会儿，忽而睁开了他的一双近视小眼，露出一种骇光，嘴里又连连喊着"哎哟"的呼声。接着，他的手又摸到里衣的左襟袋里去，他脸上的惊骇状态方才消灭。他摸出一本小小的皮面记事簿来，慌乱地翻了几遍，才翻到他要找寻的一页。他把记事簿凑到距离他的眼镜四五寸光景，细细瞧了一瞧，嘴里喃喃念着，忽而举起右手，在他自己的额骨上拍了几拍。

他自言自语道："哎哟！这些都是谋害的铁证，我此刻怎么都记不起来？幸亏我昨夜里都写在这里。"

我一边吸烟，一边暗自忖度：他的记事簿上不知道写些什么，但他即已说给我们瞧，料想就可以解释我的疑团。可是他竟忘了前言，并不把记事簿递给我们。

他重新坐了下来，说道："霍先生，我来告诉你，我昨天回家以后，发现了种种事实，都足以证实我母亲是被害的。第一点，他们不等我亲自回来就偷偷地成殓，他们竟毫无理由地举行什么偷丧，连棺材都不让我瞧瞧。"

霍桑淡淡地应道："这个你早说过了。"

"第二点，我母亲的箱子都已被他们开过，一切贵重的首饰都已不见。"

霍桑的不耐状态渐渐掩饰不住，他紧蹙着眉峰，用力吸着纸烟，却仍勉强地点了点头。

王保盛仍自顾自地说道："第三点，那个服侍我母亲的使女菊香，忽而也失踪不见。据姨母说，菊香在三天前已自动回去。菊香今年十五岁，已在我家工作了一年半，我母亲很钟爱伊，可算是一个心腹。假使我母亲真是病死，三天前当然还在病中。那么，一个心腹的使女，怎么会在这当儿自动回去？霍先生，你想这不是鬼话是什么？"

这第三个疑点似乎已略略引起了霍桑的注意，他缓缓抬起头来，说："菊香是什么人荐来的？可有方法找寻伊？"

"就坏在没有法儿找寻伊啊！否则我一定可以从菊香嘴里，查明我母亲被害的情形。伊是浦东人，起先是从一家姓张的荐头铺里荐来的，现在这荐头铺早已闲歇。你想从哪里去找呢？"

霍桑又沉吟了一下，继续问道："还有别的可疑点吗？"

王保盛又将那本小记事簿送到镜片面前，连连点头应道：

"有。这第四点最可疑了。我因着种种疑团,便问我姨母,我母亲殡殓时有什么人在场。伊说除了家里的人以外,没有别人。我们在上海虽没有亲戚,但入殓时怎么连乡邻都没有一个?我又问谁是料理这丧事的工役。你想伊怎样答复?"

霍桑摇摇头道:"我想不出。"

"伊起先变了面色,支吾着答不出话。接着,摇摇头回答不知。伊因着我追问不休,才说那工役们是保荣去叫来的,但保荣却又不知去向了!"

霍桑忽作惊异声道:"保荣也失踪了吗?"

"正是,我昨天回家时就不见他的面,直到晚上,还不见他回来。我问姨母,伊又回答不知。你想他们不是在暗中捣鬼是什么!"

霍桑忽从藤椅上立起身来,丢了烟尾,把两手插在裤袋里面,在室中踱来踱去。我从霍桑态度上的转变,也开始觉得这件事情性质的严重。我起先以为这少年的话有些神经过敏,他的断语不能完全凭信。但从他列举的几种疑点上推想,的确有显明的疑团。那使女和他的异母兄的失踪,还有送殓的工役无从查究,都不能不令人怀疑。但在霍桑表示意见以前,那少年又举出了几种补充的疑点。

他说道:"霍先生,还有几点关系我本身的,我相信他们谋死了我母亲不算,还要伤害我的性命!不过我决不怕死!"

霍桑站住了,旋转头来,问:"何以见得?"

"昨夜里我睡到枕上,翻来覆去,越想越疑,觉得我母亲的死,一定有些蹊跷。到了后半夜,我依旧不能合眼,重新起来,开了电灯在室中踱了一会儿,便坐下来把我惊疑的几点写在这本记事簿上。我写好了刚才所说的四点,刚要放笔,忽听得楼梯上隐隐有脚步声。我吃了一惊，仔细听听，却又寂静了。因为那时候我知道我姨母和我的妹妹早已熄灯安睡，那江北妈子半夜里也绝不会到楼上来。我母亲的卧室在正间楼上，我却住在次间楼上。那时候楼中间空着，楼上只有我一个人，所以在半夜时分，楼梯上忽有脚步声，自然不能不使我惊骇。我静听了约有一两分钟，虽然不再听得有任何声音，但我的疑团还不能消失。我轻轻开了房门，打算向楼梯上瞧一个究竟。唉！霍先生，你想我瞧见些什么？"

"莫非你的姨母在你的房门外面？"

"是啊！不。不是姨母，是我的妹妹保凤！"

"唉。伊见你以后有什么表示？"

"伊分明不防我会开门出来，忽低低地惊呼了一声，要想回身退下，却已来不及了，我问伊有什么勾当，伊说伊瞧见了我卧室中的电灯，特地上楼来叫我早些安睡。霍先生，这分明又是谎话。伊和伊的母亲就睡在我卧室的楼下次间中，伊若不是走到天井里去，断断瞧不见我楼上的灯光。但在半夜时分，伊自己为什么不早早安睡，却会到天井里去发现我的灯光？"

霍桑不答，沉倒了头，又开始在室中走动。我的好奇心活跃了，便代替他发问。

我道："你妹妹手中可曾拿什么东西？"

那少年摇头道："这个我不曾注意。那时伊勉强回答了一句，便逃也似的赶下楼去。但无论如何，伊当时一定不怀好意，因为我和伊的感情，往日里本非常冷淡，伊断断不会关怀我的安眠而上楼去慰问我的。"

霍桑立定了抬起头来，接嘴说道："就说保凤曾上楼来窥探你，也许是因着你的神经性的态度，引起了他们的疑心，故而想刺探你究竟怀着什么心事，未必就会谋害你的性命。你刚才的话，似乎未免过火。"

王保盛一边将那一本小记事簿合拢了，重新纳入袋中，一边又睁目抗辩：

"霍先生，你只知其一，不知其二。还有一件事哩！今天早晨我胡乱梳洗完毕，一个人正坐在房中，重新考量我所发现的种种疑团，我的姨母倪氏忽又轻轻地走上楼来推开了我的房门，手中捧着一个盖碗，一直走到我的面前，脸上还带着一种可怕的笑容。唉！我现在回想，这笑容真可怕极了！"这时，他面颊上突然泛白，一种惊异的眼光也从那凹凸的镜片后面透射出来，显得这回忆的确给予他一种重大的刺激。

霍桑见了他这种模样，走到他的面前，又用手在他的肩上轻轻拍了一下，像要安慰他的样子，那少年又继续说道：

"霍先生，你不要误会。往日我待姨母，原也像生母一般，但姨母总抱着成见，伊似乎因着保荣的不长进，反而嫉妒我的努力向学，所以伊平日只和我假意殷勤，从来不曾表示过真切的母爱。故而今天早晨伊对我的那种笑容，一定不怀好意。怎能不使我惊骇起来？"

霍桑冷冷地说道："你疑心伊要用毒药谋害你吗？"

那少年忽而又跳起身来，用力拉住了霍桑按在他肩头上的右手：

"唉，霍先生，你真是绝顶聪明！对，当真如此！我相信那枣子汤里，一定和着毒药！"

"枣子汤？你可否说得明白些？"

"伊将那只盖碗放在我靠着的书桌上面，揭开了盖，里面是一碗黑枣汤。我当时就起疑心，因为我从来不曾领受伊的好意，在这情势之下，伊忽而有这反常的举动，我怎能不加提防？"

"你大概不曾喝这枣子汤了。"

"当然没有。那时伊给我的印象，更使我不敢乱喝，伊把碗盖揭开以后，便向我说道：'趁热喝吧，不要搁冷。'我含糊应着，但把那盖碗移得近些，并不就喝，伊却坐在旁边，嘴里有一搭没一搭地和我敷衍。伊的目的分明想监视我把枣子汤喝完。过了一会儿，伊又一再催促，我却越催越不敢领情。后来伊似乎已瞧破我的疑心，便乘势收篷。伊说了一声：'你不喜欢吃吗？那么，让我拿去给保凤吃吧。'伊便立起来，端了盖碗，急忙忙回下楼去。霍先生，你想想这种举动不是要谋害我的性命吗？"

霍桑皱着双眉，摇头道："我看这也许是一种缓和你感情的疏解举动，目的在免除你对于偷丧的疑心。你说伊要谋害你的性命，似乎太过分。因为如果如你所疑，伊的举动也未免太笨拙了。"

王保盛又乱舞着两手，大声道："真的！伊一定不怀好意！伊一定还要害我！不过我决不怕死，一定要——"

霍桑又用手捉住了那少年的肩膀，扶着他坐下。他自己也回到藤椅上，一边摸出纸烟来烧着，一边暗暗摇头，似表示王保盛所报告的经历，他还不敢轻信。我倒因着那少年郑重的神情，很有些相信的倾向。

一会儿，霍桑又问道："以后你又怎么样呢？"

"我因着昨夜半夜和今天早晨的两次经历，便确信我的疑团绝不是捕风捉影。我又推托去找一个同学，从家里出来，打算去找我父亲的老友潘之梅。不料我走出门口，又发现一件可疑的事情。"

"什么事？"

"我是从后门出来的。我开了后门，忽见后门外有一个人偻着身子，仿佛要悄悄地进去的样子。那人一瞥见我开门，便急忙旋转身子，向第二弄的西口奔去。这个人有什么目的，我虽不知，但一定不利于我。我想他或者和我母亲的死——"

霍桑插口道："唉，你且慢些表示意见。我问你，这个人你可认识？"

"不，我从来没见过，但我敢说他绝不是一个好人。"

"你可曾瞧见他的面貌？"

"瞧见的，却不很清楚。我但记得他似乎是一个黑脸的麻子，身材很高，形状很可怕。他在一瞥之间，就转身奔逃，我只瞧见他的后形。"

"你没有追上去？"

"当时我呆了一呆，他却奔得很快，一转眼便向南转弯从里弄里出去。我来不及追赶。"

"他怎样打扮？"

"穿一身黑色的短衣，似乎很脏。"

霍桑静静地吸了一会儿烟，又向王保盛道："好，你说下去吧。你刚才说要去找一个叫潘之梅的人。他是什么样人？可找着没有？"

王保盛答道："瞧见了。他是天源皮货号的经理，也是大股东，是我父亲在上海方面唯一的好朋友。不幸他正患着风病，躺在床上。我把经过的种种情形告诉他以后，希望他能帮助我给我母亲申冤，不料竟大失所望。"他说时连连摇头，现出一种鄙视的模样。

霍桑道："他的意见怎样？"

王保盛忽自言自语地说："我想他的年纪太老了，又害着手足麻痹的风病，莫怪他有'多事不如少事'的消极头脑了。"

霍桑又催促道："他究竟有什么表示？"

"他说我所举出的种种疑点，完全是我的神经过敏。他说我家庭里向来相安无事，现在我姨母的年龄已过中年，平日也还安分，不致有什么邪念。我母亲的喘病往往发作，却是事实，故而这件事绝不会出于谋害。他又警告我不要把我所怀疑的话在外面乱说，因为我姨母有一个表兄是很厉害的。他叫作许邦英，现在镇江当律师。如果我把没有根据的话信口乱说，一牵到法律问题，那我不免反而吃亏。唉。霍先生。我现在懊悔已来不及。我如果早知他如此，委实不应去见他。他不但不能助我，反而用许多话吓我。"

他说到这里，忽而握紧拳头，咬着牙齿："不，我什么都不怕！我一定要给我母亲复仇！霍先生，我知道你是唯一能助我的人。我自信我的神经并未错乱，但我因着请求潘老伯所得的经验，知道我若贸然到警厅里去报告，他们一定会当我是一个疯子，把我拘禁起来。因此，我才想到你老人家。"他忽又旋过头来："唉，包先生，我读了很多你的著作，你也是我所佩服的一人。现在请你凭着你的理智，把这件事下一句断语，我的种种疑团可都是无中生有？"

这时，我似受了情感的冲动，急于要找几句话慰藉这个现时代不可多得的孝子。我不等霍桑的表示，便凭着我的直觉，发出了下面一句结论。

我道："只要你所说的话并不是出于虚构，我承认这件事的内幕，的确有严重意味。我也相信令堂太太的死，并不是出于自然。"

我的自动的表示，自知有些过于急遽。可是霍桑不但并不反对，却还相当同意。这倒是出乎我的意料的。

他道："保盛兄，我也承认这件事的经过情形已超越了常理的限度。不过你父执潘老先生的话，却也不容轻视。因为你所说的种种疑团，都只是片面的和想象的，都没有实际的证据。假使你诉诸法律，的确还不能成立。"

那少年忽又现出哭丧的脸来，惶急道："霍先生，你刚才不是已经应许我了吗？唉，你决不可使我失望！你决不可——"

霍桑接口道："你不用着急，我并不是食言退缩。不过我认为这件事，不能凭着你眼前这种草率的态度，就贸贸然进行。"

"那么，你想用什么方法进行？"

"至少须先下一番精密的调查功夫。现在我问你，你刚才说你母亲的灵柩，现在停在河南会馆里。这话可是你姨母告诉你的？"

"是的，昨天傍晚我也亲自去瞧过，在斜桥路河南会馆里。"

霍桑的眉毛掀了一掀，忙道："你瞧见那棺材什么样子？"

"那是一口现成的黑漆的棺材，棺材的头部粘着一张红纸，上写'王门刘氏之灵柩'七个大字，外表上果然瞧不出什么异状。我很想把棺材打开来瞧瞧，我母亲究竟成一个什么样子，可是一想到那可恶的法律，却不容许我如此啊！"

"这当然不能。你可曾问过会馆里的办事人，他们送丧时的情形怎样？"

"没有。那时办事人都走完了，我无从问起。不过有一点也足以反证他们的狠心。我母亲的棺材就放在沿后围墙的荒字号里。这一号里竟放了四口棺材，窗上的玻璃破碎的不少，风凄凄的好不凄惨。这些都是廉价的号子，像我们的家况，我母亲的棺材实在不应寄顿在这等号子里面。"

霍桑又低沉了头，似在思索什么比较重要的问题，并未注意到这少年的批评。

他自顾自问道："你可曾问你姨母，你母亲是什么病死的？"

"我自然问过。伊说旧病复发，病了一个多星期。但这一星期中，他们为什么不给我一封信？伊的理由却说我母亲怕我担忧，不许他们写信。霍先生，你想这种事竟让病人做主，岂非不近情理？"

"患病总请过医生，难道你姨母也不肯说吗？"

王保盛蹙紧着眉峰，两只手互相搓着，现出一种踌躇不决的样子：

"这一点倒恰正相反。伊似乎为着要解除我的怀疑起见，一再把药方拿出来给我瞧，我却因此越觉得可疑。"

"为什么？"

"那是一个名叫高月峰的国医，方纸上果然写着些'脉弦神亏，津涸气促，病势沉重，谨防喘急'的一类吓人的字句，不过这不能算作病证。我知道一般国医的话，往往是靠不住的。"

这一句评断，我听了有些刺耳，禁不住插了一句。

我道："那么，你以为西医的话句句都靠得住吗？"

他忽旋转头来瞧着我，辩道："包先生，我并不是轻视国医，但事实上有不少略识之无的所谓国医，认症不清，便在方纸上写些'恐防转变'一类的骇人语句。病好了他们可以冒功，如果不幸死掉，他们也可以卸责。这种江湖医生的恶习，我已经历过几次。例如两年前我患恶疟，我母亲去请了一个所谓国医，竟也在药方上写上些——"

霍桑忽不耐似的接嘴道："好了，你用不着列举。这种恶习固然是国医界的弱点，但因着诊断力薄弱而用吓人话欺骗病家的所谓西医，也未始找不出来。现在我还有话问你。照现行的公安条例，死亡和出生，都须往警区中去登记。你可知道他们曾否办过这个手续？"

王保盛疑迟道："这个我倒没有问起。我因着我所提出的偷丧的理由和送殓的工役们的姓名，都没有得到圆满的答复，心中的疑焰便再不能遏制，故而对于其他的细节，我觉得已没有追问的必要。就是伊所举出来当作证人的广福寺的和尚，我也认为没有注意的价值。"

霍桑的眼光突然一闪，忙问道："广福寺的和尚？做证人？"

王保盛答道："我姨母是很迷信的，别地方视钱如命，但对于什么装金修庙一类的事，倒很出人意料地慷慨，所以广福寺里那几个和尚，都把伊看作大施主。据伊说我母亲是在前天二十二日黄昏时断气的，当场就请广福寺里的七个和尚来念了一夜经。伊还说这种纪念功德对于死者最有益处，不能省钱，其他的一切却都是靡费。伊说这话，无非想借此掩饰伊的阴谋，和补充伊偷丧的理由。你想这班和尚平日既受伊的好处，自然和伊一鼻孔出气。我即使去问，会问得出什么？"

霍桑摇摇头道："这一点我倒不能同意。我们要查明这个疑团，决不能因着细节小点，或预料没有结果而便轻轻放过。我现在的计划，就想从你所认为没有注意价值的方面着手调查。"

王保盛连连点头道："这个我倒不反对。你既然认为有调查的必要，只要能给我母亲申冤，一切听你老人家的便。不过我的那位贤惠的姨母，我希望你也能想个方法和伊谈一下子。"

霍桑应道："这自然。不过眼前我还不能贸贸然去见伊。"

王保盛便立起身来，拿了旁边茶几上的那只呢帽，脸上已换了一副与先前绝不相同的神气：

"霍先生，包先生，你们能够帮助我，我不知用什么话感谢你们——"

我不禁插口止住他道："且慢，你此刻打算往哪里去？"

他应道："回家里去啊。我准备不露声色，再小心些观察。我相信还可以得到些更确切的证据。"

我也立起身来沉吟着道："这固然很好，不过你自身的安全问题——"

王保盛忙着说道："这一点我早已想到，现在我觉得一切不怕。我定意推说胃病发作，不在家里吃任何东西。我又预备好了一把短刀，以防万一。不过我还不曾有过露骨的表示，料想他们也不致采取危险的强暴举动。"

霍桑也站了起来，缓缓说道："那么，你应得处处谨慎才好。"

王保盛点头道："好，我知道的。我回家以后，假说我明后天就要回南京去，使他们不致过分防我。二位先生，我去了，明天早晨来听你们的消息。"他行了一个九十度的鞠躬礼，便拉开了门匆匆退出。

我在霍桑送客出去的时候，想到了《催命符》案中的甘汀苏，和《白衣怪》案中的裘日升的命运，不禁为这个为母亲复仇而不顾一切的少年抱着一种隐忧。

霍桑回进来后，又烧着了一支新的纸烟，坐在藤椅上，低头默默吐吸。他的外表虽仍保持着平静，但他内心中的紧张状态，已从他用力喷射的烟雾中流露出来。我知道他的脑子此刻完全集中在这件疑案上面，分明要从这纠纷的乱丝中抽寻一个头绪出来。我恐防扰乱他的思绪，就陪着他静默。我也同样吸着一支纸烟。约莫经过了三四分钟，办公室中浓厚的烟雾，几乎充塞了四角。

无意中的发现

霍桑忽立起来丢了烟尾，从背心袋里摸出表来瞧瞧，向我说道：

"包朗，将近十一点钟了，你回去吧。我想这一回事，尽够我今天一天消遣了。"

我道："你用不着我吗？你的身子怎样？能不能——"

霍桑的嘴唇微微牵了一牵："什么？你还认作我有病？即使我的左臂还没有恢复原状，但这回事和汪银林昨夜的工作性质全不相同，决不致有用武力的必要。你尽可放心。"

我趁机问道："那么，这件事的性质究竟怎样？那孩子所说的谋财害命的假定，有没有成立的可能？"

霍桑忽而沉下了头，挺立着不动，也不答话。他又把手插在玄色花呢的裤袋里面，重新在室中踱来踱去。

一会儿，他站住了答道："这事的结果怎样，我此刻还不能预料，但内幕中一定藏着什么诡秘的阴谋，那是可以断言的。这里面有许多矛盾点：例如那理由不充分的偷丧，那心腹小使女的失踪，同时却又发电报通知保盛，又请过医生。有不少事实，都超出了情理的限度。但最后的结果怎样，只要我的侦查不致最终失败，那么，你的小说资料记事簿上，绝不会留下空白的。包朗，你先回去吧。我此刻就要出去，不能留你在这里吃饭，抱歉得很。我如果在这事上有什么进展，立刻会通知你——唉，你今天一早赶来，不是为着慰问我吗？我虽没有患病，但同样领受你的盛情。谢谢你，再见吧。"

我和霍桑分别以后，就回我自己的寓所里去了。午膳过后本想继续我的笔墨生活，可是我一坐到书桌前握起笔，便觉得神志纷乱，自己竟不能控制。这原因是很显明的：王保盛的故事盘踞在我的脑府中，在这诡秘的谜团被打破以前，我的精神上当然还不能恢复平日的宁静状态。原来，和霍桑缔交了二十多年，他的非职业的钩隐抉微的侦探工作，竟连带地使我养成了一种嗜好。我因着强烈的好奇心，对于揭发疑难问题的倾向，真像一般人对于声色嫖赌的嗜好有同样的魔力。这一回事我既然在无意中参与旁听，霍桑却又不允许我实地参加，自然无怪我牙痒痒地耐不住了。

我的寓所在林荫路，距离梨园路王保盛的住处原不很远。霍桑虽不曾叫我参加。我不妨自动地到那边去走一趟，说不定会碰着什么机缘，得到些关于这件事的线索。因为我觉得这件实事有急速处置的必要。首先，如果王保盛的生母刘氏的死，当真出于被谋害而有开棺验尸的必要，这举动当然越早越好。其次，我又想到王保盛的安全问题。如果延搁下去，这少年处在阴谋的氛围中，也许真会发生不幸的结果。所以我在二十四日的下午，自动到梨园路润身坊去。这并不是专为着满足我个人的好奇心，实在也为那可爱的少年和疑案的本身着想。不料因着我这无一定目的的行动，无意中竟获得了几条重要的线索。

润身坊有一条朝南的总弄，包含着四条横弄，每一条横弄分列东西，各有七八宅左右的石库门住屋。那总弄却居正中，我走进总弄后便立停了细瞧。右手里居东的半排横弄，都是双幢的石库门，左手里居西的半排横弄，却都是单幢的屋子。我记得王保盛说过，他家住在第一弄第六号，那门牌既然从东而西，所以第六号就在第一条东横弄口的第二个门口。我站在总弄里面，瞧过去便很清楚。

这第二家的石库门上，果真钉着一小方新麻，门上还有一块颜色暗淡的铅皮牌子，写着"郑州王"三个字。这时那两扇门紧紧关着，弄中也比单幢屋子的西半弄清静得多。这东半弄中既没有闲杂人等，一时我倒无从下手探听。

那总弄口有一个过街楼，楼上似乎是管弄人的住所。楼下有一个鞋匠，正在手不停挥地装一双女鞋的底。我本想找那管弄的人搭讪几句，但不知那人是不是在楼上，虽有小梯可通，我终究不便贸贸然上去。我退一步着想，就打算向那个鞋匠探问几句。但那鞋匠正忙着工作，也未必肯和一个陌生人搭讪，我的打算实在希望渺茫。

我走到鞋匠的面前，瞧瞧我脚上的皮鞋，便想出了一个主意。我的鞋后跟已有一部分磨蚀，不妨借此做一种媒介。我从衣袋中摸出两枚双毫，准备临时拔号似的叫他给我修一修鞋跟，这四毛的代价，也许可以做一种小小的诱饵。可是我这策略竟没有实现出来。原来我在向那皮匠招呼以前，又旋转头去瞧瞧王保盛家的门口，那鞋匠的座位在总弄口的西面，故而望得见东首第一弄中的第六第七号的门口。在我回头的时候，那横弄口第一家第七号——就是王保盛的贴邻——的石库门开了，有一个十五六岁的小使女从里面出来。

"唉，机会来了！这条线索一定可以比这鞋匠更有把握哩。"

当我在暗自忖度的时候，那小使女已走到了鞋匠摊的面前，那时我已旋转身来面向着伊。伊手中拿着一封信，身上穿一件深青色丝光白线条布的夹旗袍，足上一双蓝方格的树胶底鞋，打扮倒也整洁，伊的圆胖胖的脸很讨人欢喜，而且已薄薄地抹上了些粉，伊走过我面前时向我瞧了一眼，随即从总弄口出去。

我跟着这女孩子出了润身坊的总弄，见伊向西进行，似要往方浜路邮局里去，我加紧两步，走到伊的背后，就开始招待。

我婉声呼："小妹妹，寄快信吗？"

那女孩子旋转头来，立停了向我瞧瞧，接着是微微一笑，伊操着本地口音答道："不是的，这是双挂号信，寄到南京去的，先生，你是谁？"

我暗忖这孩子果真伶俐可爱，料想起来，我的计划很有把握，我见伊手中那封信上写着"南京交通部吴某某"字样，下面的具名是叫"张国杰"。

我应道："小妹妹，你主人家不是姓张吗？我问你一个信，有一个像你年纪差不多的菊香，不知道在哪一家帮佣，你可认识？"

伊毫不犹豫地反问我道："菊香？不是那个浦东梅兰芳？"

我连忙应道："正是，正是，你可知道伊在哪一家做工？"

"伊就在我们隔壁第六号王家里啊。不过伊已经走了，先生，你为什么要找伊？"

这问句我固然没有提防，但伊虽口齿伶俐，究竟还是一个十五六岁的孩子，我自信总能应付。

我道："伊从前曾在我家里做过三个月工，有一天我在路上撞见伊，伊说在润身坊某一家帮佣，我却忘记了门牌，现在我要瞧伊，就想问问伊肯不肯再到我家里去做工。"

伊当真绝对不疑心我的谎话。伊忽伸着伊右手小指的指尖放在伊的牙齿上咬着，眨了眨眼睛，现出一种新式女子寻思的表情：

"这个太不凑巧了，王家前天傍晚死了太太，菊香是在昨天早晨走的——"

我的心头微微一怔，不禁插口道："昨天早晨走的？你会不会弄错？"

伊摇头道："不会错的，昨天清早伊跟着伊家的三小姐一块儿送丧出去，后来主人们回来，恰巧我也亲眼瞧见，却不见了菊香，到了昨天午饭时候，那边荐头铺里送了一个江北老妈子进去，我才知道菊香不回来了，伊长得很好看，我常叫伊浦东梅兰芳，伊和我很要好，真像自己姊妹一般，现在我也挂念伊呢。"

我觉得我们的谈话既已入港，而且无意中已得到了一种重要发现，我的希望霎时间扩张到无量的限度，因为据王保盛说，伊的姨母倪氏昨天告诉他，菊香是在三天前走的，现在知道是谎话，这谎话却在无意中被我证实了。但倪氏为什么突然间辞歇菊香？又为什么谎骗保盛？伊的阴谋的行为不是已显豁地揭露了么？我觉得这小使女一定握着疑案中的密钥，我们的谈话当然还不能就此终止。就伊的年龄说，我和伊谈话势不致惹人家的疑忌，但在这距离润身坊附近的地点，站立谈得太久了，究竟不便。

我又道："小妹妹，你不是要到方浜路邮局里去吗？你走吧，我可以陪你一块儿去。你真好，你叫什么名字？"

那女孩子一边缓缓开步前进，一边又含笑答道："我叫根弟，先生，你姓什么呀？"

我觉得不能再欺骗伊了，事实上也没有再骗伊的必要。

"我姓包，但你说菊香在昨天早晨送丧出去，以后便没有回来，可是你亲眼瞧见伊送丧出去的？"

"是啊！那时我才刚出来倒垃圾，恰巧见王家里的棺材抬出门来。我瞧见菊香跟着棺材一块儿去的。"

"唉，你可记得那时候除了菊香还有多少人送丧？"

根弟的嘴撇了一撇，摇摇头答道："怪冷清清的，连和尚道士都没有一个。"

我试一试反击的方法："我想总不见得只有菊香一个送丧，你大概没有瞧清楚。"

伊忽用力抗辩："我倒瞧得清清楚楚，实在没有几个人，除了四个扛棺材的人以外，只有王家三小姐，和一个像先生你一样打扮的人。"

"什么？可是像我一样穿西装的？"

根弟旋过脸来向我瞟了一眼，向我点点头，却不答话。

我又道："可是他家的大少爷？"

伊摇摇头道："不是，大少爷我怎会不认识？他从来不穿西装的。"

"那么，这个穿西装的人是你不认识的吗？"

这使女的脸上忽而露出一丝微笑，说道："我倒也见过他几次。白满满的脸，浓黑的眉毛，还戴着一副黑边的眼镜，长得的确漂亮。"伊说时唇角上的笑容不但没有消灭，却越发深刻化了。

我急忙问道："你为什么觉得好笑？"

伊又仰起头来，把合缝的眼睛向我瞧瞧，说道："这个人曾闹过一次笑话。唉，我不说了！"伊忽又扑哧地笑了出来，随即用手背掩着嘴唇，低下头急急前进。

奇怪！这女孩子竟也学会了卖关子的诀窍，而且伊的表情动作，似乎已沾着些所谓摩登化的派头。伊的这一句"不说了"的后面，分明隐藏着什么重要的事实。我怎肯轻轻放过？

我也带笑催促着道："有什么可笑的事情？我最喜欢听笑话，你倒说给我听听，究竟好不好笑。"

"我不说，若使给王家的三小姐知道，伊一定要骂我嚼舌头的！"

我又道："你尽说不妨，三小姐绝不会知道，你说了，我给你一种酬谢。"

伊的伶俐的眼睛里露出一种带些狡猾意味的光彩，又斜着眼稍向我微微一笑。

伊侧着头说道："那么，你找着了菊香，那也不能说我说的。"

我连连应道："那自然，你尽可放心，我一定不说是你说的。"

根弟又走了几步，才说："有一天我陪着我家的少奶在后门口买橘子，忽见这个穿西装的先生从王家的后门里急忙忙出来。那时他的白白的脸上涨得像关老爷一般，脚步也慌乱得不像样子，不多一会儿，我们便听得隔壁王家的大太太拍桌子高声骂起来了。"

伊的话又停顿了，我怕伊再来一个关子，便急急不着边际地催促，其实我当时也太觉心急，这女孩子年纪虽轻，却早已沾染了一般无教育的妇女们所擅长的谈人隐私的习惯，我即使不催，伊自己也耐不住的。

我道："这倒怪有趣，你家少奶自然要奇怪起来了。"

"对啊！过了一天，我家少奶偷偷地向菊香查问，才知那

天大太太出外去买东西，那个穿西装的人正和三小姐在房间里
唧唧哝哝地谈心，大太太忽然从前门进去，那人连忙从后门溜
出，却已被大太太瞧见。菊香说，三小姐因此足足哭了一夜。
隔了一天，我见伊上学校里去，伊的眼睛果真还有些红肿哩。"
伊说完了这句，伊的胖胖的面颊上竟绯红了。

我暗忖这孩子虽还没有成年，竟已在开始领会风情，都市
社会的男女，别的未见怎样进步，性知识竟特别早熟，这真是
社会前途的一种隐忧。这时我也勉强地笑了一笑，我还没有答
话，那小使女又格格地笑了一声，继续自动地解释：

"其实王家的大太太也太厉害了。菊香告诉我，那时候二
太太也在房里，他们俩并没有什么花样。"

我竟忍不住笑道："唉，根弟，你今年几岁了？你竟也懂
得花样不花样？"

伊的脸上红了一红，忽又装作正经的模样，答道："我本
不知道什么，这完全是菊香告诉我家少奶的。唉，你不能把我
的话告诉菊香啊。"

"我一定不说，但这一回事发生在几时？"

"那还在热天，大概有一两个月了。"

"自从这件事情以后，这西装少年可还常来？"

"没有，直到昨天早晨，他忽又赶来送丧。其实他起先也
不常来。菊香说，在大太太吵骂以前，那个人只来过两三次，
他只在后门口和小姐偷偷地谈几句话罢了。"

"那么，这个人的姓名你总知道吧？"

那小姑娘摇摇头："连菊香也不知道哩。"

我想了一想，又回到了送丧的问题："昨天王家出殡，那
二太太没有送吗？"

根弟摇头道："我没有瞧见，我只见那穿西装的和三小姐，连同菊香一共只有三个人。"

"他家的大少爷也没有送？"

"我也没有瞧见，大概没有送。"

"你在什么时候最后瞧见他家的大少爷？"

"前天晚上，那些光头们在念经的时候，我还见他家的大少爷走出走进地忙着，昨天却一天没有看见，但二少爷昨天下午却已从南京回来哩。"

我又捉住了一条线索的引端，便打算再进一步：

"唉，前夜里你到王家去瞧和尚们念经的吗？"

"我只在前门口张了一张，不曾进去。"

"你可曾瞧见大太太的尸体？"

"没有，没有，怕得很！谁喜欢瞧鬼脸呀？"

"那么，那时候你瞧见王家里有什么人？"

"我只见他家大少爷和菊香在客堂里，客堂中张挂了一块白幔，有六七个和尚在白幔外面吹打，白幔里面谅必就是死人。"伊好像打了一个寒噤，脚步加紧了些。

我顿了一顿，又问道："你可知道王家的三小姐在什么学校里读书？"

伊答道："就在大境路震旦学校里——"伊忽顿住了，用狡猾的眼光向我一瞥："包先生，我看你不是单要找菊香吧？哼！你莫非也在想王家的三小姐？"

这句打趣也是出我意料的，但伊既瞧出了我的破绽，我即使再有其他问句，说不定伊会用别的打趣的话骗我。伊这一番谈话已给我不少线索，我无意中的侦查，也可算已得到相当的成绩。我决意暂时告一段落，况且这时候已走到了方浜路口，离邮局已不远了。

我仍笑着答道："根弟，不要乱说，我因着你说得有趣，随便问问。你想想我的年纪，怎会有这种勾当？现在我不问你了，你如果瞧见菊香，最好问伊现在在什么地方帮佣，过一天我再来瞧你，你如果能告诉我菊香的着落，我一定重重谢你。这个是我今天应许你的酬谢。"我从衣袋中摸出一个银圆塞在伊的手里。

根弟忽握紧了拳头，身子向后退缩："我不要，我不要。"

我抓住了伊的手，用力将那银圆塞在伊的掌中："你拿了，这不算什么，这样子推推拉拉，怪难看。我的电话是一二二四四。你如果知道了菊香的地点，请你随时通知我，我一定再重重酬谢你。"

矛盾点

这天晚上我仍没有动笔写我的小说。我一个人坐在我自己的书室中，吸着纸烟，回想日间我和根弟谈话的经过。过了一会儿，我提起笔来，把谈话中所得到的线索，写成了下面几种结论。

第一，那小使女菊香在昨天二十三日清早送殡以后方才不见，倪氏所说菊香在三天前刘氏病中就离去的话显见是虚构的。第二，二十二日那天夜里和尚们在尸前念经的时候，保荣还在。那么，保荣的失踪，也只是前天二十二日晚上，或昨天二十三日上午的事；无论如何，他的失踪是发生在刘氏死了以后，这也是值得注意的。第三，保凤已有一个恋人，这人和保凤的结合，那死者刘氏显见是不赞成的。而上一天的所谓偷丧，其他方面虽都出于诡秘行动，这少年却偏偏参加。这一点在这件疑案上也不能不认为是一种重要线索。第四，我已约略地明了他们家庭间的对峙状况。那死者刘氏虽握着财权，处在家庭间最高的地位，但伊的亲生儿子保盛既还在南京，除了那个心腹的小使女菊香以外，伊可算是处于孤立地位，而对方那倪氏和伊的儿子保荣、女儿保凤，三个人分明通同一气。家庭间有了这种对峙的现象，当然已没有福利可言，何况刘氏又握着财权，又曾反对过保凤的恋爱事件。在这种情势之下，家庭间的惨变的确有爆发的可能。

下一天二十五日早晨，我便赶到爱文路霍桑寓里去，他已出去进行他的户外散步，还没有回来。我就坐下来拿了几张报消遣。报上虽载着关于黄河路赌窟的消息，可是不出汪银林所料，果真略而不详，不但那些所谓"大亨"们的姓名不曾披露，而且那七十六个男女赌徒的数目，也已打了一个七折，我暗忖神圣的无冕帝王的笔尖，竟也会被这班"超法律的大亨"的势力所支配，那不能不引起我深长的叹息。

一会儿霍桑从外面回来，开始进他的早餐。我忙放了报纸，偷偷地瞧他的神气，要想测度他对于这件疑案在调查上是否已有进步。但我这种观察，十居八九要失败的，除了他在十二分紧张和困难的时候，终不容易从他的脸色上窥探他的心理状态。我寻思昨天下午我和那小使女的一番谈话，并不曾受霍桑的委托，那么，我不妨先听听他侦查的成绩，然后再出其不意地将我所得到的重要消息供给他。

我等霍桑的早餐完毕以后，彼此烧着了一支纸烟，便开始发问。

我道："霍桑，我想你昨天一定已奔波了半天。有什么结果？"

霍桑缓缓答道："还不能说什么结果，我曾到斜桥路河南会馆去过，也曾查明了地址，去拜访过那位王保盛的父执潘之梅，查明了几种事实，后来我去访汪银林，把这事告诉他，希望他给我调查一下王保荣的踪迹。他又陪我到西区警署里去调查登记的事，又一块儿去访问过那个高月峰医生。末了，他留我吃了夜饭，耽搁得很晚。今天我本打算找一个题目，就要去见见保盛的姨母倪氏，这就是我昨天和你分别以后的经过情形。"

"那么，你所查明的几种事实是什么事呀？"

"那会馆里的职员，有一个叫作庞伯年的，告诉我王刘氏的棺材的确是在二十三日早晨九点钟光景送进去的，送丧的只有一男一女。这的确是一种习惯的所谓偷丧举动。"

我这时几乎忍不住想补充，但急忙忍住，干咳了一声。

霍桑向我瞧瞧，问道："你要说什么话？"

我仍保持着秘密，答道："没有什么，我要问问这送丧的一男一女是谁。"

"据庞伯年告诉我，那女的就是死者的女儿保凤，男的却是一个姓唐的西装少年，说是死者的亲戚。后来我去见潘之梅时，他却说他不曾听得王训义在上海有什么姓唐的亲戚，这个人至今还是个哑谜。"

这时我的咽喉间似乎有些发痒，但我仍凭着控制的力量保持着静默。

霍桑把纸烟灰弹去了些，仍自顾自地说道："我还查明二十四日傍晚七点钟时，到西区警局里去填写死亡执照的人，就是王保盛的哥哥保荣。不过那管理死亡登记的赵巡长，只凭着高月峰医生的签证就胡乱登记，并不曾亲自到王家去调查过。因此，可以证明王保荣在他的大母死后还没有失踪。"

我情不自禁地暗暗点了点头，因为这结论和我所归纳的恰正相合。但我这点头的动作，霍桑似没有瞧见。

他继续说道："还有一点，我认为非常可疑，那庞先生说那天四个扛棺材的夫役中，有一个人他向来认识，那人名叫阿四，住在大东门外关桥堍，你想关桥离梨园路很远，他们为什么不雇用近处的夫役，却这样子舍近求远？因此，我觉得这里面的矛盾点越发不能调和。"

我插口问道："你说的矛盾点指什么说的呀。"

霍桑呼吸了几口烟，说道："我昨天就感觉到这里面的事实互相矛盾，在情理上解释不通。因为从一般心理上推测，刘氏的死，假使果真出于倪氏母子的谋害，谋害的方法姑且假定是最简便的毒药，那么，他们的阴谋既已成就，尽可以陈尸在堂，让伊的亲生儿保盛回来殡殓，事实上保盛决不致贸贸然就去检查尸体，而且服毒而死，也绝不是一瞥间所能瞧破，但他们为什么故落痕迹，采取这种诡秘的偷丧举动？从另一方面看，他们这种诡秘的偷丧，又足以反证他们的确有阴谋行为。但他们的阴谋是什么性质？我委实无从推想。并且他们既有阴谋在先，为什么又急于发电报通知保盛？通报以后，怎么又反故意似的造出这种种疑团？这种种都觉在情理上解释不通。后来我查明了他们特地到远处去雇叫扛棺材的夫役，又有那个不知谁何姓唐的少年送丧，越足证明他们确有诡秘的阴谋。可是据潘之梅说，那倪氏平素为人柔和胆小，所以历年来相安无事；又说那保荣也只是喜欢游荡罢了，料想不至干出这种骇人的犯法举动。还有那医生高月峰，也声明刘氏是病死的。这些都是显著的矛盾点，现在我差不多已被困在矛盾圈子的核心。我的唯一的希望，就是等你来给我解释了。"他说完了话，便把身子靠着藤椅的背，闭目养神似的吸他的纸烟。

我作疑讶声道："什么？你希望我来解释这矛盾点？"

霍桑点了点头，眼睛依然闭着，烟雾却一缕缕从嘴里吐出来。

我又道："这种出乎常情的矛盾点，你既然认为困难，我怎能——"

霍桑忽接嘴道："我相信你能够的。你何必谦虚？"

"这不是谦虚问题啊。"

"得啦！你的声容态度，早已告诉我你昨天曾自告奋勇地调查过，此刻你已握着这疑案的密钥！"

我不禁笑道："唉，霍桑，你的眼睛真厉害！我想瞒你，委实自不量力，不过我所知道的有限，说不上'握着密钥'或解释矛盾，我只能补充一些罢了。"

霍桑才张开眼睛，重新仰起身子，丢下了烟尾，向我微微一笑。

他道："那么，你有什么补充呢？"他说时又摸出一支新鲜的纸烟来。

我答道："我已知道那个送丧的姓唐的少年是王保凤的恋人，还有那小使女菊香，在二十三日早晨陪着棺材出门以后方才走开。这两点或许可以给你一种补充。"我从衣袋中摸出我的日记簿来，把上夜里所写的四种结论的纸，拣出来交给霍桑："这就是我昨天从王家隔邻的一个小使女嘴里查问而得的成绩，你自己瞧吧。"

霍桑把那张结论的纸接过，细细地瞧了一遍。接着，他一边烧着纸烟，一边把眼光凝视在他的皮鞋尖上，脸上非常沉穆。我觉得他这样郑重其事，就可证明我昨天自动的举动，可算"此行不虚"。

一会儿，霍桑向我点着头，缓缓说道："包朗，你昨天的工作的确值得赞许。你已在这一团乱丝中给我指出了几条可以抽引的头绪。"

我不禁露出些得意的神色，也换了一支新的纸烟烧着。我说道："我认为这端绪中最重要的一条，就是那个姓唐的少年。"

霍桑的眼光闪动了一下，问道："何以见得？"

"他是保凤的情人，他和保凤的结识，却是死者刘氏所反对的，这一次他又公然出来料理死者的丧务，那么，他在这疑案中所处地位的重要，也就可想而知。"

"你说这姓唐的有主谋嫌疑？"

"我的确有这见解，因为一个人在热恋的当儿，理智的效用往往会消沉到零点以下，因着排除恋爱途径中的障碍而出于行凶，也算是一种强有力的动机。"

霍桑又低下了头，默默地吸着烟，寻思了一下。

他点点头道："这少年的确也是个重要角色。不过就眼前进行的步骤说，还有两个人的下落，比他更有急切查明的必要。"

"哪两个人？"

"一个是那小使女菊香，一个是那大儿子保荣。因为当前的先决问题，就在刘氏的是否被谋害而死和怎样被害，动机和主谋，还是第二步的问题。"

"那么，你想我们如果查明了这小使女或保荣，你的先决问题就可以解决吗？"

"我相信如此，我料想那小使女菊香的失踪，一定是被他们利用了什么方法故意遣开的。他们为什么要遣开伊？那一定是因菊香曾参与或曾窥破他们的阴谋。他们防这小孩子会吐露真情，故而才将伊遣开了灭口。"

我想了一想，点头应道："这样说这女孩子的确是全案中的枢纽。但伊的下落或许还有查明的可能。"于是我就把嘱托根弟的事向霍桑说了一遍。

霍桑微微带着笑容，应道："我佩服你，你的刺探手段委实高明。不过你若等候根弟打电话报告你菊香的踪迹，那你须把你急躁的性子改变一下，下些忍耐工夫才好。因为据我料想，在眼前的几天，菊香绝不会回到润身坊去。"

我道："那么，我们如果能找到那个保荣，不是也同样可以揭破这个疑团吗？这个人你想可容易找寻？"

霍桑道："我昨天已托汪银林帮助我找寻。那西区警署里的毛巡官，特地叫眼见过这王保荣的赵巡长将保荣的面貌向汪银林说明，也许不久就可以有下落。我料想他不会走远……唉，且慢。"他重新把我的那张结论纸展开来瞧了一瞧，说："当和尚们转殓的时候，他还在场，那么，他什么时候走开，这班转殓的和尚或许会知道一二。不过我觉得不容易使这班光头们说真话。"

"是啊，我也认为我们应到广福寺里去调查一下，譬如：刘氏的尸体究竟有没有异状？那姓唐的少年当时是否在场，除了姓唐的少年以外，还有没有别人？还有死者究竟什么时候下棺？料理下棺时的夫役是什么人？"

霍桑忽把那纸烟夹在手指中间，连连摇着手。他摇手的动作似乎还不足表示，他的头也连带地摇着：

"包朗，你的希望至少须打上一个九折，你总知道这班六根清净而财色未尽的上海的职业和尚，都是乖巧转弯的。况且保盛告诉我们，倪氏又是他们的施主。如果你把这种有严重关系的事情去问他们，他们尽可以轻描淡写地回答你'阿弥陀佛，我们出家人除了拜佛念经，什么都不知道'。那你就没奈何了。"他立起身来，背负着手，又开始在室中踱着。

霍桑这一种抗辩的论调，我不太满意，即使和尚们刁滑，我们也尽可想些旁敲侧击的方法，决不致束手无策，我见他低头苦思的状态，又不禁自告奋勇：

"霍桑，你可是认为向和尚们调查的事不容易办？我倒很愿意代替你——"

霍桑忽摇摇头，插口道："不，我正在找一个题目，怎样去和那倪氏和伊的女儿保凤谈一谈，我觉得这件事很不容易启口——"

他的话也同样被打断，原来这时候前门忽而响动，不多一会儿，那王保盛又直闯进霍桑的办公室中来。

这一次他的行动上虽然仍有些鲁莽的色彩，但比昨天的模样已有显著的进步，他仍穿着那暗青布的棉袍，一进门便把他的那顶半棕半灰的呢帽除了下来，很恭敬地向我们鞠了一个躬，他的脸上已有些血色，镜片后面的眼睛，也比昨天活泼得多。

他放低了声音，说道："两位先生，我来报告一个信息。他们的阴谋越发显露了！"他的声调谨慎中带着惊慌，似暗示他的消息的严重。

霍桑又抚慰似的伸手拍着那少年的肩膀，一边点头，一边答话："唉，有消息？好，好，请坐下来说。"

我们坐定以后，王保盛就开始报告："霍先生，你昨天可曾调查出什么事情？我告诉你，你的举动应特别谨慎才是。"

霍桑的眼睛里露出一种诧异的神气，他向这来客瞧瞧，似在估量他说的话是否出于健全神经的支配。

他缓缓应道："昨天包先生也参加侦查的，我们约略有些成绩，等一会儿可以告诉你。但你说得特别谨慎有什么意思？"

王保盛把身子偻向前些，依旧现出一种防人家偷听似的模样。

他道："霍先生，昨天晚上镇江方面来了一个电报，那是我姨母的表兄许邦英打来的回电，说他准定今天乘早车到上海来。"

我记得王保盛昨天曾说过，那个和他父亲合股经商的潘之梅，曾提起过这许邦英是在镇江当律师的。潘之梅所以特别提起这人，又表示不愿参加这件暗昧的事情，一定就是顾忌这个人不容易应付，这时保盛果真也有同样的表示：

"霍先生，我不能不告诉你。这许邦英阴险异常，他借着律师的招牌，专干种种恫吓敲诈的事情。唉，我说出来也惭愧，我父亲在世的时候，也曾吃过他的亏，故而这几年来彼此已断绝往来。这一次我读他的回电的口气，分明是我姨母特地去请他来的。霍先生，你想他们为什么去请他来？"

我不禁插口道："莫不是请他来分析家产？"

王保盛瞧着我答道："这倒不成问题，当时我哥哥保荣分居的时候，已分析清楚，保荣的一份已给他自己花完。现在除了失窃的现款和首饰不算，还有些股份存款和郑州老家里的一宅屋子以及五百亩田，应由我和我妹妹平分。这事已立有笔据，不致有什么争执。我相信这位表舅舅特地赶来，一定有特别使命。"

霍桑淡淡地说道："你以为你姨母干了什么犯法事情，自己心虚，故而请他来掩护的吗？"

王保盛张大了他的一双小眼，点头道："对，我料想他如此。你以为怎样？"

霍桑也点头道："这的确是可能的。"

"那么，你们两位先生的行动，不是应加意小心些吗？不然，他是靠弄法律吃饭的，万一给他抓住了什么把柄，不但我母亲的冤恨没法申雪，也许反而连累你们两位。那我怎么对得住人？"

霍桑的牙齿似在微微咬他的嘴唇，他的眼珠偏在右角，视线集中在那条天津出品的地毯上面。他的手又伸到短褂袋里去，摸出那只熟皮的烟盒。

他缓缓说道："包朗，我们的行动的确不得不审慎些。我们在得到相当的人证或物证以前，还不能贸贸然贯彻我刚才所说的计划。对不起，你把我们昨天的经历向保盛兄说一遍吧。"

霍桑从他的藤椅边上拿起那张我所写的结论纸交还了我，他自己却擦着火柴，烧着了纸烟，把身子仰靠着椅背，又现出那种闭目养神的状态。我就先把霍桑昨天在会馆方面、潘之梅方面和警区方面所调查的结果告诉了他，又把我自己的经历约略说了几句，末后，才将四种结论授给他瞧。王保盛经过了一度沉默，忽而从他的椅子上直跳起来：

"唉，我明白了！霍先生，我告诉你，我母亲的被害，我妹妹保凤定是主谋。那动手实行的，大概就是这姓唐的混蛋！唉，霍先生，包先生，我相信一定如此！一定不会错误！"

我觉得王保盛又显出了神经性状态，他的小眼球仿佛要和那眼镜片接触，他的额角上的青筋也隐隐地暴露出来。

霍桑忙仰直了身子，作温慰声道："保盛兄，坐下来。你刚才既劝我们举动上谨慎，那么，你自己也不应这样子着急，这件事我们必须用缜密的头脑来应付。你还是安静些把你的意见说出来。你有什么理由相信你妹妹是主谋的人？"

王保盛的喘息宁静了些，点头道："好，好，我来告诉你们。我起先还疑心动手的大概是我哥哥保荣，但我现在回想，他在花完了产业落魄以后，我母亲依旧收留他进来。他如果有些人性，总有些感激的心，料想不至于这样狠心。可是那保凤是一个深沉莫测的女子。伊平日难得说话，和我的性格恰正相反。这一次伊因着我母亲反对伊的婚姻或恋爱勾当，就下这毒手，委实有充分的可能性。况且伊前天夜里曾私下到楼上来窥探我，今天清早伊又有那种诡秘举动，处处都显得伊处于主谋的地位。"

霍桑现着注意的神气，忙问道："今天清早伊又有什么诡秘举动？"

王保盛道："这一着我本来也准备来报告你的。我认为这里面有重要的关系，也许可以做一种线索。唉，霍先生，我觉得我的心跳得厉害。你能让我坐一坐，缓一缓吗？"

送信人

王保盛在饮过了一杯茶，又经过了两三分钟的静坐，他过度紧张的神经才镇静了些。于是他就继续报告他所说的保凤的诡秘行动。

他道："昨夜里我睡的时候，特别小心，把房门用铁闩闩上，又移了两只方凳堵在门上，以防万一有什么意外。但夜里却并无动静，我因着精神上的不安，并没有酣睡，如果有什么声响，我一定会得惊醒。可是等到今天清晨玻璃窗上刚才微微发白，我忽听得楼下我姨母的房间里已有声音，那声音琐细而轻微，带着些诡秘意味，似防人偷听的样子。我立即加以注意，从床上轻轻起来，先把耳朵贴在地板上细听，起先有一种窃窃私语的声音，接着又听得有人在楼下房间里走动。我急急穿好衣服，开了房门，轻轻走到楼梯头上，留心倾听。我听得楼下的房门已悄悄地关了，等了一会儿，却未听得其他声音。我索性走下楼梯，到了半梯的转折处，向梯旁的玻璃窗中瞧瞧，那时天色还没有亮足，但那一小方后天井中已可以约略辨物。我瞧见保凤正从这小天井中经过，向厨房里走去。

"这时候那新来的江北妈子还没有起身，保凤为什么一个人先行起来？伊分明要从后门里出去了。伊如果要买什么东西，当然会唤叫那江北妈子。伊这种行动上诡秘的模样，更足证明伊出去一定有什么秘密勾当。我在一刹那间得出了这个结论，便也轻轻下楼，准备尾随着伊出去。

"我走下楼梯时，果真见那江北妈子还睡在那客堂后面的小间里没有起身。我进了厨房，保凤已不见了，后门果真虚掩着。我小心起见，拉开后门时特别轻缓，等到开了后门探头出去瞧瞧，保凤已不见踪影。我吃了一惊，连忙追赶出来，走过了那第七号的后门，便向那条南北向的总弄的两端望望，弄中冷清清的寂静无声，还不见保凤的踪影。

"我略一疑迟，料想保凤应该是向总弄南口去的。我追出总弄口时，向东一望，果然见伊穿着一件灰布的罩袍，蓬着头正急急前进，不一会儿，伊走到狮子弄口一家卖热水的老虎灶门前站住。这老虎灶已开了门，有一个长脚的伙计模样的人正站在门口，那长脚一瞧见保凤，便笑嘻嘻地点头招呼。保凤走到他的面前，便开始和他做一种诡秘性的谈话，当伊和长脚的伙计谈话以前，曾回头向背后探望过一下，幸亏我早有防备，躲在一根电线杆的后面，不曾给伊瞧见。伊和那长脚谈些什么，我当然没法知道，但伊在这个时候，和这样一个人物做这样的诡秘谈话，多少已给我些线索。故而我不等伊的谈话完毕，便先自悄悄地回家。我回到卧室里后，又等了三四分钟，才听得楼下的房门响动，保凤方始回来。"

霍桑聚精会神地倾听，直到保盛的故事终了，他才点头接话：

"唉，这当真是一种可以着手的线索。不过你说的那个长脚，可确是那老虎灶里的伙计？或是有什么人约在那里？这种老虎灶，一面卖水，一面不是也同样卖茶的吗？"

王保盛答道："是的，但这长脚确是伙计，不是茶客，因为我也认识他的。"

"你也认识他？"

"我不是和他认识，但认得出他的面貌。昨夜里我不敢和他们一块儿吃夜饭，买了些面包、牛肉回去，又亲自拿了一个热水瓶到这老虎灶上买了一瓶水。那时我也见这长脚在里面吃夜饭，故而这人是老板或是伙计，我虽不知道，但一定不是没有关系的茶客。"

"这样很好。我们就可以从这条线索进行。昨天你回去以后，曾否发现什么其他的可疑之点？"

"没有什么，不过我姨母和保凤冷冰冰地绝不和我交谈，和前天的状态完全两样。"

"那么，你可曾问过什么事？"

"我曾问姨母保荣曾否回来，伊回答没有。保荣本睡在楼上亭子间里的，我见亭子间的门依旧锁着。后来我又故意表示

我在明后天就要回南京学校里去，伊也只敷衍了一句，并没有
快慰的表示。"

霍桑微微笑着，说道："从情势上看，伊起先所以趋奉你，
好像想讨你的欢心，把这件事掩饰过去，后来你的声音状貌和
在外面奔走的情形，都已明确告诉伊，你已抱着严重的怀疑，
准备要给母亲复仇，故而伊也就改变态度，做事戒备起来。你
昨天告诉伊不日要回南京去的话，那真是画蛇添足了。"

王保盛用手推了推他的眼镜，点点头作省悟状道："不错，
不错。他们的确有那种'严阵以待'的神气，但你想保凤去和
老虎灶里的长脚密谈，是不是还要谋害我？或是关于——"

他的说话忽被一阵电话铃声打断了。霍桑道了一声歉，
立刻起身去接电话，他回过来时，脸上忽现着惊异状态。

他向我说道："包朗，这电话是你夫人打来的，伊说那张
家的小使女根弟有电话给你。"

我跳起身来，惊讶道："唉！那么，那个你认为重要的角
色菊香一定有下落了。"

霍桑喃喃地说道："这真是出我意料的。"

"这女孩子怎么说？"

"伊不肯说，要等你亲自去接话。我想你还是赶紧回去，
那小使女应许停一会儿再打电话给你。"

我点点头，不再多说，拿了呢帽向王保盛点一点头，便匆
匆走出。

我费了二十分钟赶到我林荫路的寓所。据佩芹说，根弟的
第二次电话还没有来，我才定心了些。我昨天到润身坊去调查
的事，虽曾向佩芹约略说过，但对于菊香的踪迹，当时还并不
认为怎样严重。这时我才将霍桑的见解重新向伊说明。我们如

果能查明了这菊香的下落，内幕中的真相便可以全部揭露。

我等了十多分钟，根弟的消息依旧杳然，我渐渐有些不耐。因为这消息既然重要，自然越早越好，如果这样子延搁下去，说不定会另生变端。王保盛既然说明了保凤的诡秘举动，不知霍桑打算怎样进行。一时间我脑海里的思潮忽而起伏不定，我虽竭力控制，竟毫无效果。我好不容易又挨过了一刻钟光景，我的书桌上的一只小钟，正当当打着十下，那电话的铃声忽也跟着钟声响起来了。

我急忙握着听筒。电话中果真是一种清脆悦耳的女孩子的声音。

"你是根弟吗？"

"是的，你是哪一个？"

"我姓包，刚才你已打过一次电话来吗？抱歉得很，我不在家里。你有什么话告诉我？莫非菊香——"

"不是，我没有见菊香。"

"唉！那么，什么事呀？"我的超过沸点的希望，霎时又冷到了零度。

"我刚才曾瞧见那个角色。"

"哪个角色？谁？"

"就是王家三小姐的相好。"

"唉，你在什么地方见他？"

"我见他从王家的后门里出来，身上穿着一件咖啡色的大衣。"

"什么时候？"

"我想想看……大约九点钟。"

"只有他一个人吗？"

"正是，我只见他一个人出来。我觉得他走出来时，模样有些慌张，特地通知你一声。你要问菊香，等我瞧见了伊，再打电话给你。"

根弟这一次电话并不是报告案中重要角儿菊香的消息，很使我失望，但也不能说这消息完全没有用。因为这姓唐的少年，我们也认为是一个重要人物。他今天又跑到王家去干什么事呢？这个人在事实上既有主谋的嫌疑，他的行动当然同样有注意的必要。我连忙打一个电话给霍桑，预备把这消息报告他，不料霍桑已不在寓中，接电话的是他忠顺的旧仆施桂。

他说道："霍先生关照的，他到西区警署里去了。包先生，你如果有什么消息，可以就近去接洽。"

西区警署离我的寓所不到半里路。我向佩芹说了一声，就急急赶去。那警署的巡官叫作毛谷村，我本来也有些认识。当我走进他的办公室时，见霍桑正在里面，另外还有一个身材高大嘴脸上染着煤灰的短衣人，毛巡官和霍桑都靠墙壁坐着，那长脚的工人却站在他们一旁。毛巡官立起来和我招呼，我点点头，又演一个手势，叫他进行他的问供，不必客气。我也就自动地在他们对面的一张椅子上坐下。

我瞧了这种景状，便知他们俩正在问供，那被问的人，不言而喻的就是王保盛所说的那个老虎灶里的伙计。在我的打岔的纷扰平静以后，毛巡官便继续说话：

"三子，你放胆说吧，我已应许你，无论你干过什么，只要你照实而说，我决不难为你。"

那伙计的脸上已有着就范的表示，料想他们已费过一回口舌，方才有这个成绩。

那长脚操着江北口音答道："其实我原没有犯法，说出来也没有关系。"

毛巡官点头应道:"不犯法当然更好。那么,你也用不着这样子吞吞吐吐,费我们的工夫。"

那三子低头咕哝着道:"不过我觉得对不住王小姐。"

霍桑忽从旁接嘴道:"这个你也不用担心,我们可以给你保守秘密。万一伊要找你办交涉,有我们给你解脱。"

三子沉吟了一下,忽抬起头来说道:"那也不必,大不了我把两块钱呕了出来!好,巡官先生,我告诉你。这位先生说得不错,那王小姐的确来看过我两次,一次在前天二十三的清早,一次在今天清早。其实这也没有别的意思,伊只叫我送了两封信。"

毛巡官作怀疑声道:"两封信?送到哪里去?"

"方板桥永安里十七号里。"

"什么人?"

"有一个叫唐女门的。"

"唐禹门?"

"也许就叫唐鱼门,我也弄不清楚。"

毛巡官的眉峰一绉,他的眼光忽而骨碌碌地转了几转,他的语声中也带些惊疑:

"你有没有见过他?他是个什么样人?"

"我不知道,我没有见过。那两封信都是我敲开了唐家的后门交给他家的老妈子的。"

"你识字吗?"

那长脚的三子摇摇头。

毛巡官义道:"那么,你怎么知道这个人叫唐禹门?"

三子答道:"那是王小姐告诉我的,似乎他家里还有一个少爷，故而王小姐和我说得很清楚。"

"这是实话吗？"

"完全实在。如果有半句虚话，我立刻发乌痧胀死！"

毛巡官向霍桑瞧瞧，似表示他的问话已没法继续。霍桑微微点头，便接替了发问的角色。

他问道："三子，我相信你的话并不虚假，但最好你再说得详细些。伊的第一封信，在前天的什么时候交给你的？"

那老虎灶的伙计毫不疑迟地答道："大概在六点半，天刚才亮。"

"伊怎样差遣你？"

"伊说伊的娘死了，家里没有人照料，故而叫我送一封信给一个亲戚，请他来料理丧事。伊立即给我一块钱，算作脚费。那时我的下手小癞子也已起来，我看在一块钱份上，方板桥又没有多少路，就决意给伊跑一趟。"

"伊还有别的话吗？"

"没有了。伊往日虽天天走过我们的店，本来不招呼我的。"

"伊不曾叮嘱你不要把送信的事告诉别的人吗？"

"这倒说过的。因此，我此刻才觉得有些对不起伊。"

"今天怎么样呢？"

"今天的时候更早，天还没有亮足，伊的说话也更少，伊又给我一块钱和一封信，叫我再立刻给伊送去。"

"有回信没有？"

三子又摇摇头："没有，王小姐并没有叫我要回信。"

我觉得这一点已和根弟的消息有了关合，也禁不住从旁插话。

我道："今天早晨的信也同样有了效果，在九点钟光景，这姓唐的又到王家里去过。这是我刚才得到的电话。"

霍桑旋转来向我瞧瞧,又点点头。他立起来走到毛巡官的旁边,附耳说了一句,毛巡官还没有说话,那长脚伙计忽又好奇似的发问:

"巡官先生,王小姐可是干了什么——"

毛巡官也立起身来,连连摇手道:"不是,不是,你不要乱说,现在你可以回去,但如果王小姐再叫你送信,你应偷偷地把信拿到这里来给我瞧瞧,我重重有赏,你也不要把这一回事对任何人乱说,那你便可以安然无恙。不然,你不免要自寻烦恼了,你明白吗?"

那江北人三子走出去以后,霍桑先开口发问:"毛巡官,你可是认识这唐禹门的?"

毛谷村忽了一呆,接着沉下了脸,现出一种郑重其事的样子。一会儿,他故意放低了声音答话:

"正是,我们总厅里司法科长唐华铣有两个儿子,大的叫禹门,小的叫赓尧,都在沪西中学里读书,唐科长本来住在方板桥永安里,我疑心就是他。但我不相信他的大子会在这件事情里有份。"

霍桑略一沉吟,说道:"有份没份,我们现在还不能说。但你既然认识,不妨请这位唐禹门来谈谈。"

毛巡官乌黑的眼珠又急速地转动了一下,接着他忽现出一种又像道歉又像发窘的苦笑:

"霍先生,你想请他来谈些什么?"

"那自然是关于这件疑案问题。"

"这个……这个……"

"毛巡官,你有什么意见?"

"霍先生，请恕我冒昧。你们在这件事上，似乎还没有什么事实的根据，如果贸然去请这位唐公子到这地方来谈话，你想不是有些不方便吗？"

霍桑仍很有把握似的答道："我相信这件事一定有诡秘的内幕，也相信这唐禹门一定知情。"

那种尴尬而奇怪的苦笑，又一度在毛谷村的脸上显露。他搔搔头，勉强回答：

"霍先生，这究竟是你'相信'罢了。你总知道他不比那老虎灶里的三子，随便差一个弟兄去传唤，也没有什么问题。霍先生，你总知道他是……他是……"

霍桑见了他这种局促的状态，唇角上露出一种冷淡的笑容。他随即点了点头，身子便缓缓撑起来。

他说："唉，毛巡官，我明白了，我本以为这唐禹门住在你的辖境里，就近叫他来谈谈，能省些麻烦，并且在这里谈话，又可多一个证人。现在你既然认为不方便，我尽可另想别法。对不起，惊扰得很。再会吧。"

我跟着霍桑走出了西区警署，我的手表上指针已指向十二点半。我因时间的关系，便邀霍桑到我寓里去进膳。霍桑想了一想，也没推辞，便一同到我寓里去了。佩芹因霍桑的突然来临，没有准备，便打电话到菜馆里去叫菜，霍桑却力阻不许。他说他不是来做客的，还有紧急的事情必须立即进行，不能耽搁。因此，我们在半小时内，便草草完毕了我们家常的午饭。

我们在我的书室中烧着了纸烟，我便开始和霍桑讨论进行的步骤。我起先本假定这姓唐的少年有主谋的嫌疑，现在既已知道了他的姓名、地点，当然认为是一条可以入手的线索。不过这个人是比较有势力的，我们要有什么举动，不能不考虑下我们的立足点。

我说道："霍桑，我以为那毛巡官的态度，虽因着地位关系有所顾忌，但他说我们只有猜想，毫无实际的证据，也确是事实。"

霍桑紧蹙着眉峰，答道："是的，我也承认。但这件事的局势非常急迫，我不能不冒一冒险。"

"你打算怎样？"

"我们知道倪氏的表兄许邦英律师今天就要到了。如果等他到后，唐禹门受了他的指示，我们便更难着手。不如趁现在他们还来不及接洽，我就去见见这姓唐的，或许可以得到些内幕的真相。因为我料想这唐禹门究竟还是个孩子，如果没有人授计，一定还容易对付。你若没有别的事，可愿意和我一块去？"

我应道："好，此刻我当然没心思写东西，我跟你去。"我顿了一顿，又附加问道："霍桑，我们除了他以外，你想可还有更切实和更有把握的线索？"

霍桑喷了一口烟，他的眼光注视着纸烟上的火，忽发出一番分析的议论：

"更切实的线索？那自然不能说没有。人证方面，我们如果能找着菊香，那么，全部的真相当然就可揭露。但他们既把这女孩子故意藏去，我们即使尽力去找，也觉远水不救近火。还有那保荣的踪迹至今也没有下落，短时间恐怕也没有希望。物证方面，只有开棺检验的一法。但就眼前的情势，不但我负不起这个责任，即使肯负，法律上也不应许我。现在这唐禹门就是唯一的线索，只要他能够吐出一两句可以做把柄的话，那么，无论那许邦英怎样厉害，我们也不用顾及，尽可以直接去见倪氏母女。更进一步，就可正式请求法律的援助了。"

我也不再多说。我们在一点半钟时，便走出林荫路，向方板桥永安里行进。

一席话

从我的寓所到方板桥永安里，原只需四五分钟的步行，这时候我们却足足费了十多分钟。在这十多分钟里，霍桑的脸色沉着，他的两只脚跨步很缓，而且步步稳重，仿佛是一个有内功的武术家，即使背后有什么人突然袭击，他的脚跟一定仍站立得稳。这状态足以表示他的内心紧张，分明也觉得此刻去见这姓唐的少年，很不容易启齿。万一说僵，或不幸打草惊蛇，说不定会闹出意外的纠纷。故而我们在一路步行的时候，大家默无一言，我虽想再和他说几句话，竟也没有勇气开口。

我们走到了永安里口，霍桑停了脚步先向这弄里瞧。这一条弄也有好几条横弄，我记得那三子说这姓唐的住在十七号，料想总在后面几弄。霍桑正要转身进弄，我忽然想起了一句要紧说话，不能不趁这当儿提醒他一声。

我低声说道："霍桑，假使那唐科长也在里面，你想会不会妨碍我们的使命？"

霍桑紧闭着嘴唇，摇了摇头，答道："我扣准了时刻，料想他不会在家了。万一他在，那也只能随机应付。包朗，你不要自己心虚，尴尬的局势我们经历得多了，这算得什么？"

霍桑首先走入弄中，我跟在他的后面，到了第一条横弄口，他停了停脚步，抬头检查石库门上的门牌。正在这时，有一个穿西装的人从第二条横弄里走出来，从霍桑的右侧里经过。我起初还不在意，可是一瞥之间，我的脑子突然有所触悟。那人年纪很轻，穿一件淡咖啡色有方格黑线条的春呢大衣，头上戴一顶同色的卷边呢帽，下面露出一条簇新笔挺的糙米色马裤呢的裤子，脚上一双黄纹皮的皮鞋。他的面颊很丰腴白嫩，两条浓眉，一双黑目，还配着一副罗克式的黑边眼镜，模样可算俊秀不俗。这个少年我并不认识，但我记得昨天根弟曾约略告诉我那个送丧少年的样貌，看起来倒很相像。这天早晨根弟在电话中又说起他穿一件咖啡色的大衣，那么，这个人不是唐禹门是谁？

霍桑当然想不到我们要找寻的人竟会就在眼前，几乎要当面错过。所以在霍桑继续前进的时候，我赶前一步，用手在他的背部抵了一下。霍桑旋转头来时，我又使一个眼色，努着嘴唇向我的右侧里牵了一牵。霍桑立即领悟了我的暗示。他马上回过来，装作一个陌生人寻访不着的样子，故意提高了声浪自言自语：

"唉，唐科长住在第几号里，我倒忘记了。这倒很为难——唉，对不起，我要问一个信。先生，你可知道这弄里哪一家是唐科长的公馆？"

那少年一本正经地要出弄去，这时已穿过了第一条横弄的口，距离我们已有四五米远。他一听得霍桑的高声呼叫，便突然停了脚步，旋转头来向我们打量。他见我们的装束都很整洁，我们的年纪又不像浮滑的少年，故而他脸上并没有现出憎恶或拒绝的表情。可是他兀自向我们呆瞧，并不答话。

霍桑索性回过身来，走近一步，满面堆着笑容："请问有一位在警厅里当科长的唐华铣先生住在哪一家？我来过一次，此刻却记不起门牌。"

那少年果真绝不疑心，略略点点头，答道："先生，要找家父吗？请教尊姓？"

霍桑装出一种出乎意料的神气，又踏前一步，伸出了他的右手："唉，敝姓俞，你莫非是赓尧兄，或是禹——"

"正是，草字禹门。"他说着果真也伸出手来，和霍桑交握。

霍桑又给我介绍道："这一位是敝同事梁先生。"我也带着笑容，照样和他行了一个握手礼。霍桑又笑着说道："再巧没有，我们随便问一个信，竟一问就着。令尊可在府上？"

唐禹门答道："他在厅里。俞先生有什么贵干？"

霍桑又做出踌躇的样子，自言自语道："这又未免巧中不足，我料想他也许回府来吃饭，我可惜来迟了。"

霍桑的应变功夫，不能不使我佩服。这时候他的声音态度，确合得上沪谚所说"像煞有介事"，谁也瞧不透他的虚伪的面具。

这时那少年说道："他在厅里吃饭的。俞先生有什么事，不妨到厅里去会他。"

霍桑又皱着眉峰，微微摇头答道："我有几句很机密的话，到厅里去不便，才特地到府上来。现在却有些尴尬了。"他向那少年的脸部瞧瞧，又低垂了头踌躇。

我已领会到霍桑所采取的策略，就乘势提出一种建议。

我低声向霍桑道："这件事既和禹门兄有直接关系，你不如就先和禹门兄谈谈。"

唐禹门一听，眼光一闪，红润的脸上顿时有些变异，眼光钉住在霍桑脸上。

他作疑讶声道："俞先生，你究竟有什么事？怎么和兄弟有关？"

我暗忖他既然承认我们是他的父执，却又自称兄弟，现在的所谓摩登人物，在礼貌称呼上真是不能怎样苛求的了！霍桑又装出一种诡秘的神气，故意向前后左右瞧瞧，恰巧有一个摩登装束的女子从第一弄里出来，皮鞋"阁阁"地从我们身旁穿过。霍桑等那女子走过去后，把头凑到少年的耳朵旁边去。

他说道："这件事的性质很严重，我们在这地方立谈，似乎不方便。"

唐禹门举起左手来瞧瞧他手腕上的手表。他的两条浓厚的眉毛，渐渐交接起来，刚才霍桑的踌躇状态，此刻竟移转到了这少年身上，有些弄假成真。他低头沉吟着，似乎一时不知道怎样答复。我这时绝不怕他拒绝我们，只要他不瞧穿我们的假面，他的好奇心既已打动，而且他心中又明明藏着秘密，料他决不肯当面放过。

一会儿，他果真说道："俞先生，你的谈话大概需要多少时间？"

霍桑忙应道："唉，不多几句，四五分钟尽够。"

"那么，请到舍间去坐一坐。"

"好好，我们还不知道尊府的号数，请你引导吧。"

十七号在第二弄的末二家。唐禹门把我们俩领到石库门口，并不叩门，忽先低声向霍桑说话。

"请两位站一站，我到后面去开门，免得惊动家母。"他就返身退出，走到第三弄的后门里去。

这一着恰合霍桑的期望。他的本意分明希望这一次谈判，最好不让第三者参加，这是我从他的急急应诺上知道的。但我还不知道他冒充了唐禹门的父执，究竟用什么方法从这少年嘴里刺探这一个疑团的真相。时间很局促，我已来不及向他询问。不多一会儿，十七号的两扇黑漆的石库门轻轻地开了。我们先后侧着身子进了门，那少年便又慢慢地将门关上，又将门上的弹簧锁锁住。

那也是一宅两上两下连侧厢的旧式住屋，客堂中的陈设，朴素而雅静，壁上的字画对条，也古雅没有火气。但客堂中却并不见一个人，并且寂静无声。唐禹门将右手里的次间门开了，领我们走进厢房里去。这里布置着一间小小的书房，陈设也很雅致。我们坐定以后，并没有茶烟的享受，却只受到主人的两条视线，兀自在我们俩的脸上打转。

他忽作惊疑声道："俞先生，梁先生，我好像在什么地方瞧见过二位。"

我的心头一怔，不禁有些恐惧。我们的照片曾在报纸上披露过好几次，万一他这时候识破了我们的真相，那不但前功尽弃，而且局势一定会发生变端。我不知道我内心的恐惧，曾否在面容上有什么表露。幸亏那少年的视线，始终凝住在霍桑的脸上，霍桑的反应，却只是很自然地笑了一笑。

他答道："禹门兄，好记性！你当然曾见过我们，从前我们和令尊本来交往很密切的。我们现在都在江西路曹律师那里办事。这一次关于禹门兄的事，我们就是从曹律师那边听来的。我们顾念着交情，便打算私下来通知一声令尊。"

那少年的脸容又一度变异，他把两手的手指交叉着，紧紧地合着掌，露出一种显著的惶急状态："曹律师？俞先生，到底什么事？"

霍桑忽又把身子向前偻着，凑近那少年的脸。他的脸色沉着，声音也故意改低：

"禹门兄，你不是和震旦女校里的王保凤相识的吗？"

在我的预料之中，唐禹门听了这句单刀直入的问话，也许会跳将起来。可是我的预料并不怎样准确。他不但并无这种表示，连他的身子都不曾震动，仿佛他已经猜到了我们的来意，故而早有准备。

霍桑见他呆住了不答，便忙着继续问："唉！禹门兄，你不用顾忌的，大家自己人。这件事很严重，我们私下来通报，原想找一个补救方法，完全是出于好意。现在我可以说得明白些。今天早晨有一个姓朱的人到曹律师那边去商量一件事。这姓朱的是代表一个叫潘之梅的人。这个人你可也认识？"

唐禹门微微摇了摇头，他的眼光却钉住在霍桑脸上。

霍桑仍自顾自地说道："这潘之梅是南京路天源皮货号的总经理，姓朱的就是这皮号里的心腹的司账。你总也知道王保凤的父亲，生前就和这潘之梅合股开设天源皮货号的。现在这姓潘的患着风病躺在家里，故而派了姓朱的来和曹律师商量。"

那少年不期然而然地点了点头。他虽不开口，他的神气上分明已帖帖服服地进了霍桑的圈套。我真佩服霍桑随机应变的急智。因为我知道他这一番缜密曲折的鬼话，明明是在无意中瞧见了这少年随时构造出来的。

霍桑又郑重说道："这姓朱的说话非常荒谬，我们起先还不在意，后来听得他说起令尊的姓名——"

这时那唐禹门才第一次插口："什么？他知道我父亲的姓名？"

"是啊，他们调查得非常详细。他们知道你在什么地方读书，也知道你在这件事上参与的事实——"

他忽又插口道："唉，俞先生，你说了好几次'这件事'，'这件事'，究竟是什么事呀？"

霍桑连连点头道:"好,好,我说得明白些。那姓朱的说,天源老股东王训义的夫人刘氏,在三天前死了,死得非常可疑。他因此怀疑这里面也许有什么阴谋。而且他们料想这阴谋的主谋人物,就是……就是……"他故意停顿了,眼睛直注视着这少年,装得碍口说不出的样子。

唐禹门铁青了面颊,颤声应道:"就是我吗?"

"是啊,他们竟这样说你。"

"那真是无稽之谈!"

"当然,我们也认为这话太荒谬无稽。我们相信你断不会干这样的事。"

"但他们怎么会说到我?"

"据姓朱的说,刘氏死以前,曾把你和伊女儿保凤结识的事告诉过姓潘的人。伊曾说伊坚决反对这件事,并且曾和你有过冲突。我相信这大概也是捏造出来的。"

唐禹门青白的脸上忽而泛出一丝红色,嗫嚅着道:"这个……这当然也是谎话。他们还说些什么?"

霍桑的目光似在欣赏唐禹门胸口的那条蓝地儿紫线的领带,并不注意禹门脸上异常的面色。他的语调很郑重,不过也很从容。

他答道:"他们最初的疑点,就在刘氏的偷丧。姓朱的说,二十三日上午,潘之梅差人送吊礼去时,刘氏的棺材已没有影踪,因此才引起了疑心。他们说,当刘氏死的前几天,你天天在伊家里走动——"

唐禹门忽怒睁着双目,插口道:"完全胡说!那真是含血喷人!"

霍桑作同情声道:"唉,我们原不相信。不过,禹门兄,你须明白，我们最好开诚布公。假使你当真没有做这样的事，那么，事实最雄辩，尽让他们乱说，你也绝对不用恐惧。万一他们所说的有几分实在，那么，我们也应得早一些准备。"

唐禹门仍突出了双目，高声道："我的话完全实在。我自从上星期三起，一连发了五天疟疾，直到本星期一的早晨热度方退。故而这几天我连门口都没有出，怎么能在伊家里出进？"

霍桑轻轻拍着手，点头道："这好极了。你有这样的证明，他们的诬陷自然可以不攻而破。我想想看，今天是星期五，二十五日。你在星期一，二十一日退凉，那刘氏却是在二十二日晚上死的。在你退凉以后和刘氏死以前，这中间你谅必也不曾到润身坊王家去过。"

"当真没有。我直到二十三日清早，方才知道刘氏的死耗。"

"唉，好极，好极，这是最重要的一点。他们虽疑心你有谋害刘氏的可能，你却有这样坚强的事实做有力的反证。那么，其他的种种说话，都可以不成问题。"

他分明已被霍桑虚伪的同情所麻醉，故而我们初进门时，他的那种戒备的神气，此刻反而消失不见。

他反问道："他们还有什么其他的话？"

霍桑两手抱着膝骨，低下了头，似在寻思什么，仿佛没有听得这少年的问话。我对他本来有一种怀疑，这时虽见他侃侃而谈，却还想得到一种更确切的证明。我便利用着这停顿的时间，从中插了一句。

我道："禹门兄，只要在刘氏死的以前，你的确能够证明不曾到过王家，别的都不成什么问题。"

唐禹门作坚决声道："我的话完全是真的。二十二日上午，我虽曾出门到学校里去，但上了一课，觉得有些头晕，随即回来，以后便没有出门。这都可以找人来证明的。"

"那么，刘氏是在二十二日傍晚时候死的。你说在二十三日清晨方才得信。这一点也是实在的吗？尊府总有电话，难道他们在刘氏临终时不曾当场打电话给你吗？"

唐禹门的眼光在我脸上转了一转，忽点头道："我明白你的意思了。你是不是觉得报丧的时间太迟，疑心我故意掩饰吗？其实梁先生误会了。我索性告诉你们吧，我和保凤的交谊，只有我家母知道，还没有和家父说明。所以伊从来不曾打过电话给我。二十三日清早，伊也是差人送信给我，我才知道。"

霍桑的眼光向我一瞥，眼光中并没有嫌我插嘴的表示。不但如此，他反因此得到了一种接话的机会。

他忙问："唉，伊的信上说些什么？"

唐禹门忽而踌躇起来。他瞧瞧霍桑，用手推了推那副黑边的眼镜，把眼光射到地上，他的两片嘴唇兀自呷呷作响。一会儿，他避去了不答，又问道："俞先生，他们还有什么别的诬陷的话？"

霍桑皱着眉峰，说道："那姓朱的说，他们曾到河南会馆里去调查过，偷丧的事也是你一手包办。"他说完了话，抱膝的两手忽而放下，眼光突然射在对方的脸上。

唐禹门的视线似乎已没有勇气和霍桑的相接，他低垂了头，沉吟了一下，却仍不答话。

霍桑催促着问道："禹门兄，这句话可实在？"

那少年依旧踌躇不答，他的下颌几乎接触他的胸膛。

我又从旁打了一下边鼓："禹门兄，你尽可以和我们实说。因为第一步你有主谋嫌疑的话，既然有了真确的反证，那么，第二步当然更不成什么问题。"

他直截承认道："我得到伊的信以后，果真去参加了送殡的，但怎能说我包办？"

霍桑乘势道："只要有事实证明，这些都是枝节问题，让他们随便说好了。但那会馆方面的接洽，可是你担任的？"

"是的，但接洽一下，也不能就算包办。"

"原是啊。还有扛棺材的夫役们，料想也是你代他们唤叫的。"

"是的，我代替他们唤的。"

"他们又曾调查得那些扛棺材的人都住在大东门外关桥那边。你可是亲自去唤叫的或是转托别人？"

"我打电话托大东门外仁顺布庄里的一个姓陆的同学转雇的。"

"可是保凤写信叫你这样办的吗？"

"这个……"他说了两个字突然住口。他的眼光又移到霍桑脸上："俞先生，你为什么琐琐屑屑地查问？这些都是没有关系的。"

霍桑神气自若地答道："好世兄，你的年纪轻，究竟还欠些阅历。这怎能说没有关系呢？他们所以怀疑你，要想把你当作控诉的主要对象，就在这一点上啊。故而这事如果闹到法庭上去，这一点的确非常重要。你应得仔细想想，万不能随便认在自己身上。"

他向书桌面上呆瞧了一会儿，似乎有些迷惘的样子。接着他又瞧着地反问道："这一点怎么重要？我不明白。"

霍桑道："唉，我来解释给你听。那潘之梅怀疑的起点，就在偷丧这件事上。他们又调查扛棺材的工人，并不是西门附近的六局里的人，却舍近求远，特地到大东门外关桥那边去雇的。这明明见得他们的丧礼有些蹊跷，才有这掩人耳目的举动。也许王家方面做成了圈套，利用着你做一个避嫌疑的幌子。你不明白这里面的利害，就累在自己身上。这样，你不是很危险的吗？"

唐禹门的眼光再也抬不起来。他的面颊上白得没有血色。他低声道："这话太没有意思！完全没有这一回事！"

我觉得他的语意异常含混，声调也低得几乎听不清楚。

霍桑继续问道："那么，你托人到关桥那边去雇扛夫，可是你自己的主意？"

唐禹门吞吐着道："是……是的。"

"那么，你又为什么这样子舍近求远？"

"这个……这个……我……我因为那方面熟悉些……除此外，他们还有没有别的话？"

正在这时，我忽听得一阵子门铃声音。唐禹门突然站起来听了一听，他忽张大了两目，发出一种惊讶的呼声：

"哎哟！家父回来了！"

一个头

唐禹门的惊呼声浪，立刻感应到我的身上。他父亲这时候回来，不但打断了我们刚才入港的谈话，连带还给我们一种揭破真相的恫吓。这自然不能不使我惊恐起来。因为我们假冒的面具揭破以后，这僵局如何收拾，我委实不能想象！但我瞧瞧霍桑，却仍声色不动，他也立起身来低声说话：

"唐科长回来了吗？那很好。我们就和他商量一个应付的办法，免得发作以后禹门兄吃他们的眼前亏。"

这时候我们听得有一个老妈子在里面答应的声音。那少年越发着急，咬紧了嘴唇开不了口。我明知霍桑的话只是一种反激，这时情势既很急迫，说不定会假戏真做，我不能不从中解围。

我道："这件事唐科长既然还没有知道，不知道说破了对于禹门兄有没有妨碍？"

他连忙低声答道："我想暂时不和他说明的好。最好请你们不要和他见面，等一会儿我再和二位细细地讨论。"

他急忙开了次间的门，跨到客堂里去，向那个刚要走出客堂去开前门的老妈子用力摇手。霍桑就顺水推舟地跟着走进客堂，又低声向唐禹门说话。

他道："既然如此，我们就从后门里走吧。停一会儿你如果要找我们谈话，请你到爱文路七十七号来。"

他向我招招手。我们便急步向客堂背后走去。那少年也送客似的跟在我们后面。他送到门口，又向霍桑叮咛了一句：

"俞先生，那方面最好请你想个方法，暂时捺一下子。"

"好，好，一定遵命。"

我们走出了永安里，踏上了方板桥的马路，霍桑在人行道旁边的一根电线杆后面站住。他摸出纸烟匣来，先拿一支给我，含着笑容说：

"包朗，今天你的边鼓打得很是合拍！我事前不曾和你接洽，你竟也能随机应变。这一支烟就算是酬劳品吧。"

我接了纸烟，霍桑又擦火给我烧着。

我答道："你的'虚伪'的本领，我也着实佩服。这孩子竟被你骗得服服帖帖！"

霍桑忽皱着眉峰，说道："这不能说'虚伪'，这是'权变'。因为我们不是用假面具'济恶',却是'制恶'。这里面应有一个分别。"

"哈,你又认真了!我原是笑话啊。不过你的权变功夫,为什么不运用到底?你最后的自露马脚,是不是因着仓促间没有准备的缘故?"

"你可是说我无意中漏出了我的真地址?不是,不是,我故意告诉他的。你总知道这种权变的效用,只能在短时间中利用,何况他本来见过我们的相片?我即使不说破,他也许会推想出来。还有一点,我料想他真会来和我讨论善后的办法。我现在打算去瞧瞧汪银林。你不妨就直接到我寓所里去等着。我料想这孩子说不定不久就会来找我的。"

"你竟有这样的把握?"

"是,我相信他经过了一度回想,便要来找我了。"

"何以见得?"

"他已漏出了内幕中的要点。他为自身的安全起见,或为掩护他的情人起见,不能不来。"

"他漏出了什么要点?可是他承认了雇扛夫的事?"

"是啊,他舍近求远地到关桥那边去雇扛夫,明明是受了他情人的指使,大概就在那三子送去的第一封信中写明的。但保凤有这样的指示,也就是掩饰犯罪举动的明证。刚才他虽含糊承认是自己的主意,却不能自圆其说。所以他对于他自身和对于他的情人,这一点都是一个不可补救的漏洞。"

"那么,他先说事前绝不曾到王家去过,你想这话可实在?"

"实在的。实际上他本人在这件事上或许当真没有直接关系,不过他一定是知情的。所以他如果要掩护他的情人,补救这个漏洞,他也许会来找我。万一他不来,这条线索我也不肯就此抛掉。现在你姑且先回爱文路去。我不久也回去。"

我和霍桑分手以后，忽又想起广福寺里那几个和尚还没有去访问过。这里距离广福寺不远，不如乘空去问一问，说不定可以得到些补充的线索。因为我并不像霍桑这样确信那少年会立刻赶到霍桑的寓里去，与其我一个人到他的办公室里去枯坐，不如再去做一些切实的调查。

不料我的希望完全落空。我查得广福寺的主持叫作潭月，但王家那晚上的转殓功德，他自己并没有去，我自然无从开口。后来他去叫了一个那晚曾经到王家去过的小和尚来，和我敷衍了几句。我发了好几个问句，却只换得了那小和尚的"不知道"和"没有"一类的答语。我碰了一鼻子灰，从寺里出来时，却又出乎意料地听得一清脆的呼叫声音从我的背后传来："包先生，你到哪里去呀？"

我回头一瞧，却是那润身坊第七号里的根弟。伊仍穿着那件深青色丝光白线条布的夹旗袍，手中提着一只篾条制的小篮。

我因站住了应道："根弟，你可曾瞧见过菊香？"

伊摇头道："没有。包先生，你究竟是要找菊香，还是想查问王家的事情呀？"

我觉得这孩子既有一种鉴貌辨色的天才，我的掩饰实在也没有多大功效。我索性在街边上站住了，招招手叫伊走到我的近边。

我低声说道："根弟，你真聪明，我当真要查问王家里的事情。你如果有什么话告诉我，我一定重重谢你。"

伊的小眼睛又从眼角里向我瞟了一瞟，唇角上也露出微笑："你可是要知道关于王家三小姐的事情？"

"不，你误会了。我要知道些关于王家太太出殡的事情。"

"这个我已告诉过你了啊。那是在大前天二十三日清晨八点钟不到的样子，送丧的只有——"

"这个我知道了。那时候你有没有听得哭声？"

"没有，但在那天刚亮的时候，我和我家的少奶都是被隔壁一阵子仿佛敲钉的声音惊醒的。"

"敲钉声音？"

"大概是钉棺材吧。"

"唉，那么，那棺材莫非在上夜里就送去的？"

"是的，上夜里我去看和尚们转殓的时候，便看见那口黑漆的空棺材停在王家的天井里。"

我定神一想，觉得这一点也很重要。在这个时令，天刚亮的时候，大约在六点钟。我记得那老虎灶的三子说过，保凤在二十三日清早第一次叫他送信时，天才刚亮足，约在六点半钟。但六点钟时根弟就听得钉棺材声音，可见这钉棺材的工作并不是那扛棺材的扛夫们做的。因为六点半三子方出门送信，唐禹门接信后才打电话转雇扛夫，时间上有显然的差别。那么，究竟什么人钉棺材的呢？莫非就是倪氏母女或母子们自己动手的？

我又问根弟道："当你们听得敲钉的时候，有没有听得哭声？"

根弟摇头道："没有。我们只在上一夜上灯时分听得他们的哭声，我到隔壁去一瞧，才知王家太太已断气了。"

我想了一想，觉得钉棺材时没有哭声，这一点也不能不加注意。我又道："我还有一句话问你。当王家太太死以前，你可曾见他们请过医生？"

那小使女沉吟了一下，摇头道："我没有见什么医生，但我曾见菊香把药渣倒在前门外面，想必王太太总是吃过药的。"这时伊的脚站立不定，似乎要急于回去的样子。

我也知趣，又摸出一个银圆放在伊提着的竹篮里面："这个给你买点心吃。我仍旧要见见菊香。你如果瞧见菊香，再打一个电话给我。再见吧。"

我坐了车子赶到爱文路时已经过五点了。霍桑还没有回寓，我问施桂，也没有什么陌生客人造访。我心中暗暗欢喜，霍桑指派我的职务既没有失误，无意中却又得到一种重要的证据。我一个人坐在他的办公室中，一边吸烟，一边寻思这疑案中的秘密。

我暗自忖度：这件事有着秘密的内幕，可算已是铁一般的事实，不过这秘密的性质还待揭发。照我的主观，凭着我们所查明的种种事实，眼前就正式进行法律的手续，请求开棺检验，谅来也可得检察官的允准了。

太阳照到了朝西的墙脚跟下，渐渐隐下去了，天空中便充满了阴暗的夜气。凋零的梧桐枝上，栖满了一群群的归鸟，酝酿出一种夜景。我仍不见霍桑期望中的唐禹门到来，霍桑本人也迟迟不见回来。

我的手表指针指在六点一刻，电灯已经通明，烟灰盆中也积满了一小堆烟尾，我才见霍桑气喘吁吁从外面回来。他坐定以后，先问我唐禹门来过没有。我摇了摇头。他就告诉我分手以后的情形经过。他曾见过汪银林，查问关于王保荣和菊香的下落。据汪银林说，他曾派人到各旅馆里去查访保荣的踪迹，没有结果，又曾到各区的佣工介绍所去调查菊香，同样也没有消息。

霍桑说道："据汪银林的意见，这两个人都已离了本埠，故而他准备一方面派人到浦东去调查菊香的家乡，一方面又打算沿京沪线和沪杭线去找寻保荣。其实这见解未必与事实相合。据我猜想，这两人一定都留在本埠。"

我道："你有什么根据？"

"我们已知道菊香是在二十三日早晨送殡时离开王家的。伊和唐禹门和保凤一块儿出门，却不曾送到会馆。可见他们一定是为着防免泄漏秘密起见，将伊藏匿在附近的什么地方。我以为这女孩子的踪迹，也尽可从这姓唐的少年身上着手探索。他此刻不来见我，我少不得要移樽就教。"

"那么，还有王保荣呢？"

"他出门时衣袋中一定已装满了银线。这种游手好闲的少年，一旦有了钱，他们的足迹总不外乎妓院、赌场，何况王保荣是赌博学的专家。不过他在这件事上，兴许就是内幕中的主要角色，他既干过了犯法的勾当，行动上当然要敛迹些。他也许在什么朋友家里暂时匿伏。故而我虽指示汪银林到赌场和私娼方面去调查，实际上我也没有多大把握。"

"这样说，这两个重要的角色，还不一定能在短时间内发现。那岂不是缓不济急？"

霍桑吸着纸烟，点点头道："原是啊。因此，我又到大东门方面去走了一趟。"

"可是调查那扛夫阿四？"

"正是。阿四住在关桥南堍二十九号里，不过我还没有瞧见他。我已托汪银林派两个探伙在那边守候。我想他也许能供给些补充的证据。"

我想了一想，忙着问道："你希望他说些什么？可是关于死者下棺材的情形？"

霍桑忽移转目光瞧在我的脸上，点了点头。

我又道："那么，你不免又要失望了。阿四只担任了把棺材从王家送到河南会馆去的工作，别的一定不知道什么。"

于是我不等霍桑的追问，就把我刚才无意中遇见根弟的一回事向他说了一遍。霍桑听了这一番话，张大了眼睛，神气上非常震动。一会儿，他丢了烟尾立起身来，背负着两手在室中踱着。

他自言自语地说道："如果根弟所听得的声音没错，那么，我们不必再等待什么，尽可就直接进行——"他忽然站住，目光一转，鼻梁间忽起了几条皱纹，仿佛霎时间想起了什么难题。他又叹道："矛盾还是矛盾！这一个超越了常情的矛盾点，多么困人的脑筋啊！"

我不知道霍桑所说的矛盾又是指什么说的。在我看来，这件案子真像春云乍展，已步步趋向光明。他怎么反有这种沉闷的表示？可是这时候我已没有机会发问，电话的铃声忽而琅琅震耳。霍桑忙站起来走到电话机前去。他一握着电话的听筒，神气上就立刻起了变化。我觉得这电话的来历一定有些奇怪，便也把耳朵凑到听筒的近边。

"你那边可是爱文路七十七号私家侦探霍桑事务所？"

"是。你哪里？"

"我要找霍先生谈话。"

"鄙人就是。你哪里？"

"这里是沪江旅社二〇八号。我是许邦英。"

"唉，有什么见教？"

"我知道你受了我表外甥工保盛的委托，正在进行一件莫须有的事件。对不对？"

"唉——是的。不过这只是一种非正式的求请。许先生，你有什么意见？"

"我的意思，特地好意地通知你一声。这一回事完全是一种因隔膜而生的误会。如果你要正式进行的话，那么，一切谈判请向鄙人接洽。表妹和表外甥女都是女流，她们已完全委托我了。"

"好，那一定遵命。许先生在上海大概还有几天耽搁吧？"

"是，我想霍先生如果有什么见教，请在这三天内接洽。"

"可以，可以。"

"唉，还有一点，还有那个年幼无智的唐禹门，他是绝对不负责任的，请你不要和他啰唆。你无论有什么话，请和我面谈。"

"好，好，一定遵命。再谈。"

"再会。"

霍桑把电话听筒挂好以后，神色上静穆没有表示。他回到靠窗的那张藤椅子上。他坐下来时，把两只肘骨支在他的膝头上，他的身子便像蹲蛙式的向前偻着。他的头沉得很低，目光注视在那条青地白花的地毯上面。我知道他在运用他的脑思，不得不暂时保守静默。

一会儿，他的唇角上现着微笑，自言自语地说道："怪不得这孩子使我失望，至今不来见我。他已找着了靠山哩！"他又摸出了纸烟，开始打火。

我接嘴道："这个人当真厉害，他竟已知道了你受王保盛的委托。你方才和唐禹门谈话的时候，不是假托着潘之梅的名义的吗？"

霍桑呼了一口烟，答道："这个并不难知。王保盛的神经既然丧失了健全的控制，他请我援助的事，说不定会自己吐露出来。我想他到我这里来，行动上也未必会有严格的秘密。何况此刻唐禹门已和他会面，我的真相，已从我的地址上公开显露。我料想今天清早保凤写信叫他去，大概就告诉他，许邦英到上海来准备应付的事。今天午后我们到永安里时，唐禹门刚要出外，一定就是到沪江旅社去的。现在他们既已接洽妥当，自然就来找我。故而这一点实在不足惊奇的。"他又低头吸他的纸烟，他的嘴唇上忽露出一种苦笑："这个人的确是有能耐的，可惜他迟来了一步！"

我因他的最后一句话，引起了无量的希望。我问道："那么，你相信他此刻出场，在我们的侦查上不致有什么阻碍吗？"

霍桑笑道："我已经说过了，他已来得迟些。我们的侦查到眼前已获得了相当的进展。假使能再进一步，加一番证实，我们的工作便可以全部结束。许邦英虽靠法律吃饭，善于玩弄法律，但我不相信他会有变更法律的魔力。"

"这话你的确有把握吗？"

"何止把握？差不多已成事实。"

"那么，许邦英三天的约期，你想可来得及？"

霍桑突然抬起头来，他的目光平射在书桌上的那个当作点缀品的手榴弹上，忽发出一种坚决的声调：

"用不到三天。我想三个钟头也就够了！"

"当真？"

"自然！"

"那么，你刚才怎么还说什么矛盾不矛盾？"

霍桑的视线突然像电光般地射到我的脸上，凝视着不动。一刹那间，他的眉峰忽渐渐皱缩拢来，他的目光也渐渐垂下来了：

"唉！这案子从开场到现在，矛盾依旧是一个矛盾！这矛盾的谜团，我此刻实在还没法打破。我想只能在最近的将来，等它自己打破了！"

我暗忖他刚才说三小时内就可结束，此刻却又说没法打破谜团，那才是真正的矛盾！不过这矛盾的谜团到底没有被打破。原来这时候发生了一种意外的转变，使霍桑办公室中的空气顿时紧张起来。

霍桑惊讶道："唉！王保盛又来了！他莫不是又送什么消息来？"

一分钟后，那少年果真一整一趔地冲进办公室来。他的那顶呢帽仍戴在头上，电灯光下照见他的脸色白里泛青。他见了我们，一双近视小眼无目的似的向前直瞪，失血的嘴唇张着，露出两行白齿，一阵阵急促的喘息从齿缝中透送出来。不多一会儿，他的喘息声中忽进出了一种刺耳的惨呼：

"一个头！——一个头！——"

殡舍中

在我的意识之中，认为王保盛的神经性的病态又发作了。因为他的声浪和一句摸不着头脑的说话，处处都给我这样的印象。但霍桑所得到的印象，一定和我的不同。他的神态也顿时紧张起来，他的眼睛里似在发光，脸上的肌肉紧板板地毫不牵动，嘴唇也紧紧闭着。一会儿，霍桑又用手捉住了王保盛的肩膀，发一种勉强镇静的声音：

"唉！一个头？"

"是！头——人的头——一个人的头！"

霍桑注视着他："保盛兄，你是不是发现了一个头——一个人头？"

"正是！"

"谁的头？"

"是我母亲的头！"

这委实太奇怪了！这少年会不会发疯了？可是他又声色俱厉地补充：

"是——是的——一定是的！"

霍桑把两手缩回，交叉地抱着。他凝定的眼光瞧着那扇开着的门。他忽而旋过头来，瞧着我摇头叹息：

"唉，太矛盾了！包朗，我们是不是还在这现实的世界中，或是竟在做梦？"

我不知道怎样回答。我的神经似已麻木，只向霍桑呆瞧。那少年也气息咻咻地瞧着霍桑。霍桑又低头沉吟了一回，忽突地抬起了目光向王保盛发问：

"你可曾瞧清楚？会不会弄错？"

"不——不会的。那是一个灰色头发的妇人头，面部却完全被石灰涂满了。我实在不敢动手！"

"那可是一个新鲜的人头？或是一个骷髅？"

"新鲜的！"

"颈项上有血没有？"

"那也被石灰涂没，我不敢细瞧。霍先生，那一定是我母亲的头！"

霍桑定一定神，便走前一步，轻轻地将办公室的门关上，又伸手把王保盛扶到椅子上去：

"你坐一坐。告诉我，这头你怎样发现的？"

王保盛才刚坐下，忽又站了起来，似乎他的肢体行动，已不受他的脑府控制。

他一边喘着，一边推一推眼镜，说道："霍先生，我坐不住，你让我站起了说吧。"

霍桑点头道："那也好。你在什么地方发现这头？你说得仔细些。"

王保盛顿了一顿，才道："刚才上灯的时候，我照样拿了热水瓶，亲自到老虎灶上去买水。我是开了后门出来的，出门时也曾把后门拉上。不料我买了热水回来时，后门忽已开着。我向里面一望，黑漆没光。我问了一声'谁在里面'却没有答应。我以为后门也许是被风吹开的，便轻轻跨进门去，想不到我的脚才刚跨进槛，脚尖上忽接触一种东西。我因此顿时止步，摸着了门框边上的电灯机钮，扳亮了一瞧，忽见我的脚面前放着一只放肥皂的小板箱。"

"那头就放在这小板箱中？"

"是啊。我把那板箱提了一提，觉得很重，一时还不敢开动。但我仔细一瞧，忽见板箱盖的隙缝中，还露出些灰白色的头发。我才用手把板掀开，就发现了一个人头！"

"唉，那时候厨房中有没有异象？"

"没有什么，他们母女俩都在前面房里，连客堂中都没有灯光。"

"那江北老妈子呢？"

"伊比我先出去，奉了我姨母的命到酒馆里去叫菜的。原来我的表母舅许邦英在中饭时候已来过一次，约定在晚上来吃夜饭的。"

"唉，唉，真太奇怪！你发现了头以后又怎样处置？"

"我一时也想不出办法，便悄悄把木箱拿到楼上，藏在我的房里，随即赶到这里来报告。唉，霍先生，他们竟这样忍心！现在我怎么办呢？"

霍桑把两只手交叉抱在他的胸口，似正在寻思什么疑难的问题，没有听得王保盛的问句。

他又自顾自地问道："当你发现那板箱的时候，厨房里的确没有任何人吗？"

"我仔细瞧过，完全没有。"

"你可确信当你出门买水时，板箱还不在厨房里面？"

"当然如此。"

霍桑咬紧了嘴唇，兀自摇头。他又问："你发现以后，还不曾把发现头的事向任何人宣布过吗？"

"完全没有。"

"那么，你刚才出来时曾否关照你家里的人？"

"没有。我仍悄悄从后门里出来的，没有一个人瞧见我。"

"那藏头的板箱呢？"

"在我的床底下。"

"你的房门怎样？"

"锁着的，钥匙还在这里。"他随即用手在衣袋外面拍了一拍。

霍桑用手抚摸着他自己的下颔，又经过了一度考虑，忽点点头，表示他内心中已构成了一种决断。

他拍着那少年的肩膀，作坚决声道："好，你先回去吧。我们随后就来。不过最要紧的，你现在应自己定一定神，依旧不露声色，决不可这样子慌张。须知这件事，今夜里就可以结束，你母亲的冤恨也同时可以申雪。现在你尽安心吧。"

霍桑送王保盛出去以后，一会儿进来，就赶紧打一个电话到龙大车行里去叫一辆汽车。接着，他匆匆奔上楼去，我不知他忙些什么。

我一个人坐在楼下办公室中，呆呆地寻思。这一件疑案的转变，的确出人意料。那倪氏母子竟这样狠心，会把刘氏的头斩割下来！但他们既有这样的阴谋，现在为什么又将刘氏的头交在王保盛手里？这委实是太矛盾了！难道那同谋人中间，有一个人闹了意见，因而自动出卖他们的阴谋？我转念一想，不禁又疑惑起来。莫非这是另一个人头？会不会因着事机的凑巧，把两件不相干的事情牵合在一起，才造成这一种惊人的发展？不过这样的凑巧，未免太觉离奇，我又不敢轻信。

一会儿，霍桑已急匆匆赶下楼来。他已罩上一件玄色国产华达呢的外衣，脚上也换上一双陈嘉庚的篮球鞋，故而他下楼梯时足声很轻。他手中又提着一双同样的篮球鞋，他的外衣袋向外突出，分明已藏着什么东西。

他向我说道："包朗，你快换上双篮球鞋，汽车已等在门外哩。"

我问道："我们既乘汽车，为什么还要换鞋？"

"那自然有用。现在时机很急迫，请你暂时不要多问，赶快换吧。"

于是我凭着兵士们得到紧急集合口令后的动作，在一分钟内已换好鞋子，再一分钟，我们已上了汽车。霍桑在上车时向他的忠心旧仆施桂附耳说了一句，又吩咐司机驶往斜桥路去。我们的汽车便立即风驰电掣般地开动了。

我忍不住低声问道："我们往斜桥路去？"

霍桑点了点头，他的嘴唇仍紧紧闭着。

我又道："可是到河南会馆里去？"

"正是，你猜想得巧妙！"

"莫非你要去见见那个管会馆事务的庞伯年？"

"不是，我去访问王保盛的母亲刘氏。"

"什么？"

"轻声些，别大惊小怪。"

他怎么要去访问尸体！这当然不像是笑话。那么，这句话有什么意思？

我又低声问道："霍桑，你到底要干什么？莫非竟想开棺——"

"是啊！你又猜着了！"他从他的外衣袋中摸出几件东西来给我瞧，一个电筒，一个铁锤，一柄锥子。

我惊讶道："霍桑，你须谨慎些。这是犯法的勾当啊！"

他点点头道："是，我知道的。但我们为保障法律而犯法，不能与寻常的罪犯一概而论。"

"这终究是冒险的。难道除了这一着，你竟没有别条路进行吗？"

"是，我也希望我能够避免这最后的一着。"

"那么，你现在去干什么？"

"我去证实你告诉我的一句话。如果这证明让我满意，那么，这些东西也就可'备而不用'了。"他说时把那铁锤和铁锥放在左边的袋中，又把电筒放在右边的袋中。

"你要证实我的什么话呀？"

"唉，这里已是斜桥路了。"他用手在车厢玻璃上轻轻叩了一下，"司机，就停在这里。"

我们停车的地点，距离河南会馆还有十多家门面。霍桑叫司机把汽车停在一条岔路的转角，就回身向会馆方向走去。那会馆的前门并不直靠马路，却缩进一丈多路，这条路日间本不很热闹，这时更阴暗而冷清。

我们走到会馆门前，馆的铁门已经关了。霍桑并不叩门，却向会馆东面隔围墙的一条小弄中走去。

霍桑低声说道："王保盛不是说过他母亲的灵柩寄放在后面荒字号里吗？"

我应道："正是。我记得他还说过荒字号就是沿后围墙的。"

那会馆的后部隔着一块空地，不但没有人迹，连小弄中的电灯都照射不到，黑魆魆的一片空场，望去似有一种恐怖景象。霍桑重新回到那条我们刚才穿过的小弄口，探头向弄中瞧瞧，接着回到盾面的围墙脚下，仰起头来向围墙端详。这围墙的高度约有九尺光景，墙的本身用灰色的新方砖砌成，不加粉刷，墙巅上排着竖立的瓦片，构造得非常坚固。

霍桑端详了一会儿，便把外衣的纽子解开，随即将外衣脱了下来放在墙边的地上。他忽从腰间解下两根有小指粗细的麻绳，绳的一端各附着一个铁钩。这绳钩是他发明的一种器械，本用作打捞池沼中的沉物用的。我记得在好多年前，在我们所经历的案件中霍桑曾利用过这个东西，的确有效。此刻他忽又拿出这种东西来，分明想借作爬墙的梯子。他把那绳子理了一理，打了几个结，就用右手捏着铁钩，把身子一蹲，现出一种飞标枪的姿态。那铁钩便脱手飞起，钩住在墙边的瓦缝中间。他拉了一拉那绳，觉得已足够悬缒一个人的重量，便把另一条绳绕了一绕，放在短裤袋中，又俯着身子从外衣袋中摸出带来的三种应用器械，同样放在他的衣袋中。

他低声向我说道："你先在这里站一站，我进去瞧瞧。如果没有必要，你也用不着费这一番爬墙的气力了。"

我勉强点点头，心中却不太满意。因为他到里面干些什么，我很愿意亲身参加。这种似犯法而非犯法的行为，含有一种特殊的惊悚的感觉，是我所最喜领略的。但霍桑既不愿我进去，或者另有用意，我一时不便反抗。

他又叮咛道："你小心些。我料想里面都是殡房，不会有什么活人。但墙外面情形却不同，你须注意才好。"

我轻轻答应了一句。霍桑就把短褂的纽子扣了一扣紧，用手拉住了绳，两脚离地，便渐渐猱升上去。霍桑这种爬墙动作，在我眼中已认为非常敏捷，不过在那班迷信于"一跃数丈"的侠客的人们看来，一定还不免要讥笑他的技术的幼稚哩。

一会儿，霍桑的两手已攀着了墙巅两边的檐边，他就施展一种运动家盘杠的姿势，把他的两臂一曲，上身便抬升起来，他的脚尖夹住了绳结，用力一抵，上半身便已爬上了墙头，接着，他的右脚已跨到墙巅，左脚也跟着上去。这时我见他的身子仿佛已横睡在墙上。他正在把身子撑起来的时候，我忽听得哎哟一声，墙巅上已不见了霍桑的影踪！

这一惊真非同小可！霍桑是不是跌下去了？我绝不犹豫，忙拉住了那条绳子，急速缘升上去。等我爬上墙巅，探头向墙里面一瞧，一团黑漆，竟完全什么都瞧不见。我非常惊奇。莫非他遭了看守人的暗算？万一如此，这件事有口难辩，不知要僵到什么地步！我又不敢发声呼叫。怎么办呢？正在踌躇不决的当儿，我忽听得墙脚下有轻微的呼声：

"包朗，我在这里。"

我定了定神，我的目光和里面的黑暗相习，才瞧出霍桑蹲在墙脚旁边。我不顾他先前的叮咛，便把两足踏在竖立的瓦片上面，向下一溜，立即跳到了地上。

我凑到霍桑的耳朵，问道："你怎么样？莫不是偶然失足？"

霍桑答道："不是失足，是失手。"他说时右手仍抚摸着他的左臂。

我才记得他的左臂新近受过枪伤，这时当然还没有完全痊愈："唉，我倒忘怀了！你的左手当真不应这样子用力。可曾跌伤？"

"还好，刚才我正想撑起来，这左手忽而一阵酸痛，身子便滚了下来。幸亏围墙不高，下地时我的右手着地，这里面又是泥土，并无损伤。但我的外衣不是还在墙外吗？那么，我们应当赶紧些了。"

他站直了身子，摸出电筒来照了一照。那沿围墙的一带，都是平屋的殡舍。我们站立的所在，恰在一间黄字号的前面。这时我们的附近，既静且黑，从外表上看，可算绝对没有异象。不过我的心中，却不能不想到这些殡舍里面，累累的都是些陈尸。我们的举动虽是问心无愧，但在事实上却已陷进了法律的罗网。因此，不知不觉地有一种寒凛惊悸的感觉，仿佛直刺我的内心。

霍桑低声道："这些号子大概照着千字文排的，那荒字号大概距离不远。"他一边说，一边缓缓向西进行。

黄字号和荒字号，原只有五间门面的距离。不一会儿，霍桑电筒的光已照到了荒字号方格玻璃窗上。那玻璃已有好几块破碎，窗框上的红油也都已暗淡剥落。正在这时，猛听得那殡舍平屋的屋面上"刮喇"一声！霍桑立即把电筒熄灭，身子站住了不动。我仔细一听，原来是一只野猫在里面奔窜。霍桑又开亮电筒用于推窗，那窗应手而开。我不知道他是否真要实行破棺的勾当，我虽不赞成，但是万一动手，我又不便阻拦。当我正在默默寻思的当儿，霍桑已把电筒照到了靠西边的一口黑漆的棺材上，嘴里哼了一声，便即跨到那棺材跟前。

我仍站在殡舍门外，静瞧他的举动。可是出我意料的，霍桑只把电筒的光在棺材盖的头部和尾部照了一照，便即回身退出。接着，他重新轻轻将玻璃窗关上。

他满意似的向我说道："完了，我们回去吧。"

我暗暗诧异地问道："什么？你只要来瞧一瞧棺材盖？"

"是啊。现在我这一瞧，已经完全明白。你不用再替我担忧，我更用不着别的举动了。"

"你已明白了什么？"

"我知道那一口王门刘氏的棺材里面，的确是一个没头的尸体！"

"哈！你有 X 光的眼睛！"

"喂，轻声些，这里似乎不是我们举行讨论会的地点啊。我们赶快出去，我的外衣也许会发生问题哩。"

我暗忖霍桑谅必不致因着顾虑他的外衣，才这样草草了事。这时忽有一阵冷风吹来，嘘嘘有声。我身上一冷，觉得也没有和他抗辩的必要。霍桑又同样用绳子钩住了墙巅，开始猱升上去。我防他的左臂再发生问题，便抱住他的两足，给他助些力。不一会儿，他已爬上了墙巅，先低着头向墙外面探视了一番，然后回头来向我招招手。我也照样爬了上去。墙外的空地上依旧寂静无声。接着霍桑面向着墙壁，两手攀住了瓦脊，两只脚先沿着绳子渐渐落下。不多一会儿，他的手也抓住了绳，慢慢地将身子宕到地下。我先将里面的绳钩拿起来丢在墙外，然后也模仿了霍桑的动作落到地面。

霍桑先用手在衣裤上拍了一拍，随即把墙上的绳钩松了松取了下来，又将地上的一条绳拾起来理了一理，重新围在腰间。他的外衣并无问题。他从墙下拿起了外衣穿好，便向西面的那条小弄走去。

我们走出了小弄，从那会馆前门的入口踏上马路的时候，远远瞧见一个站岗的警士站在马路中心，似在向我们瞧。但我们仍自顾自地缓步前进，绝不露什么惊慌的迹象。

一会儿，我们已走到汽车停住的地点。我急忙拉开车门，钻进车厢。霍桑向司机说了一句，便也随着上车。等到汽车开动以后，我心中才放下了一块石头。霍桑摸出纸烟来吸着，神气上非常安闲，似乎他这一次爬墙的行动，已得到了满意的收获。我刚才的疑团仍没有破解，这时真有些按捺不住。

我道："霍桑，你刚才带了器械，不是说要去开棺的吗？"

他一边吸着纸烟，一边用右手抚摩着他的左臂，缓缓答话："我原说这东西是'备而不用'的，只要我的疑团能够被证明，何必再干这冒险的事？你认为开棺是有趣的事？"

"那么，你已证明了什么疑团？"

"我已告诉你了啊。我知道那口黑漆棺材中是一个无头的尸体。"

"这就是我要问你的。假使我不是和你相交了二十多年，那我真要怀疑你有天眼通了！"

霍桑吐了一口烟，答道："这个你只能怪你自己。假使你刚才也跟着我走进荒字号的殡房里去凑近些瞧瞧，那你也就不会有这样的疑问了。"

我摇头道："你在恭维我了！我不相信我自己有这样的眼光。"

"唉，那么我告诉你。我们眼前的关键，就在证明王保盛刚才发现的头，是不是他生母的。这一点能够证实，我们的工作便可告一个段落。但王保盛自己既然没有瞧清楚，不能下肯定的答语，那只有开棺检视的一法。不过这动作终究太险，若非万不得已，自然应设法避免。因此，我想起了你曾经提出过一种反证的方法。"

"我提出的？什么方法？"

"你刚才不是告诉我那隔壁的小使女根弟，在二十三日的天明时候，曾听得王家里钉棺材声音吗？我们知道那时候不但那扛夫们还没有到场，连唐禹门也还没有得信。这样，可知那敲钉的声音，假使真是钉棺材，那定是倪氏母女自己钉的。我们从这一点上推想，便可确信那刘氏的尸体，一定有了缺头或毁肢的事实，她们才会干这种可怕而诡秘的动作。所以最简便的反证方法，只要瞧一瞧那棺材是不是倪氏母女钉的，其余的都可迎刃而解。"

"唉，我明白了。"

霍桑吸着纸烟，仍自顾自地说道："你总也承认，一个熟练的木匠或一个用锤子有经验的人，和一个非职业的人，钉一枚任何大小的钉，一定有显著的差别。何况棺材上的钉又长又粗，更不是一个生手所能钉得妥贴的。刚才我只用电筒照了一照，你告诉我的说话便完全证实。那钉都是旧式的钩尾钉，钉尾的方向，并不一例，有两枚钉因着用力不均，钉尾欹斜，到底没有钉平，钉的四周的棺材盖上，铁锤痕又累累可辨。这种种迹象，都足以显示这钉钉工作，是一个'全本外行'的人的成绩。故而我的电筒只略略一照，我所希求的证明便已完全如愿以偿了。"

他说完了话，又用力抽了两口烟，忽而侧着头向车窗外瞧了一瞧。他随即用手指在前面的玻璃上弹了两弹：

"唉，司机，停一停。我要下车哩。"

一张神秘的图画

我们停车的所在，在方浜路一片酱园门前。霍桑下车以后，匆匆走进酱园去。我瞧瞧手表，恰巧七点半钟。霍桑耽搁了六七分钟光景才回上车来，我们的车子便继续进行。

我问道："霍桑，你到酱园里去干什么？"

他作简语答道："我打了三个电话。"

"三个电话？给谁？"

"一个给沪江旅社许邦英律师，一个给汪银林。汪银林却不在厅里，故而我重新打了一个电话给西区巡官毛谷村。"

我一听这话，我紧张的情绪又增加了："你为什么通知汪银林和毛巡官？莫非你就准备逮捕他们？"

霍桑紧皱着眉毛，答道："是的。不过这还是第二步。眼前我只想利用他们做一个证人。"

"唉，现在我们往哪里去？你准备有什么举动？"

"我们往润身坊去，准备向案中人开一次谈判。刚才那位许律师既然打过招呼，我不能不通知他。他说他刚才回旅馆，此刻也正要到王家去吃夜饭哩。"

我暗忖这件事的秘密虽已大部分揭穿，但要达到最后的结束，似乎还须渡过一重难关。因为那许律师既然包办着这件事，我们应付的方法当然不能不特别审慎：

"霍桑，你此刻既要去和许邦英谈判，不能不留意些。我料想这个人一定是一个老奸巨猾。"

"正是，我也想到这点。"他又摸出纸烟来吸。

我又道："据我看来，你虽已证实了棺材中一定是个无头的尸体，但就我们的立足点说，似乎还不算得怎样稳固。因为我们对于对方还没有得到切实的犯罪证据。"

霍桑旋转头来，瞧着我作疑问声道："你这话有什么意思？人证方面，眼前虽还没有下落，但物证方面……"

我禁不住插口反问："你不是说那个头吗？"

霍桑将口中的纸烟拿了下来，眼光仍毫不眨动地注视在我的脸上："是啊，你的意见怎样？"

"唉，我以为这头是一个最危险的东西！"

"为什么？"

"我问你。这头现在什么人手里？这东西我们并不是从他们那边搜查出来的啊。万一他们反咬一口，岂不危险？而且这头的发现，我也非常怀疑。"

霍桑仍瞧着我，问道："怀疑什么？请你说得明白些。"

我答道："我以为这头的发现，恰在许邦英到上海以后，这一点就值得研究。"

"你的意思可是说这头起初本是倪氏母女藏匿着，后来听了许邦英的指示，才故意让王保盛发现，以便反咬他吗？"

我觉得霍桑的语气中满含着否定的意味，使我有些嗫嚅不能出口。一会儿，我答道："是的，我确有此意。你以为不可能吗？"

霍桑直截应道："是，我认为不可能。因为这里有一个先决问题。请问她们母女俩如果因着谋夺财产的主权，或其他动机而谋害刘氏，为什么竟至割断刘氏的头？割断了头，下棺时为什么又将头藏去而不一起放在棺内？若说为嫁祸反咬的地步预先出此，那岂非太不近情？"

我想了一想，果真觉得不合情理。我的意思反而模糊起来。我自言自语地说："这样一说，这里面真是矛盾得厉害！谋财害命，论情理果然也用不着割头。照你说，她们谋害的阴谋也根本起了疑问。但一方面她们私自棺殓的举动，又明明有犯罪的表示。这岂不是矛盾得可笑？不但如此，这刘氏的头又怎么会凭空出现？而且——"

霍桑忽摇摇手阻止我道："是啊，是啊。我早说过，这里面本充满了矛盾。一方面合了节拍，其他方面又有障碍，至今还不能贯通一致。现在我们的谈判，就想攻破这矛盾的谜团。不过我的希望还没有多大把握——唉，这里已是梨园路了。包朗，等一会儿我们谈话的时候，最好请你担任一下记录工作，行不行？"

"那可以。"

这时汽车已在润身坊弄口停住。霍桑首先下车，我也跟着下来。润身坊的总弄口有一盏电灯，光力倒很强烈。弄口有几个人出进，另有一个年纪在四十左右，穿一件灰布夹袍像管门人模样的人，拿着一柄竹丝扫帚，似乎在扫除弄口鞋匠摊所遗下来的皮角碎屑。霍桑一直走到第一条横弄的口，站了一站。我便抢前向右转弯，向第二个石库门口指了一指。霍桑便上前叩门。

那门并没有下闩。门上的铁环响动了一下，便听得里面有一个女子。接着，门开了，我便瞧见一个十八九岁的女子，伊身上穿一件玄色阔条纹洋绸的夹旗袍，腰部瘦细，系着一条白束腰带，有一种天然的苗条姿态，一头乌黑的鬈发，掩盖着瓜子形的脸，这时脸上还薄薄地拍了一些粉，皮肤却仍不见怎样细腻。伊有两条时式的细眉，一双活泼的眼睛，美中不足的是伊的鼻子可惜略略平扁了些。伊向我们俩略一端详，伊的身子便向后倒退，似乎有些诧异。

霍桑忙弯了弯腰，说道："王小姐，我们是来拜访许邦英先生的。他还没有来吗？"

伊分明还不知道我们的来意，勉强现出些笑容，忙把身子一侧，似让我们进去。

伊答道："舅舅大概就要来了，先生们请里边坐。"

我们踏进了客堂，我看见客堂中的陈设非常简陋，正中的方桌上已摆好了杯筷和几只荤盆，似准备宴请他们的贵亲。霍桑在客堂门口站住，侧着身子正要同保凤谈话，忽听得一阵子急促的脚步声从后面楼梯上下来。接着，我听得王保盛高声呼叫。保凤一听得伊的异母兄的招呼声音，面色顿时变异。伊又抬头向我们俩瞥了一瞥，便低下了头，冷冰冰地走进客堂，推开了西面次间的门进去。我明知伊已知道了我们是保盛方面的人，故而立刻表现出敌对的态度。

王保盛走进了客堂，忙着奔过来和我们招呼，他脸上仍充满着惊惶的神气。他的眼光注射着保凤的背影，凶狠狠地非常可怖。霍桑走到他的近边，用两手演作一个圆物的形状，附耳问了一句"怎么样"，王保盛立刻会意，他点点头，又举着右手的食指向楼板上指了一指。霍桑又凑在他耳朵边上说了一句，王保盛又连连点头。

他道："霍先生，包先生，请到楼上去坐一坐。"

我们上了楼梯，便被王保盛引进了他的那间陈设简单的卧室里去。霍桑似防有什么人偷听，索性把房门开着。王保盛走到那只单人的铁床面前将白竹布的帐子拉过一些，便弯着腰从床底下捧出一只装肥皂的板箱来。等到他把板箱放到书桌上面，开了箱盖，那可怕的人头便赫然接触我的视线！

我从不曾瞧见过割掉了的死人头。因为这种惨怖的景状决不能在脑室中留什么美感的印象，故而即使有可瞧的机会，我总愿意放弃。不过这时候情势不同，我不能不略瞧一瞧。那头的面部和颈部大部分都经过了石灰粉的涂抹，面颊上薄薄的皮肉微微皱缩着，却并没有腐烂之像，双目闭着，嘴唇却微微张开，露出些残缺不全的齿根。头顶上还有几根稀疏的头发，几乎完全给石灰染白。

霍桑察看那人头，真像解剖室里的一个医生，聚精会神地注视着，并没有惊惧或憎恶的表情。他从书桌上拿起一张报纸，撕了半张，分别抹拭着那死人头的面部和颈项部分。

他低声说道："保盛兄，这样子你瞧得清楚吗？是不是你的妈？"

王保盛细细一瞧，便连连点头，似表示这头确是他母亲的。他说不出话，他的脸上又笼罩着一重悲凄的神气，同时用手指揉他的眼睛。

霍桑又用手指在颈项上断割部分摸了一模。这举动一进我的眼帘，竟使我打了一个寒噤，连忙把视线移到别处。

霍桑又低低地诧异道："原来如此！谁想得到呢？包朗，我已跳出了这个矛盾圈了！对！对！……前半部是合理的，后半部是诡秘的！原来如此！"

我忙应道："你的话什么意思？"

他迟疑了一下，又道："正是，什么意思？他们为什么这样子干？割掉了头！他们又为什么这样子把头送回来？包朗——我错了！我错了！"

"错在什么地方？"

"矛盾，还是矛盾！我依旧不曾跳出这个圈子！包朗，这真是太复杂了！你且别问，我此刻也和你一般的迷惘哩！"

这几句反复不定的话，显示他自己也理解不得，我更完全摸不着头脑。王保盛也在一旁发呆。但霍桑既有这样的表示，当然不容我再随意发问，让我牙痒痒的疑团只索性暂时闷在心里。

一会儿，霍桑定了定神，用白巾抹了抹手指，回头向王保盛道："你自己可见过那位表母舅？"

那少年点头道："见过的，我忘记告诉你了。他在一点钟时到这里，只和我敷衍了几句，绝不曾谈什么有关的话。但他在我姨母房里，唧唧哝哝地密谈，足有一个多钟头。后来在四点过后，他又来过一次。"

"那时可曾和你谈过？"

"没有。我不曾下楼，但听得他的声音。我仿佛还听得另一个男子声音，料想也许就是那个姓唐的。不过他们的进出，我都不曾瞧见。他们勾留的时间也没很久。"

当霍桑和王保盛低声谈话的时候，我随时留意着房门，却并不见什么人偷听。霍桑把那木箱盖好，叫王保盛重新放在床底下，又低声向王保盛说：

"保荣不是住在亭子间里吗？我要进去瞧瞧。"

"他的房门锁着啊。"

"那不妨，我有钥匙。"

我们走出了房门，霍桑便在楼梯头右侧的亭子间门口站住。他先在门钮上旋了一旋，随即从裤袋中摸出一串钥匙，拣了一个插进锁孔里去，旋了一旋，不能转动，又拔出来换了一个。那第二个钥匙一进锁孔，果真应手而开。

亭子间杂乱不洁。床上被褥乱叠，瞧上去很脏。椅子上堆了几件衣裳，一双涂着烂泥的树胶套鞋横在地板中央。那小铁床面前有一只半新的新式镜台，台上放着些面盆，热水瓶，铅笔，纸烟罐，烟灰盆等类，都是杂乱无章。台角上有一只小钟，这时已停止不走。台面上烧焦痕斑斑，纸烟灰也狼藉满台，那烟灰盆反而有名无实地空虚着。我站在霍桑背后，瞧见了这种景状，有一种不舒畅的感觉。并且那小窗也紧紧闭着，小间中的空气也沉闷难受。我觉得瞧不出什么，正想先行退出，忽见霍桑开了镜台的抽屉，嘴里喃喃地咕着。我因重新站住。

"唉，这里有狗票，回力球票……这是什么？唉，这是摇摊的记录，他还画着一条线路，记得非常详细，他真可算得一个赌学博士了。"他顿了一顿，他的手仍不住在抽屉中翻检，"唉，这是什么图？"

我忙走近一步，霍桑拿着一小方白纸，正在翻转来瞧纸的反面。那纸上写着：

诸葛亮唱空城计。

这七个字是用铅笔写的，字迹也拙劣得不成样子。那纸很薄，隐隐地显出另一面还有图画。霍桑兀自注视着那七个铅笔字呆想，却不将那纸再翻过来。我不等他的应许，便从他手中拿过那一张纸。那是一张包纸烟的薄蜡纸，另一面果真画着一个古装人物，我照样在上面描摹。

这图像的姿态比例倒还不错，分明是印摹而成的。但这人形并不是平剧或旧小说中所传诸葛亮，和另一面所写的唱空城计似不相合；并且旁边还有一个像田螺形的墨团和一只么二牌。真是莫名其妙！

我问道："这幅画有什么意思？"

霍桑的目光钉住在我拿着的一小方诡秘的画图上，似乎没有听得，接着他忽自言自语地咕噜着：

"唉！莫非是这一套玩意？但怎么又这样子收场？唉！这又太矛盾了！"

我忍不住说："霍桑，你在转什么念头？这几句话又有什么意思？你能不能说得明白些？"

霍桑依然不答，仍在出神似的呆想。忽而他的眼珠转了几转，又侧着耳朵向楼下倾听。

他低声道："唉，大概是许律师来了。我们下去吧。"

我没有得到霍桑的答复，但也来不及再问。他对于这一张发现的怪图似不太重视，并不向我索回。我就将这纸顺手塞在我的袋中。

那许邦英律师年纪在四十六七岁，穿一件鼻烟色的哔叽夹袍，上面罩一件玄色毛葛的马褂，足上也穿着一双黑纹皮的皮鞋。他的脸形狭长，下颌又特别尖削，高突的鼻子，配着一双鹰目似的眼睛，上嘴唇上留着一撮卓别林式的短须，从外貌上观察，倒像一个十足道地的新式官僚。他操着一口纯粹的国语，见面时那种虚伪的礼貌，也足以证明他在交际本领上确有深造。他和我们俩刚才通了姓名，还没有坐定，那毛巡官也从外面进来。霍桑忙站起来介绍，却并不说明毛巡官的职务。

这时那开门和送茶的，都是那个江北妈子。保凤仍躲在房里，房门也已关上。伊的母亲倪氏更始终不曾见面。

许邦英带着笑容说道："霍先生，我此番到上海来，原是受了舍表妹的嘱托，想把分产的事情和保盛谈一谈。不料我到这里以后，才知保盛因着某种误会，正在暗地里乱撞。我想你们定是受了保盛的委托，已劳了好一会儿神。其实这完全是误会的。"

他旋转头去瞧着霍桑左边的王保盛，说："保盛，你也太多疑了，凭空里劳人家奔走。好孩子，你真是神经过敏了。"

王保盛坐在靠客堂门口的方凳上，他发光的小眼睛，从深度镜片后面向许邦英瞧着，闭着口不答，但他的眉宇间充分暴露出敌对的目光。

霍桑也带着笑容，应道："许先生，你的见解我也有几分赞同。我也相信这件事并不像保盛兄所意想的那么严重，不过我们为职务关系，既然受了委托，不能不调查一下。况且这件事如果出于误会，这误会的疑障也应得早一些撤除。"

许邦英忙着点头，答道："正是，正是。霍先生的高见我十二分赞同。但不知你们调查的结果怎样，可否先请赐教？"

霍桑缓缓答道："我很惭愧，还谈不到什么结果。因此，我想与其在暗中摸索，反容易走入歧途，不如爽快些当面来谈谈。现在最好请令表妹出来，把经过的事情大家开诚布公地谈一谈。"

许邦英的目光注视着方桌上的冷盆，嘴里吐吸着纸烟，似在考虑霍桑的请求能不能接受。

一会儿，他婉声答道："这办法果真很好，不过舍表妹是一个旧式的女子，不会说话，见了陌生人更开不了口。霍先生如果有什么疑问，我可以代表奉答。"

"我想间接的未免会有隔膜。"

"这倒不需顾虑。我刚才已把这件事的经过情形完全问明白了，一定不会有什么隔膜。"

"那么，许先生当真可以全权代表吗？"

"是的，我可以负责。万一有什么困难，我尽可以到里面去问个明白。"

霍桑把纸烟拿下来弹去了些烟灰，低沉目光停顿了一会儿，似在考虑什么。

他点点头道："也好，既然如此，就请你先将刘太太病死和殡殓的情形说一说。"

霍桑说到末一句时，又把纸烟送到嘴边，同时他的眼光向我瞥了一瞥。我记得他刚才曾叫我把这一次谈判的说话内容记录下来，这时他的一瞥分明是一种暗号，我因悄悄地摸出一本小册放在膝头，又握了笔准备记录。许邦英的座位在霍桑的对面，我和他并坐在一面，中间还隔了一个毛谷村，故而我的举动还不致引起许邦英的注意。许邦英用手指摸了摸他的短须，经过了一度静默的考虑，便开始发表他的重要的谈话。

谈　判

许邦英句斟字酌地说道："这一回事完全是很自然的，保盛竟疑作内中有什么谋害的举动，这实在是出于他的神经过敏。不过从他的立场上说，这误会未始不是出于他的孝心，原也有可原之处。刘夫人在已往的好几年中，本患着咳喘病，时发时愈，病根本来很深。这一次因着立秋的节气，伊忽又发病，非常厉害。伊又因着年老力衰，支撑不住，经过了一个多星期的医治，最终未能挽救。起先曾请过两个西医：一个是唐逢春，一个是徐时熙；后来因着服药无效，刘夫人便定意改换中医高月峰。这三个医生都可以负责证明。那死亡证明也是高月峰所签。这些都是病死的确证，在法律上已绝没有怀疑的余地。

"至于丧殓的手续也完全合法。死后曾到警局里去正式报告，并且领得了出殡证。当夜又曾延请广福寺的和尚来转殓诵经，并且又拍电通报保盛，手续上可以算得完全没有欠缺。这种种都是事实，我想先生们大概也已调查明白。"他说到这里，把注在地板上的目光渐渐抬起，移到了霍桑的脸上。

霍桑缓缓应道："我们并没有做这样的调查。但我相信许先生所说的一定可信。不过出殡的经过怎样，也请许先生说一说明白。"

许邦英唇角上现出些微笑，点点头道："是啊，据舍表妹说，保盛怀疑的一点，就在偷丧的问题。其实这也是很自然的。一则因经济关系，二则家里也缺乏负责料理的人，所以才想出这种简省的偷丧办法。因为家里实在没有现款，刘夫人所有的首饰，在今年春天因着金价的飞涨早已兑去，兑得的钱，在家用上也花去不少，后来病中所费数也可观。所以到伊死的时候，所剩的现款只够购备些衣衾棺木。若要正式出殡，为场面关系，总需千元上下，事实上委实有所不能。还有一点，家里只有表妹和表甥女二人。棺材既不能在屋子里久搁，保盛又不知什么时候回来，举丧时没有料理的人，当然也是个绝大的问题。因此，舍表妹才不得已想出这个从俗的偷丧办法。"

他停顿了一下，把烧剩小半支的烟尾又送到嘴边。他的视线似也在偷察霍桑的脸色。但我觉得他说得头头是道，关于经济一点，虽和王保盛所说的不相合符，但他竟能说得婉转动听，我委实不得不佩服他惊人的口才。霍桑脸上仍没有什么表示。他沉吟了一会儿，忽点点头，似乎对于他的解释尸有接受的倾向。

霍桑吐着烟说道："保盛不是还有一位哥哥保荣在家里吗？"

许邦英忙丢了烟尾，叹息似的应道："唉，说起这个孩子，真是怄气！我不瞒先生们说，这孩子虽没有什么大的坏处，但好像一匹没羁勒的野马，他的行动往往任着他自己的性子，不受任何人拘束。当刘夫人死的那天，那买棺延僧和到警局里去登记等的一切手续，总算都是他办的，后来他忽被他的两个朋友邀了出去，至今还没回来。在他的意思，自以为他已尽了一部分的责任，别的事可以让保盛来办。这虽也似说得过去，不过他一出去，往往会约了朋友登山玩水，三四天不归原是常有的事。这种过分自由的行为，我委实不能不怪舍表妹往日里的失于督教。"

他果然善于狡辩。保荣的失踪，他竟假定是很风雅地去游山玩水，又说他的自由行动是常有的，反证这一次失踪也是稀松平淡。霍桑依旧不采取抗辩态度，他只有意无意似的发问：

"唉，令表甥的举动的确太自由了些。但他是在什么时候出去的呢？"

"刘夫人的死，是在星期二，二十二日傍晚六点半钟。保荣在那天黄昏时八九点钟转殓的和尚们来了以后方才出去。"

"他临走时可曾向什么人说明？还是悄悄地溜出去的？"

"他曾向舍表妹说明，有朋友约他同走，不过并没有说明什么时候回来。舍表妹以为他暂时走开，故而并不阻止。"

"那两个约他的朋友，可是预先约定的？还是出于偶然的？"

"大概是偶然的吧。因为保荣在事前并不曾和舍表妹提起。"

"那么，这两个约他出去的朋友是谁？"

许邦英顿了一顿，忽又用手抚摩着短须，咽了口气。他似乎不提防霍桑问得这样子仔细，一时竟来不及应付。

他摇头答道："这倒不知道。因为那两个朋友只在门口站了一站，舍表妹和表甥女都在里面忙着，没有瞧见。"

霍桑略带些俏皮的口气，说道："这样，若要调查这两个朋友，在事实上大概办不到了。"

"正是，我想若不是问保荣自己，怕不容易办到。"

霍桑又换了一个题目，说道："我们知道刘夫人有一个小使女名叫菊香。伊此刻在什么地方？"

许邦英很熟流地应道："这个我也不知底细，伊好像是回浦东家里去的。但我们不知道伊家的地址。"

"伊在什么时候回浦东去的？"

"舍表妹说，在刘夫人死的三天前，这是十九日，上星期六。"

"那时候刘夫人恰在病中，菊香既然是服侍刘夫人的，怎么在需人的当儿突然回去？"

"这也是不得已。伊家里有人来报信，伊的父亲病危，要见一见菊香，伊不能不立刻回去。否则，舍表妹也绝不会应许伊的。"

这明明是谎话，他居然也能说得入情入理。有不少律师都是说谎的专家，但这位许律师的说谎天才，似尽可列入一甲一名！霍桑仍没有揭破秘密的表示。他点点头，又向我瞟了一眼，似在观察我的记录工作是否继续进行。

他又说道："原来如此。那么，菊香离去以后，可是就雇了这江北妈子来填补的？"

许邦英又咽了口气，忙着应道："不，这周妈直到二十三日早晨才来。因为刘夫人有一种急癖，病中的脾气更容易着恼。伊不愿意叫一个生手的仆人进来，故而当时的进汤进药，都是舍表妹亲自动手。我想保盛总已告诉你们，刘夫人和舍表妹往日的感情，原是像亲姊妹一般的。"

我觉得霍桑刚才那句江北妈子填补的话，原是藏着一种钩子，只要许邦英顺他一句，那便可从这老妈子受雇的日期上钩破他的谎话。不料这个人真厉害万分，他所布置的防线，竟是无孔不遮。霍桑所施的策略，竟遭失败。

霍桑毫不介意地说道："那么，请许先生把刘夫人殡殓的情形说一说吧。"

许邦英又烧了一支新鲜的纸烟，继续吐吸着，说道："舍表妹等保荣不归，未免着急起来。伊又不知道保盛什么时候才能从南京回来，同时伊因着经济欠缺，真苦没有办法，便决定了偷丧的计划。不过偷丧虽然省事，仍须有人办理。于是才万不得已，去请了那唐禹门来。霍先生，你总已知道了唐禹门和表甥女的关系了吧？"

霍桑摇摇头道："不，我很抱歉，我只是捕风捉影，并不怎样仔细。"

"唉，那么，我来介绍一下。他们是因着一个同学的介绍而相识的，时间上已有一年。起初因着文艺上的志同，彼此有一种书信上的交往，后来他们的感情越发投契，便进而讨论到婚姻问题。这种事在现时代原是一件极合法的寻常事件，但刘夫人似乎还有些旧礼教的成见，曾一度表示反对。今年表甥女已十九岁了，再过一年，伊在婚姻上就可绝对自由。但舍表妹为着家庭的安宁起见，定意把这件事搁置起来。所以这一回事，料想保盛也还没有详细知道。"他说时一边吸烟，一边又斜着眼光瞧瞧保盛。

王保盛仍和我和毛巡官取同一态度。他始终静默，绝对不发表什么，但他脸上冷冰冰的神气依旧没有变。

霍桑点点头道："唉，唉。现在请说下去，什么人去请唐禹门来的？"

许律师用手指搓卷着那枚纸烟，又摸了摸他嘴唇上的卓别林须，很有准备似的答道："那是由保凤写了一封信，叫狮子弄口老虎灶上的一个伙计送去的。"

"在什么时候送去的？"

"二十三日的清早。"

"唐禹门什么时候到的？"

"大约在七点半钟光景。"

"他来了以后又怎样进行？"

"他倒很肯出力，等到殓好以后，他便亲自送丧到河南会馆。会馆中的接洽，也由他负责——"

"唉，对不起，我要问一句话。你可是说唐禹门到这里以后，刘夫人的尸体才入棺的吗？"

"那自然。"

"什么人把尸体抬送进棺材里去的？"

许邦英的眼光凝视在地板上面，一时并不回答。他用右手的食指和大拇指撮着纸烟，那无名指兀自是在纸烟上弹动。其实纸烟头上的灰烬早已脱落，那无名指却还无目的地弹个不停。

一会儿，他作怀疑声道："霍先生，你可是因着承继的俗礼，才有这句问句？那是保凤抱头送进去的。"

这时我觉得霍桑的嘴唇微微牵动，禁不住露出一丝微笑。他随手把纸烟丢掉，用皮鞋在地板上踩了一踩。我也暗暗称赞这位大律师的无中生有的天才。

霍桑仍淡淡地问道："保凤抱头的？伊倒是一个'不念旧

恨'的孝女，委实难得。"

许邦英装出一种强笑，答道："那只是从权罢了。家中既没有男子，伊在法律上原也有同等的地位。这举动似乎不致怎样对不起死者。"

"这自然，伊既然有同样分产的权利，自然也同样有尽子礼的义务。伊的抱头的举动，我只有佩服，绝对不敢有什么批评。但除了抱头的保凤以外，当然还有别的人帮助着抬尸。那抬尸的是什么人呀？"

"那自然是扛棺材的夫役们了。"

"这些夫役们是哪里雇来的？"

"那是唐禹门代雇的，他家里向来有雇熟的夫役。霍先生若要调查，只需向唐禹门问问。"

霍桑冷冷地摇摇头，答道："我觉得时间上似有些不符。这里面有几点解释不通。"

许律师的眼光突地向霍桑脸上一闪，他似因着霍桑第一次发出了否定的表示，略略有些心慌。

"霍先生，哪一点你认为解释不通？"

"你方才说唐禹门在二十三日清早，方才得了信赶到这里。那夫役们既是由他代雇，当然也在二十三日的早晨。但二十二日夜里既曾转殓，那抹尸、穿衣和把尸体从楼上抬下一类的工作，都有早雇夫役的必要。这样，夫役们受雇的时间，岂不是有些不符？莫非在二十二日晚上，担任穿衣、抬尸的夫役是另外一班人吗？"

"唉，霍先生，你误会了。照郑州乡间的习惯，那洗尸、穿衣等工作，都是亲属们自己动手，并不雇夫役的，况且那时保荣还没有出去。所以在二十二日晚上，那尸体是由母子三个抬到楼下，并不曾雇用什么夫役。"

霍桑点点头作领悟的样子，用双手抱着他的右膝，眼光仍斜射在这律师脸上：

"原来如此。不过令表妹等在穿衣方面既然依照了郑州的风俗，偷丧的举动却又采取上海的习惯。这里面的经过情形的确很是复杂，难怪要引起人家的误会来了。"

我暗忖许邦英的说话有一部分明明出于虚构，可是他总有解释的理由，而且又说得似乎有凭有据。如果我们找不到对方的人证，一时的确不容易揭发。霍桑至今还抱着容忍的态度，分明也还没有什么把握，这就可见这人的刁滑。因为万一操切从事，给他反咬一口，事情也许反而弄僵。

许邦英仍神色自若地答道："虽然，这回事一经说明，那就没有什么复杂可言。我想保盛的误会，此刻大概也可解除了吧？"

霍桑点头道："但愿如此。以后又怎么样呢？"

"以后就由唐禹门陪着保凤，送殡到斜桥路会馆里去，表妹因着连夜的辛苦，没有——"

霍桑插口道："不是这个，死者下棺以后还有什么举动？"

"有什么举动呢？我早说过，他们就把棺材送出去了啊。"

"不，你可知道什么人钉棺材的？"

"那……那自然是抬棺材的夫役们钉的。"

"唔——这一点你可要到里面去问问令表妹？事实上是不是如你所说？"

许邦英作坚持声道："不用问的，我确知如此。"

霍桑略一沉吟，又道："那么，这两个夫役可能找得来谈一谈？"

许邦英点头道："这自然可以。不过今夜似乎来不及了，明天早晨总可以遵命办到。"

霍桑把他抱着的右膝放了下来，他的眼光在那只排列杯筷的方桌上瞧了一瞧，立起身来挺了挺腰。

他笑着说道："许先生，我们耽搁了你的夜饭时刻，抱歉得很。现在我们不敢再惊扰了。不过还有一句。许先生此刻所说的话，是不是完全是事实？或是你曾掺杂些你的主观的臆想在里面？"

许邦英也站了起来，答道："完全是事实。"

"那么，你能完全负责吗？"

"那自然，我早说过，我完全负责。"

霍桑向我和毛谷村点点头，说道："包朗兄，我们的谈话你是不是都已记录下来？现在请你把记录放在桌上，让许先生和毛巡官瞧一瞧，有没有错误。"

我便将那记录的小册公开地展开在方桌上面，又将几个符号的草字补写明白。那毛巡官果真弯着身子，在小册上细瞧。许邦英仍站着不动，他的一双鹰眼注视着霍桑，面颊上也微微泛白。他将烟尾用力向天井里一丢，又摸着嘴唇上的短须，似要向霍桑发问。

霍桑又婉声说道："许先生，请你校正一下。包朗兄也许有写错的地方。"

许邦英作疑讶声道："霍先生，何必如此？这里不是法庭，哪里用得着什么笔录？"

霍桑道："这也是一种勤笔勉思的办法，原没有什么用处。现在你既然承认你刚才说的话是一种负责的报告，那么，能否就请你在这记录上签一个字？"

　　许邦英忽而扭着嘴唇，露了牙齿，向着霍桑发出一种可怕的狞笑。

　　他冷冷地说道："那未免太笑话了！我觉得你这举动委实有些侮辱！"

　　霍桑仍心平气和地婉声说道："许先生，你不要误会，我并没有侮辱你的意思。这一种记录，也许对于你的记忆上有些帮助。唉，毛巡官，你已瞧完了吗？有没有错误？"

　　毛谷村挺直了身子向霍桑瞧瞧。他第一次开口了，说："是的，我瞧过了。包先生所记两位的问答，完全没有错误。"

　　"那么，就请你签一个字吧。我想许先生是当律师的，他的笔墨当然特别贵重，此刻大概总不肯轻易动笔了。"

　　毛谷村从袋中摸出了一支自来水笔，似乎还有些疑迟。这时我恐怕弄僵，便先在那纸上签了一个记录人的名字，另外又写了"见立"二字，随手把纸送到毛谷村的手里，等着他签。毛谷村搔搔头皮，拿了笔顿了一顿才勉强签了。我又将记录纸从小册上撕了下来，交给霍桑，霍桑接过了放在衣袋中。

　　霍桑点点头道："许先生，我们走了，惊扰得很。再见吧。"

　　那许邦英忽而跨前一步，把身子站在客堂的中央，做出一种要拦阻的样子。

　　他举起了右手说："霍先生，且慢一慢。我们谈了半天，你自己却还没有发表过什么。现在你也得回答我几句。"他说话时眼睛里似流出凶光，语声中带些威胁气息，他举起的手臂的肌肉也现着紧张状态。我默惴他的模样仿佛在严格的戒备状态中。但霍桑的神态仍安闲如常，料想不致表演什么武剧。

　　霍桑带着微笑，应道："唉，许先生。你有什么见教？我在这里恭候。"

许邦英的鼻息似已增加了速度，但他还竭力控制着。他答道："请问你在这件事上有什么意见？"

霍桑瞧着客堂门口的玻璃长窗，作踌躇声道："我很抱歉。我觉得此刻还不能发表什么意见。"他的眼光依然宁静。

"为什么呀？你的高见也有时间性？"

"不是。我怕我说了出来，在许先生看来，说不定又要认为侮辱大律师的尊严。我实在有些胆怯，不敢一再冒犯——"

许邦英忽又把右手高高地挥了一挥，红涨着脸，插口道："那不妨，这原不是正式谈话，你不妨随便说说。"

霍桑弯了弯腰，很谦恭地应道："如此，我就安心得多了。许先生，我放肆了。我认为许先生所说的事实，和我们所调查而得到的事实，至少有三点不相符合。"

许邦英带着颤动的声调，反问道："唉，有三点不相符？奇了！莫非霍先生调查的来源有什么误会？"

霍桑的左手插在外衣袋中，右手摸着自己的下颌，缓缓摇头："我深信不致如此，不过我并不是说许先生的话有什么不实之处。许先生的报告既然是间接的，难保这里面没有隔膜。"

他的凶狞的眼光兀自向左右移动，已不敢留住在霍桑的脸上，他的镇静态度分明也已起了动摇。他的右手虽已放下，却已握紧了拳头。

他期期地答道："那不会的……唉，唉，不过也说不定。不错，我究竟是间接的。唉，请问哪三点不同？"

霍桑提高些声浪，答道："第一，我们知道刘夫人的小使女菊香，并不曾回浦东家里去，伊的父亲也没有病危的事实，并且菊香不是在刘夫人病中离去这里的，却是在刘夫人死了以后，方才……"

霍桑说到这里，似故意顿住了不说。他和许邦英面对面站着，距离只有两尺光景。他有力的眼光，像电流般地注射在许邦英的脸上。许邦英的神态果真变异了，他垂着的两手忽而互相交握着。他的视线似也没有勇气和霍桑的眼光接触。

他仍勉强控制着说道："这话未免奇怪。霍先生，你从哪方面得到这相反的事实？"

霍桑冷笑了一声，答道："对不起，这句话也就是我要动问的。许先生，你怎样知道菊香是在刘夫人病中离去的？"

"那自然是舍表妹告诉我的。"

"唔，这倒奇怪。"

"奇怪什么？那是伊亲口说的。"

"那么，若不是你听错，令表妹一定在说谎话了！"

"我想伊绝不会骗我。我的耳朵也不曾聋。"

"那也好，此刻我们还不必辩论。好在我的话也并不是凭空说的。现在再说第二个不同点。我们知道令表甥保荣先生，近来对于游山玩水的雅兴已减低了不少。此番他并不是被朋友们邀去游历的，到眼前为止，他的足迹始终没有脱离上海的区域。"

"你们已知道他的行踪？"

"是的，但你此刻用不着追问他在什么地方，到了相当的时候，我们自然会请他出来和你见面。还有第三点，那相差得更大了。刚才你说刘夫人下棺的时候，是令甥女保凤小姐抱的头。许先生，你如果能恕我冒昧，我敢说这句话未免太觉滑稽！"

许邦英的脸上忽似罩上了一张白纸。他的嘴唇上也完全没有血色，越衬出那一撮卓别林须的浓黑。他的眼皮向下挂着，似乎沉重得再抬不起来。

他咽了一口气，还挣扎着道："滑稽？有什么滑稽？我不明白你的意思。"

霍桑的静穆态度变换了。他的眼光灼灼闪动，现出一种得意的神气。他分明已从这位大律师的神态变化上面证实了他的猜想。

他婉声答道："那么，我可以说得更明白些。刘夫人的头实在不是保凤抱的！我不是说伊不肯尽孝女的义务，不过伊即使要尽孝心，要抱伊的嫡母的头，事实上却也不可能哩！"

许律师的镇静态度此刻已不能维持了。他的手虽仍握紧，却已没挥动的弹性。他的两腿有些发抖。他断断续续地反问道："什么……什么话？那么，你……你说是谁抱的？"

霍桑摇摇头道："这个你不必问我。你如果还不明白，我想你还是到里面去问问令表妹，自然就有分晓。"

"唉，唉……霍先生……你……你……你的话我真不懂！"

"不懂也好。我想我们下一次在法庭上见面的时候，你总可以懂得这句话的意思。"

"这个……这个……唉，这话太神秘了……霍先生，你请再坐一坐，我们不妨——"

这时候忽有一种刺耳的惨呼声音打断了许律师格格不吐的语声：

"哎哟！不好了！……妈！……你……你干什么？……你……你犯不着！……"

这时空气顿时紧张。我们都没有说话。我们的呼吸也几乎都屏住了。大家的视线都不约而同地瞧那扇房门。

"唉！妈——妈——你放手！哎哟！不好了！舅舅，快来！不好了！快来！"

保荣的供词

我觉得那是保凤的呼声。这声浪中仿佛挟有一种无形的魔力，使客堂中的五个人都不寒而栗。那许邦英首先奔到次间门口，握住了门钮用力一推，便抢步进去。霍桑正要跟着进去，不料那近视眼的保盛反抢在前面。一会儿，霍桑和我也已走进了那间倪氏母女的卧室，只剩毛巡官一个人仍留在客堂里面。

那卧室中电灯照得很亮。靠壁排着一张双人的铁床，有一个年过中年的妇女，穿一件灰布的旧式女袄，横在床的一端，刚才我们瞧见过的保凤，正捉住了伊母亲的手腕，嘴里还乱喊着"舅舅，舅舅"，我见那倪氏紧闭着眼睛，面颊上现着苍黄的颜色，两只手正在用力挣扎。

许邦英奔到床前，拉开了保凤，颤声发问："什么事？什么事？"

保凤的右手虽因许邦英的拉扯，松放了伊母亲的左腕，但伊的左手仍紧握那妇人的右腕，死不肯放。

伊又锐声呼道："舅舅，我不能放。你瞧，那匣子还在伊手中哩！"

许邦英用力捉住了倪氏的右手，又将伊紧握的手指掰开，果真拿出一只小小的铅皮圆匣，匣盖早已去掉，匣子里装着些黄色厚液体的东西。

许邦英瞧着床上的倪氏，骇呼道："唉，这是鸦片啊！哪里来的？你吞过了没有？"

保凤颤声道："妈有头痛病，这东西本来备着做膏药的。刚才伊开了抽屉，拿这匣子塞在嘴里。伊一定已吞过了。"

霍桑忽从许邦英的背后接嘴道："那是没有疑问的。瞧，伊的嘴唇边上还留着烟膏呢。”

许邦英慌忙道："唉，不错……表妹，你……你吞了多少？你能吐出来吗？"

那妇人的眼睛和嘴仍紧紧闭着，但伊的两手已不再抗拒。从电灯光中，照见伊的脸色似比前越发惨白。这时那站在床边的王保盛，呆瞪瞪地张着一双小眼，两只手交抱在胸口，在瞧他的姨母。他的神气上并没有快仇雪恨的得意，却似乎反露出一种同情的惋惜之态。这一点不但出我的意外，而且越觉得少年的可敬可爱。

王保盛忽大呼道："快拿些肥皂来！肥皂水有洗胃呕吐的作用。一定来得及！"

保凤的眼泪已像散珠般地从粉颊上滚落下来："舅舅——舅舅！你总要想个法子！"

"唉，唉——这怎么办——这怎么办？"大律师也失了常态了！

霍桑接口道："你们不用慌乱，赶紧送医院，一定没有危险。"

那毛谷村忽在房门口低声呼道："霍先生，霍先生——"

我站立的位置比较接近房门，便代替霍桑答应了一声。我回身退到客堂，客堂中有一个穿黑袍子的光头大汉，模样像官家侦探。毛谷村手里拿着一张名片，似乎就是这大汉送的。

毛谷村说道："这是汪侦探长的片子。你瞧吧。"

我把名片接过一瞧，果真是汪银林的。名片的前面，写着梨园路润身坊六号王宅转交霍桑的字样。背后另写着四五行小字：

承委查访之王保荣，遍觅无着。不意竟为黄河路赌窟中之赌客之一。彼于二十三日晨被捕以后，当日即解往法院。今日傍晚弟偶尔疑及，果得之于地方法院之拘留所中。弟在该所候驾，乞即来一谈。

这消息自然又给我一种意外的愉快。因为那倪氏的服毒，尽可认作是一种间接的招供。伊分明因着听得了霍桑的说话，知道他们的阴谋已被查明，故而畏罪自杀。现在这案中的主角王保荣又已捕获，那么，这全案中种种的秘密当然立刻就可以破露。

我拿了汪银林的名片回进房里去，走到霍桑的背后。霍桑正偻着身子凑在床上，用手指在翻开倪氏的眼皮。我在他背心上拍了一下，他便旋转头来。

我低声道："你走出来，我要和你谈一句话。"

霍桑跟我进了客堂以后，那个送信的光头大汉似认识霍桑，立刻点头招呼。

他道："霍先生，汪探长在法院里等你。那个混蛋不肯说呢。"

我忙把汪银林的名片授给霍桑。霍桑的眼光很急促地在名片背后浏览了一下，立即发出一种惊喜的呼声：

"唉，他也捉住了！很好！不过——哎哟！"他的眼光又向名片上瞧瞧，接着又停住在地板上面，现出一种意外的紧张。他经过了两三秒钟的考虑，忽而摇了摇头："哎哟！又是一个矛盾点！不，不……长福兄，我这里还有些事。毛巡官，你也不能就走，我须借重你。包朗，你先到决院里去吧，我随后就来，汽车还等在弄口，你们赶快去吧。"

奇怪！又是一个矛盾点？指什么说的呢？霍桑的表示不能不使我诧异，但他的嘱托我并不推辞，立即跟着探伙李长福离开王家。我们上了汽车，在从梨园路到地方法院的途中，曾做过一种简短的谈话。据李长福说，王保荣从黄河路赌窟中被捕以后，在警厅中忽改变姓名，叫作黄荣宝，因此，当时汪银林并不曾注意。后来探伙们到各旅馆去访查，毫无下落。直到这天下午，霍桑又和汪银林说起，这王保荣是一个赌徒，叫他到赌场方面去侦查。汪银林才想起了赌窟中所捉到的七十六个男女赌客，有大半还没有释放，那王保荣也许就在这一大批赌徒里面。他被捉后也许改变姓名，并且既被拘禁，外面自然访查不到。汪银林因在上灯时赶到法院里去，凭着西区赵巡长所说的王保荣状貌的记录，仔细辨认那拘留的男赌客们。他果真查出那黄荣宝就是王保荣的化身。于是汪银林立即打电话到霍桑寓所里去，霍桑不在。他又打电话到厅里去询问，才知霍桑在半点钟前曾打电话到厅里去，因汪银林不在，留下了润身坊六号的地址。因此，汪银林才差了这探伙送信到王家去。

我们进了法院和汪银林会面以后，我就将我们经过的情形和霍桑暂时不能分身的理由说了一遍。

汪银林显出很庆幸的样子，说道："这样看来，这件案子可以全部结束了。我们捉到倪氏母女以后，那开棺检验的事，尽可让法院方面去担任。霍先生用不着再劳神哩。"

我点头道："正是。此刻毛巡官还在那边，逮捕的事，我想他们总可以料理。但这王保荣就是这案中的主凶，他的供词至关重要。他还是不肯说吗？"

汪银林皱着眉头道："是啊。不过你们既已查明了这许多事实，不怕他不开口。长福，你去把他带到这里来。"

我们和汪银林会面的地点，就在法院的律师休息室中。这时法院中冷静异常。律师室中排了几张漆色模糊的长椅，一盏电灯光力又很低弱，越觉得凄黯难受。不多一会儿，那光头的探伙已领了一个少年进来。

那人穿一件栗壳色的薄薄的印度绸夹袍，缩着头颈，弯曲着腰，似正感着寒冷。他枯瘦的脸在黯淡的灯光下，显得他的年龄比我所知道——二十七岁——足足高出四五岁。他的头发蓬着，嘴唇上和颏下的须根也已现出了黑色。他一走进来，张着一双骨碌碌的眼睛，向我和汪银林身上乱瞧一阵。他忽先自开口：

"你们究竟弄什么鬼戏？赌钱并不是了不得的事。我已判了罚款，若不是潘老头儿不肯作保，我早已可以自由。你们怎么无缘无故说我谋杀我的嫡母？"

我乘势应道："若不是你谋杀，那么是什么人谋杀的？"

他仍睁大了眼睛，大声答道："那是阎王伯伯谋死伊的！你们真在捣鬼，竟这样含血喷人！"

他的说话还没有完，那旁边的李长福的"巨灵之掌"已啪的一声搁在王保荣的脸上。我瞧了有些不安，忙挥一挥手，阻止那探伙的动作。

王保荣一边用手按摩着他的面颊，一边呜咽着道："你们尽打吧！我母亲的确是生病死的，我说不出别的说话，打死我也没用！"

我婉声说道："你若要不吃眼前亏，还是爽快些实说的好。我们已完全查明，你的嫡母刘夫人曾被人切去了脑袋——"

"什么？切去了脑袋？"他的身子突然挺直了。

"是啊！"

"我怎能相信？"他的头颈也竖了起来。

我又道："这是千真万确的事。这回事若当真不是你干的，那你总知道是什么人干的。你为自己剖白起见，也应照实说明白才好。"

他大声说："我连梦都没有做过！伊的的确确是生病死的，我还亲眼瞧见伊断气。伊待我们不错，我们怎干得出这样骇人的事？你们即使立刻把我枪毙，我也说不出第二句话！"

我觉得王保荣说话时洪亮的声浪、从紧缩而变成挺直的腰肢和头颈，都显得他的话由衷而发，绝不是因狡赖而出于虚构。我见了他这种理直气壮的模样，不禁暗暗地自己怀疑起来。这局势太复杂了！太奇怪了！

霍桑曾假定这王保荣是全案中的要角。我也以为这人既已捕到，一切便可以终结。可是现在又怎么样？我的希望岂不将变成空中楼阁？莫非这里面还有什么误会？那个头颅竟是一种什么不可思议的圈套，我们却已不幸入壳？但刚才倪氏明明因畏罪而服毒自杀。这种矛盾的事实，真要使我的神经因过度刺激而发昏起来！难道倪氏的阴谋，连保荣也不知道，却另有通同的人？但这通同的人是谁？我又从哪方面去找寻？我定了定神，把我紊乱的思绪梳理了一下，发现了另一条问话的线路。

我继续问道："那么，你且说说你所知道的事情。你的嫡母究竟什么时候死的？"

王保荣毫不疑迟地答道："我早已说过，在二十二日傍晚六点半钟，伊是患气喘病死的。我曾给伊请过西医、中医，尽可以叫他们作证。伊死了以后，买衣衾棺材和到警局里去报告的，也都是我。因为伊生前待我不错，死后我给伊奔走，也是应尽的义务。"

"你还干些什么别的事？"

"我还到广福寺里去请和尚转殁，又陪了大半夜。"

"你可曾给死者洗身穿衣？"

"这不是我穿的，我只是在旁边凑凑手罢了。"

"那么，是什么人穿的。"

"那是阿玉和杏生穿的。"

"阿玉和杏生？他们是什么人？"

"是狮子弄里的脚夫，抬花轿，扛棺材，给死人穿衣服，什么事都干。"

漏洞来了。刚才许邦英的谎话，此刻已毫不费力地揭穿了。

我不动声色地继续问道："这两个土工是什么人去叫的？"

"也是我。后来那尸体给他们从楼上抬下来时，抱头的也是我。"

"你的确曾抱头？"

"真的。那时我弟弟保盛在南京读书，我是长子，原是义不容辞。所以我后来……"他说了半句，忽而沉下了目光踌躇起来。

这时汪银林忽冷冷地插口道："你想什么？又打算造鬼话？"

我也附和道："你应说实话才是。后来怎样？"

王保荣用力似的答道："我也不必瞒你们了。后来我拿了伊的一些东西——不过这举动在情理上也说得过去。"

"你拿的什么东西？"

"一副珠头面，两副金镯，五只宝石戒指，一件狐坎肩和一件灰背皮袄。这些东西就作为我抱头的报酬，也不能算太多啊。"

"唉，这些东西可是你自己动手拿的？"

王保荣又挺了挺腰，高声道："老实说，这是我自己到楼上去开了箱子拿的。因为我觉得这样子天天闲着，究竟不成事体，故而我想把这些东西做本钱，准备做些生意。"

汪银林冷笑了一阵，接嘴道："你说得果然好听！可惜你这一注本钱都已送到轮盘里去了。"

王保荣连连摇头，答道："没有，没有，这些东西此刻还在南阳桥和乐里我的朋友吴兆芳家里。况且那夜里我一到赌场，不到十分钟工夫，还没有开手，就被你们捉住。故而我实在一个钱都没有输掉。不过吴兆芳借给我的一百块钱，已被你们搜去，充罚款还不够哩。"

我说道："你说得明白些。你可是把首饰、皮衣，向你的朋友吴兆芳典押了一百块钱？"

"不是，钱是他借给我的，那个包裹我暂时寄在他家里，只要我放了出来，就可以去拿回。可是那潘之梅老头儿不顾交情，我打了一个电话，又写了一封信去，他还死也不肯打一个图章给我作保。"

"这倒你用不着担忧，只要你把这件事说明白了，假使你的确没有关系，我也可以给你找一个铺保。不过眼前属实，你须说实话才行。"

王保荣忽露出一种恳求的眼光，灼灼地注射在我的脸上："好先生，你当真能给我作保吗？我的话完全属实，如果有半句虚话，走出去一定给电车碾死！"

我点点头道："那很好。我问你，你什么时候从家里出来的？"

"那是二十三日晨五点半钟光景，天还没亮。我拿了包裹，敲开了吴兆芳家的门，把包裹寄在他家里，又向他借了一百块钱，打算到黄河路去小玩。不料我触足了霉头，一走进去便被捕住。"

"你出门时家里有什么人？"

"那时我送了和尚出去，我自己的妈和保凤因着大半夜的忙碌，在房间里打盹。我趁这机会，到楼上去拿了些东西，就悄悄地出来。所以那时客堂里只有菊香一个人了。"

"唉，可是那小使女菊香？"

"正是。"

"你出门时菊香当真还在你家里？"

王保荣似不明白我为什么特别注重这一点，他的眼睛瞧着我转了几转，有些诧异。

他道："自然真的。这何必骗你？我还瞧见伊坐在白幔外面折锡箔。"

"伊也瞧见你出门了吗？"

"这倒难说。因为那时候伊的手里虽拿着锡箔，但伊的背心已靠着了壁，眼睛却已半开半闭，我不知伊瞧见我没有。"

正在这时，我们的谈话忽发生打岔。有一个法院里值夜的当差匆匆走进律师休息室来报告：

"汪探长，有一个姓霍的打电话来。他说在西门明月酒楼，请你同包先生立刻就去。"他不等答复，立即回身退出。

我从那长背椅上立起身来，正要征求汪银林的意见。汪银林忽抢着发话：

"唉，霍先生不到这里来了。莫非这案子又有变化？"

"那也是有可能的，我们不如立刻就去。"

"好，长福，你把他带回拘留所去。"

捕　凶

我和汪银林乘了汽车赶到明月酒楼时，霍桑正在一间小间中等候，桌子上摆了四碗饭菜。我们走进去才刚坐定，那酒楼的侍者恰巧送了三碗饭进来。

霍桑说道："银林兄，辛苦了。我想你的夜饭问题也还没有解决。现在我们且缓，等吃了夜饭再说。包朗，你真是一个天生的侦探家，一逢到惊异的案子，从来没有听过你喊过一声肚饥！现在我相信我已攻破了这个重重包围的迷人的矛盾圈。你也应定心些修修你的五脏殿吧。"

十分钟后，我们的夜饭已草草完毕。当侍者收拾碗筷的时候，我们已一边吸烟，一边开始讨论案情。

霍桑先说道："包朗，你不是已和王保荣谈过一回了吗？我想你对于他的供述，不见得感到怎样满意。对不对？"

我忙应道："是啊。据他的说话，他在这件事上并无关系，和你先前所假定的猜想绝对不相同。"

"唉，我的假定已因着银林兄的那张名片而变动了。他的确没有关系。但他说些什么？"

我就将在法院中谈话的经过说了一遍，又提出了两个反证，证明许邦英所说母亲自给死者穿衣和菊香在死者病中离去的话完全虚伪。汪银林也把查明王保荣化名的经过告诉了霍桑。霍桑静默着不即答话，兀自吐吸着纸烟，似在归纳什么。一会儿，他忽点点头，暗暗地不知咕噜些什么。

我耐不住问道："霍桑，你想王保荣的话会不会完全实在？"

霍桑点头道："我相信完全实在。他的确没有关系。"

"那么，这一回事可是倪氏母女俩干的，保荣也被蒙在鼓中？"

"不，这也不是母女俩干的。她们也没有直接关系。"

"什么？那倪氏也没有关系？"

霍桑不答，但点点头，嘴里吐出了一缕青色的烟。

我又作诧异声道："那么，伊刚才为什么自己服毒？"

霍桑忽又用力喷了一口烟，张着眼睛瞧我："这真是困我脑筋的问句！若在五分钟前，我还不能解释得怎样清楚。不过这里面话很长，此刻还没有功夫细谈……唉，包朗，你衣袋中不是有一张画图吗？"

我给他提醒了，伸手到袋中去一摸，那张薄蜡纸果真还在。我摸了出来，重新展开来瞧瞧，一面画着那古装人形，一面写着"诸葛亮唱空城计"七个铅笔字。

我应道："在这里。你有什么用？我本想问问王保荣，刚才竟完全想不起来。"

霍桑道："你用不着问他了。我刚才从小书摊上买了一本《致富全书》，已充分明白了这画图的用意。现在可以简单说一句，那倪氏的服毒，关键就在这一张图上。"

这句话在我依旧是一个谜团。这一张不伦不类的图，竟会和倪氏的服毒发生关系，真是绞断了我的脑筋也想不出来！

汪银林从我手中接过了这张蜡纸瞧了一瞧，忽点点头，嘴里喃喃咕噜着："这似乎是螺鸡精陈攀桂啊。"

我听了更觉莫名其妙，同时我又暗暗惭愧，我的脑子还不及汪银林的灵敏。

霍桑忽笑着说道："银林兄，你竟叫得出姓名，可见你在这种玩意上有经验了。但你可知道这玩意儿在上海有多大势力？"

汪银林皱着眉峰，摇头道："真是害人不浅！我们虽尽力地办，可是他们像春天的乱草，割了一批，又是一批，简直没有办法。"他重新将那画图像的纸交还给我。

他们俩哑谜的谈话，幸亏有一个人进来打岔，否则我也许耐不住会向霍桑闹起来。那打岔的是一个穿黄制服的警士。他一走进小间，立正行了一个举手礼，便向霍桑说：

"霍先生，毛巡官请你去一趟。"

霍桑抬头瞧着那警士，露出一种惊异的状态。他反问道："什么事？可是他还没有回来？"

那警士仍维持着立正的状态，答道："正是。我们等到此刻，还不见什么影踪。毛巡官说，也许漏了风声，出了什么岔子。"

霍桑一边用手指熄灭那未完的纸烟，一边皱紧了眉峰。他的乌黑的眼珠忽而转了几转。

他又问道："毛巡官此刻在什么地方？"

警士道："还在先生你指定的地点。"

"那金虎呢？"

"他也在那边。"

"好！你等一等，我们一块儿走。"

霍桑说完了话，便摸出皮夹来付清酒钞，接着他便让那警士在前引导，我们三个人跟在后面。这时我满腹疑团，一时又不便发问。他所说的金虎，不知是什么样人，我也不曾听得过。汪银林分明也和我处于同一状态。他倒比我更有勇气，在我们走出明月酒楼上汽车的时候，竟代替我似的向霍桑发问。

汪银林道："霍先生，我们到哪里去？"

霍桑作简语道："到润身坊去。"

"干什么呀？"

"捉凶手啊！"

"捉凶手？是谁？"

"钱老七。"

霍桑这种简单的答话，充分表示出他此刻委实不愿作答，他这几句话完全出于勉强。可是我再忍耐不住。

我也插口问道："这钱老七是什么人？怎么凭空里跳了出来？从这案子开场以来，我从来不曾听得过这个人的姓名。"

霍桑摇了摇头，又勉强应道："这不能怪你。我在一小时前，也不曾知道这个人的尊姓大名。对不起，现在你姑且耐一下子，只要没有岔子，半个钟头以内，你一切都可以明白了。"

霍桑既已有这样关门落闩的表示，我自然只有在嘴上贴了封条似的向润身坊进发。

我们的汽车到了离润身坊五六码远的地点，便见那换了便服的毛巡官从横侧里迎上前来。我们四个人便立即下车。

他低声向霍桑说道："我怕得了风声跑掉哩！"

霍桑不答，但问道："金虎呢？"

毛巡官举起右手向那润身坊的弄口指了一指，答道："他还在那边。我虽瞧见有好几个人在弄里出进，但我不曾听得金虎咳过一声嗽，并且那些出进的人模样也没有一个相像。"

霍桑仍没有表示，但放开脚步向润身坊总弄里进去。我和汪银林仍紧紧跟着。那毛巡官和那个通信的警士也一起跟在后面。

我们走进了弄口，我瞧见在日间摆鞋匠摊的地点，有一个穿灰色袍子的人鬼鬼祟祟地靠墙壁站着。他的年纪已在四十左右，头发已秃，我认得出这人就是看守弄堂的人。

霍桑走到这人的面前，问道："金虎，他没有回来吗？"

那叫金虎的看弄人张大了眼睛，摇了摇头。

霍桑厉声道："这不是玩的！你的确瞧清楚吗？"

那人发出一种粗嘎而有些颤动的声音，答道："的确没有啊。我可以发一个咒给你听。这不是好玩的差使哪！我的腿都站得硬了！"

霍桑不再发话，立刻旋转身子，一直向弄里进去。我也紧紧跟着。那汪银林和毛巡官仍站在弄口向那金虎做什么密谈。

霍桑走到了西首的第四弄口站了一站，便向左转弯，一直走到第五个石库门口方才止步。他旋转来向我演一个手势，似叫我不要进去。接着，他便从那扇虚掩着的门里进去。我瞧那门牌是二十九号，又从那开着的门缝中向里面窥探，里面还点着煤油灯，天井里摆着许多破旧东西，堆积得不成样子。那间客堂也不成其为客堂，一边排着一只木榻，一只方桌上放着一盏半明不灭的煤油灯。霍桑正和一个中年妇人在方桌面前低声谈话。不多一会儿。霍桑便回身退了出来。

他低声说道："他当真还没有回来。"

我问道："这钱老七就住在这屋子里？"

霍桑点点头道："就住在后面灶披间里。据那二房东说，他昨天黄昏喝饱了酒就回来睡了，前天夜里也没有去做工。今天他此刻没有回来，大概又到猪行里去了。"

我又问道："什么？猪行？"

霍桑又带着些不耐的口气，答道："斜土路洪兴猪行。我们快走吧。"

当我们从总弄里出来时，走到东首第二弄口的地点，霍桑忽又吃惊地突然站住。我不知什么原因，不免有些惊异。可是抬头向东首的二弄口一瞧，那第一家的后门口有两个人影，互相偎依着正在窃窃私语。霍桑故意高地咳嗽了一声，便继续前进。这一声咳嗽声竟惊散了一对野鸳鸯。有一个穿长衣的男子，急步向这第二条侧弄的弄庭走去；那女子也推开了后门回身进去。我从那暗淡的电灯光中，还瞧见这女子身材短小，穿着一件深色白线条布的旗袍，分明就是那张家的小使女根弟。这样年龄的孩子，竟已在开始伊的恋爱生活！大都市里少年男女的性智识，真是早熟得太可怕了！

霍桑把侦查的结果向汪银林和毛巡官说明了一声，便吩咐那看弄的金虎和那报信的警察一同上汽车。我们六个人便挤满了一车急急向斜土路猪行里去。

去车行的路上，我们促膝并肩，都感觉不舒服，故而大家都不发话。但我的脑子里却不能像嘴一样地静止。这个莫名其妙的凶手钱老七，怎样会被霍桑侦查出来？此刻既然等候不着，会不会得了风声逃走？我们此番到猪行里去会不会再扑一个空？我的种种疑团虽没有从嘴里发表出来，但在十分钟以后，便从事实上得到了满意的答复。

那洪兴猪行的地点比较冷僻，附近并没有警士的岗位。我们一行人下了汽车，霍桑先向这猪行的左右端详了一下，随即向那看弄堂的人说话：

"金虎，你陪着毛巡官先进去瞧瞧。如果他在里面，你应好好地招呼他出来。"

那毛巡官挥一挥手，示意叫金虎先走。接着这两个人一前一后，便从那两扇破旧的板门里进去。

那猪行是一排五开间平屋，屋子的建筑不但简陋，而且破旧不堪。墙上有几个木直棱的窗口，有几根木楞都已腐烂，里面钉着些板条。从这些窗口里透出谈笑声、磨刀声和哼平剧的声音，同时还有一阵烟臭和血腥气刺激我的鼻管。我见汪银林虽没有表示，却急忙摸出雪茄来烧吸，分明也和我有同样的感觉。

一会儿，毛巡官跟着金虎退出来了。

金虎首先报告道："他不在里面。"

霍桑咬紧了嘴唇，显出一种懊恼的失望。

毛巡官也说道："我问过一个伙计，据说他前天和昨天也没有来做工。我料想他一定跑了！"

霍桑忽把两手插在大衣袋里，低垂了头兀自不答。

汪银林从嘴里拿下了雪茄，说道："我想他大概还跑不远。霍先生，你打算怎样——"

正在这时，忽听得那金虎提高了喉咙吼叫起来：

"老七！老七！"

我们都不约而同地旋转头向那马路上瞧去。有一个穿黑色短衣的人，正摇摇摆摆地走近我们的那辆汽车后面。霍桑绝不犹豫，首先放开脚步迎上前去。我们一行大队人马，也像后援队似的向前推进。

霍桑也搭讪着道："老七，今天你赢了多少？"

那来人忽发出了两声"呸！呸！"便把身子靠住了汽车的车厢，似乎他站立不住，恐要跌倒的样子。我瞧见这人身材高大，黑脸上满脸横肉，形态非常可怕。

这时汪银林也领着金虎一同赶到汽车面前。那老七睁了睁眼睛，似已认出了金虎。

他叽咕着道："金虎，你来干什么？你……你触老子的霉头？"

那金虎"唔……唔"地哼了两声，仿佛喉咙里筑了坝，兀自吐不出来。

那人又酒气直冲地骂道："小舅子！你真不够交情！我欠你的六个角子，发了财终要还你！今天我的棉袍子也被那猴子吃掉啦！"

霍桑向毛巡官低声说道："别啰唆了，把他带进去。"

毛巡官向跟在后面的警士挥一挥手，那警士便走前一步，在醉汉的后肩上用力一拍："署里去。"

那钱老七忽而举起拳头，不发一言地向那警士的胸口直送过来。那警士没有防备，身子向后一晃，几乎跌倒。于是他也向前扑去，两个人便扭作一团。钱老七忽腾出一只手，从袋中拔出一把雪亮的短刀。毛巡官和汪银林二人也急忙扑上去。不多一会儿，那钱老七的短刀脱手落地，他的身子也被打倒在地上。毛巡官拿出一根绳来，将钱老七的两只手紧紧缚住，钱老七嘴里仍在乱叫乱骂。

霍桑说道："毛巡官，你们先坐了汽车走吧，我们随后就来。我还要打一个电话到公济医院里去。银林兄，包朗，我们一块儿走——唉，金虎，劳神了。谢谢你的指引。此刻已没有你的事，你安安逸逸地回去睡吧。"

层层魔障

我们走出斜土路的时候，霍桑曾约略说明他凭了几种根据，便假定有钱老七这样的一个凶手。他借了毛巡官的力，便向这看弄的金虎查明白这钱老七的姓名住址。他起先已向那西四弄二十九号的二房东查问过一回，知道钱老七已两夜没有做工，故而料想他这天也就要回寓里去，却不料钱老七忽而安心了到猪行里去复工，因此多了一番周折。

霍桑在一家药铺里打了一个电话到公济医院里去。那接话的是王保凤，据说伊的母亲正在施洗胃工作，神志还没有恢复，有没有希望，医生还没有把握。霍桑却把捉住钱老七的消息告诉了保凤，叫伊等伊的母亲醒时，说明这件事与保荣完全无关。

我们三个人到西区警署的时候，毛巡官忙着出来招待。我们在会客室中坐下了以后，毛巡官忽发出一种愉快的叹息。

他说道："霍先生，这件事闹得满天星斗，却不料果真就是这一个可恶的混蛋弄出来的把戏。他已完全承认了，不过他此刻醉得厉害。你要和他谈话，一定很吃力。"

不多一会儿，有两个警士扶着一个穿黑色短衣的醉汉，走到会客室的廊下站住。那人是一个黑脸的麻子，比霍桑还高，一双圆眼呆瞪瞪地向人直视，浓黑的眉毛，粗厚的嘴唇，都显得他的性格一定蛮横残忍。他的那件对襟的黑布夹袄，袖口和胸襟上油光光的肮脏异常。这时他的嘴唇角上流着唾沫，嘴里还唧唧哝哝地咕噜着。他说的话却又不伦不类，我一时仍摸不着头绪。他说什么："王太太已放了我哩！……吃官司我也情愿！……你们总不能枪毙我啊！……唉！我如果再打，你们尽管斩掉我的手指！我决不怪你们的！……"

在这种状态之下，若希望他能有条理地供述，那一定是办不到的。霍桑吩咐将他扶到里面，让他坐下，又叫警士们拿了几块冷手巾，强制地放在他的头上，又给他喝了几杯水，方才清醒了些。霍桑足足费了一个多钟头，才把他犯罪的经过一步步查问明白。久困我的谜团方始打破。我现在为节省我的笔墨起见，归纳地记在下面。

他是一个打花会的赌徒，着魔已深。两个月前，他曾从义冢地上的破棺材里偷得了一个死人的头颅，放在枕边，做了一个他在戏院里看唱空城计的梦，果真赢着了三十块钱。割死人头祈梦的迷信，打花会的人确是很流行的。这种骇人的新闻，我们在上海报纸上也时常瞧见。他因着上一次的偶然赢钱，越发相信祈梦的灵验。当二十三日天正要亮的时候，他从猪行里完了工作回去。他走进总弄的时候，瞧见王家的前门开着。他走过去瞧瞧，才知道死了一个人。这时他忽然想起用新死的人头祈梦，更加灵验。那时他又见那小使女菊香昂起了头，靠着墙壁瞌睡，客堂中并没有第二个人。他就放着胆子，悄悄走进客堂。他走到白幔背后，摸出他的那把随身带的割猪肉的尖刀，将那板门上刘氏的头割了下来。他将身上的围身解下，把死人头包好，悄悄退出。他走过天井时，还顺便偷了些殓尸用的石灰，然后回到他自己的寓里。

他回寓以后，把头藏在一只板箱里面，又将石灰涂在尸头上，以防腐烂，接着他就躺下来祈梦。他梦见一头猪，起身以后，他便打了一门硋犬精罗只得，却输了五块钱；在二十三日晚上，他又得了一个梦，梦见一个穿红衣的女子；在二十四日那天，他又打了一门蛤蜊精李明珠，又输去了从房东那里借来的四块钱。他有些害怕起来。这死人头怎么不灵？可是他还迷信着一个死人头，有三次灵验的效力，故而在二十四日夜里，仍把那板箱放在枕边，又虔虔诚诚地祝祷了一会儿，希望做一个灵验的梦。这一夜他梦见一只猴子，便又把他的棉袍典押了三块钱，打了一门白猴精张三槐。不料在二十五日傍晚揭晓的时候，又同样不中，这时他才悔恨起来。他割了人家的尸头，无论如何，心中总潜伏些恐怖意识。这时他因悔恨而发生恐惧。他一时慌乱，本想把头抛到什么旷地上去，可是心又不定，便拿着那只藏尸头的肥皂箱，送到王家的后门外去。那时候他恰见王家的后门开着，就索性将板箱送进了后门。后来他到一个朋友家里喝了一会儿酒，回到猪行里去复工，才被我们捉住。

他在二十三日晚上，曾到王家后门口去探过一探，却不见动静。他有些诧异，王家里失去了尸头，怎么竟毫无举动。故而到了二十四日的早晨，他第二次到王家后门口去探听，恰巧撞见王保盛从里面出来，他便急急逃走。这些就是钱老七犯罪的经过。

二十六日的早晨，我到爱文路霍桑寓里去找他说明几种补充的解释。这原是他夜里在警署门口分手时约定的。不料我到的时候，他却早已出去。施桂告诉我，他是接了沪江旅馆姓许的电话才去谈判的，故而叫我在他的办公室中坐一会儿。我等到十点敲过，霍桑才回来。他先打了一个电话给汪银林，叫他把守候阿四的侦探们撤去，又请他担任关于公事方面的一切手续，又约他在空的时候到寓里来，以便把案中的详情报告他。

霍桑坐了下来，毫不保留地给我解释一切进行的过程，不过他在解释案中的内幕以前，先发了一番牢骚，诅咒那害人的花会，同时又归罪到社会制度的畸形。

他叹息道："包朗，你读报时候，如果能特别注意到社会的下层状况，那你便可以明了这花会的恶势力的厉害！唉！死人的花会！吃人的魔鬼！"

我点头道："我对于打花会的赌法，虽完全是一个门外汉，但偷割骷髅的活剧，报纸上果真也时常瞧见。还有更不堪的，少年、妇女们，会不顾一切地睡在旷野中棺材旁边去祈梦，因而遭遇暴徒们的奸劫！至于因赌输而自杀的事，几乎每天报纸上都可以找几件出来！"

霍桑应道："这些结果果然是很可怖了。我想这还不是焦点，终有一天会有着魔的赌徒，割了活人的头祈梦！但更可怕的，却是这班匪棍们的手段。他们有所谓听筒、分筒、航船等等，真是星罗棋布，无孔不入！那些进出巨万的大赌场，影响所及，至多不过掀翻了几个富豪大亨的宝座，撕破了几个有闲阶级的钱囊，还无所可惜。但这吃人的花会，却最吸收劳苦阶级的膏血，而且恶势力非常普遍！这真是上海社会的隐忧！"

我忽自告奋勇地说道："那么，我们来努力一番，把这一班匪棍扑灭一个干净！"

霍桑又深深叹了口气："唉！谈何容易！这也并不是根本办法。你岂不瞧见社会上经济崩溃的现象，处处既充满着失业恐慌？而少数人还只顾自己享乐！多数人既感着谋生的困难，便都趋向不劳而获的投机方面去。那些狡黠的魔鬼，便利用着这种普遍的侥幸心理，随处布设着杀人的罗网，专等那些可怜的愚民一个个投身进去！"

我们经过了一度相对的叹息，我便问他怎样会想到那个打花会着魔的钱老七。

霍桑因解释道："这一回事在着手的当儿，我敢说谁也想不到会有这样的结果。刚才我到沪江旅馆里去，那许邦英因着事实的发展无可掩饰，也不必掩饰，故而召集了保盛，和我开诚布公地谈过一回。他曾把那菊香领出来作证——"

我不等他说完，禁不住插口道："唉！这小使女已出现了？你瞧见没有？"

霍桑点头道："瞧见的，伊被藏在唐禹门的家里。昨天我们到唐家去时，伊就在楼上，可以说当面错过。我们起先本希望找着这女孩子，给我们做一个证实倪氏母子犯罪的证人，不料结果伊反做了给他们洗刷嫌疑的证人。这也是我所意想不到的。"

"菊香怎样给他们洗刷？"

"那王保荣在法院里告诉你的话，当真完全不虚。在他出门以前，经过的事实都是很自然的。自从他出门以后，因着种种的疑障，才构成这件离奇的疑案。他偷了东西出门时，菊香已在开始瞌睡，但伊在迷蒙中曾瞧见他拿着包裹偷偷地出去。接着伊真睡着了，过了一会儿，屋面上大概因着野猫的奔窜，掉下了一块瓦来，菊香才突然惊醒。伊张开眼睛来一瞧，忽见那白幔的一角有些卷起，从幔外瞧得见的那盏放在死者头边的幽明灯，那时也已熄灭了。伊有些惊异，站起来探头向幔背后一瞧，觉得有了变动。伊更将幔角拉起了些，便发现了板上躺着的主母已变作了没头的尸身！伊才禁不住惊呼起来。

"那倪氏母女知道了死者失头的事，大家都慌得没有办法。后来查问保荣，菊香就说曾瞧见他偷偷掩掩地拿了一个包裹出去。那倪氏知道保荣本来是个打花会的信徒。伊一时神经过敏，便假定保荣定是为着打花会祈梦的缘故，将死人头割了出去。伊知道保荣平日的喜欢赌博，并且本有些胆大妄为，这举动也干得出。除此以外，伊也想不出别的解释。伊觉得这回事若给保盛知道，一定不得了，才想出掩饰的方法来。

"这种事假使发生在别的人家，原可以用合法的手续解决，决不致铸成这样的大错。可是他们的家庭是畸形的，这里面既有妻妾的地位，又有异母兄弟的猜疑，还夹杂着遗产的祸水，层层魔障，便闹出这种意想不到的纠纷。你总记得王保盛曾告诉我们，倪氏送枣子汤给他喝的事。这举动分明是倪氏因着干了亏心事，要想弥补保盛的感情，未必有什么恶意。保盛却因着疑障的阻隔，便认定伊要下毒谋害。即此一端，已可想象到家庭间疑障的可怕。"

我也跟着霍桑叹了一口气："这妇人既这样子假定伊的亲生儿子保荣割去了尸头，可是就自己动手把那没头的尸体装进棺材里去吗？"

霍桑点头道："正是，这可怕的工作，就是那三个女子动手的，连那菊香也同样有份。因为菊香虽然是死者所亲信的，但失头的事，伊觉得自己也有过失，故而不得不倾向到倪氏方面去。我现在回想，当时我们即使找着了这小使女，伊也未必肯把真相告诉我们啊！"

我又问道："但这钱老七在后门外偷窥的行动，王保盛在前天早晨就告诉我们的。你当时怎么还想不到他？"

霍桑摇头道："唉，包朗，你说得好容易！当时我们隔着层层的疑障，我并没有天眼通的本领，又不能'掐指一算'，怎么能想得到？我既然知道他们有偷丧的诡秘举动，料想势必有通同助理的人。我因假定这个在后门外偷窥的黑脸人，定是倪氏的同谋人之一。这个人既然只被王保盛偶然撞见一次，便无影无踪，一时自难于着手。我自然先把他搁一搁，另向比较有依据的方面进行。后来我们越查越觉矛盾而模糊。据我们各方面调查的结果，那刘氏出于自然的病死，似乎没有疑问。而保盛所报告的疑点，又并非捏造。因为他们前半部的手续完全合理，后半部却又明明有犯罪行为。这一个绝大的矛盾点，直到我亲眼瞧见了刘氏的尸头，方始贯通。那头的颈项上并无血迹，明明不是生前割下来的。我才觉得他们犯的只是毁尸的罪。但是再想一想，我还不知他们为什么要割尸头，这头又为什么会这样子发现。矛盾依然矛盾。后来我从保荣的卧室中发现了那张花会的画图，才料想到七八分，知道割尸头的作用，就为打花会，但我还以为毁尸的是保荣。还有那尸头的自动发现，我仍解释不出。直到我接着了汪银林的名片，方始知道保荣既是始终被拘着，失去了自由，他当然不能把尸头送回，并且他如果偷了尸头，也绝不会直接到赌场里去。所以我认为又是一个矛盾点。但除了保荣以外，又没有别的可疑的人。因此，我就料定这里面必另有一个不相干的人，也抱着打花会祈梦的目的而干的。那人大概在天明时和尚们走了客堂中没人的当儿，乘间把尸头偷割了去。我更进一步，才想起了这个曾被保盛撞见的黑脸麻子。"

"但你后来查明这钱老七，又怎么如此容易？"

"那本不是难事。我除了他的黑脸麻子的面貌以外，还有三种根据：第一，这个人是一个打花会的赌客。第二，这人既乘着天明前客堂中没人的当儿动手，一定是一个惯于早起或做夜工的人。因为我假定那尸头的失窃，必在天明前和尚们刚才离去的当儿，此外便不免有种种障碍。第三，他一定又住在附近。有了这种种条件，那看弄的金虎自然便不难指认出来。后来我到西四弄二十九号里去一查，他的邻居们果真瞧见他昨天上灯时拿了一只板箱出门，因此，我便确信这钱老七就是割头的人。"

我微微笑道："我回想起来，这件事的破获可算完全出于侥幸。假使那钱老七不曾到王家去窥探，或虽曾窥探而没有被王保盛撞见，或是那钱老七把尸头随便丢到了荒野里去，那么，无影无踪，你又到哪里去找呢？"

霍桑答道："虽然，那不过多费些周折罢了，也绝不至于永不破获。譬如我们因着种种疑点而要求开棺检验，失头的事也会显露。等到王保荣被拘的真相披露以后，查问明白，我们自然也会假定割头的是一个外来的人。这个人的下落，仍可依据我所拟定的三个条件去寻访。这样，我们至多多费一两天工夫，决不致让钱老七终于逍遥法外的。"

我点点头说道："那么，那唐禹门对于掩盖失头的秘密可是也参与的吗？"

霍桑应道："那是不成问题的。不过他只知道失头的消息，并不曾目击那失头的尸体。因为倪氏母女在把尸体装进了棺材又钉了盖以后，保凤才差那长脚三子去通知唐禹门。所以他在这件案中，实际担任的事情，只限于偷丧的设计，雇用阿四等四个新土工，向保荣所雇的狮子弄里的阿玉、杏生等给钱解雇，后来又往会馆里去接洽，和将菊香藏匿在自己家里，这都是他对于他的未来岳母的功劳。不过他说出了向大东门外雇土工阿四等的一回事，却是一个大大的漏洞。"

"不错，不过我觉得他们另换一批土工的事，近乎多此一举。他们就因着画蛇添足，反而露出了真相。"

"不。你太轻视他们的用意了。你总知道这里的俗习，棺殓的事必须土工担任。假使他们仍旧叫阿玉和杏生抬棺材出去，他们一定要怀疑为什么不叫他们把尸体装进棺材里去。万一他们把这件事在外面谈论起来，既然近在咫尺，他们的秘密岂非有破露的危险？现在他们把旧的解雇，照样给钱，推说另有熟悉的土工料理后半部手续，阿玉他们自然不致疑心。对于那新雇的阿四他们，自然可假说装棺的事是前雇的土工办的，因闹了意见，故而另雇，阿四等自然也不致生疑。况且他们又距离很远，在保守秘密上当然也比较的稳妥些。"

　　我听了这番解释，不能不承认我先前对于他们的设计的确估量太低。这时我的手指又不期然而然地在衣袋中摸着了那张画图的蜡纸，又重新拿了出来。

　　我又道："霍桑，你昨天说倪氏的服毒，就因若这一张纸。当时我简直想不到这里面的关系。此刻我已明白，这画图原是花会中的人物，倪氏本怀疑保荣因着打花会祈梦作用而割头，那时伊又在房里面听得你说到保凤抱头不可能的话，便知你已窥破了他们的真相。伊本相信伊的儿子有罪，一时情急，便打算服毒自杀，此刻看来，原已毫无隔膜。不过这图背后还有'诸葛亮唱空城计'七个字，究竟什么意思，我依旧莫名其妙。"

　　霍桑道："这七个字可算是道地的无稽之谈。这一张图在那本所谓《致富全书》上第十六页，这个人叫作陈攀桂，是一个螺鸡精。那上面注解里说，如果梦见'诸葛亮唱空城计'，便应打'陈攀桂'。料想空城计的'计'，和螺鸡精的'鸡'字是谐声的缘故。那王保荣在这一门上偶然应验过，故而把这张图描了下来，又写了这七个字，说不定是一种纪念品呢。"他说完了，微微叹一口气，便瞧着我出神。

　　他又道："包朗你现在还有别的疑问吗？"

　　其实这时候已不容我再发什么问句，那电话机上的铃声琅琅地响着，霍桑便起身去接。一会儿他回过来向我报告：

　　"包朗，这是王保盛打来的。他明白了这事的真相以后，深自懊悔自己的鲁莽。他曾到公济医院里去向他的姨母请罪。那倪氏昨夜洗胃过两次，今天已好得多了，又因着误会的破除，大概不久就可以出院了。"

　　我问道："那么，你想伊在这件事上可有没有法律上的处分？"

　　霍桑从书桌面前抽出一支纸烟，用火烧着，又缓缓走到那张靠窗的藤椅上躺下。

　　他答道："我想没有多大处分。他们在实际上既然没有犯罪，保盛又完全谅解，不会有什么问题。这一回开棺装尸头重殓的事，自应由保盛负责，不过须经法院的允准。万一检察官方面有什么异议，我想那干练利口的许邦英总有办法。还有那唐禹门，我想也会瞒着他的父亲，给他的爱人和未来岳母出主意，用不着我们费心。不过那钱老七，我想总要到里面去坐几年了……包朗，你应许给保荣作保的话，却不可食言而肥。因为他拿出去的东西，的确还不曾变动哩。"他呼了一口纸烟，又笑着说道："包朗，你费去了两天的工夫，换得这一种别开生面的资料，大概不算得不值得吧。"

　　我也缓缓烧着一支纸烟，答道："是的。不过我的愿望，还打算请你费些心力，把一班专吸下层阶级的膏血的魔鬼，下一番斩草除根的功夫！"

　　霍桑忽注视在书桌上一只天蓝色小瓷瓶中的几朵傲霜的菊花，默然不答，唇角上似有一丝微笑。他连连喷了几口纸烟，烟雾弥漫中，我瞧见他的笑容忽而收敛，似在缓缓地点头。

黑脸鬼

小主顾

"哎哟！真的！霍先生，这真是一个鬼——一个黑脸鬼！要是再这样子下去，我准会发疯！……霍先生，我怕煞哩！请你救救我！"

说这话的是个十四五岁的孩子。他白皙的脸上果真显着恐怖的暗影，一双乌黑的眼睛张大了，嘴唇上的血色也褪尽了，声调也符合他所说的语意。

霍桑坐在这小客人的对面。他把口中衔着的白金龙烟用拇指和食指夹着取下来，又顺势用无名指在烟上弹动了一下，一小团烟灰便落在他面前书桌上的烟灰盆中。他的目光从那刚才说话的小朋友脸上转向我。

他轻轻地说："包朗，你还记得我们那位小朋友米慧生吗，这样的事真教我有些寒心。"

我默然不答，心头微微震了一震。我们的老同学米振愚的儿子米慧生，曾经和我们开过一次玩笑，幸亏霍桑的听觉特别敏锐，最终没有落进他的圈套，才不致闹成笑话。但事后思量，霍桑觉得那个小孩子不容易应付，给他留下了深刻的印象。这件事我曾经记过一篇《古钢表》，读者们也许已经知道。这一天竟又有一个叫作裴芝英的小主顾，带了一个鬼故事到我们寓所里来请教。这原是难得的事。霍桑又鉴于前一次的殷鉴，才向我提起米慧生的事。

我用目光偷偷地瞧着那位小朋友。他的脸上泛着灰白色，显然为恐怖所中，身上虽穿了一件栗壳色花绸的灰鼠袍子，颈项间又围一条纯白的羊毛围巾，并且他的座椅又靠近火炉，但当他说到"黑脸鬼"的时候，我看见他的头颈缩了几寸，嘴唇也微微地颤动。我揣度他这状态，似乎真有什么恐怖危险的事情要请我们解决，不像是故意来戏弄我们的。

霍桑又回头过去，淡淡地问那小客人："你说你真的瞧见一个黑脸鬼？"

裴芝英连忙应道："正是，我已经连接看见过三次。"

霍桑道："那么你说得仔细些。第一次你在几时瞧见的？"

裴芝英定着目光回想一下，才答道："今天不是正月初七吗？第一次就在大前天初四晚上。"

"大约在什么时候？"

"那天我吃过了晚饭，我和绥卿舅舅、宝兴、宝祥三人在客堂里掷了一会儿状元红。约莫玩了一个钟头，绥卿舅舅就回去了。我正要回房去，又被宝兴、宝祥拉住了，要我讲故事。我拗他们不过，只得照例给他们讲了一个故事——"

"慢。宝兴、宝祥是谁？"

芝英道："他们是我叔叔的儿子，宝兴比我小两岁，交新年才十三岁，宝祥却还小两岁。他们都在正志小学里读书，我自己是中学二年级。"

霍桑点头："说下去。以后怎么样？"

裴芝英道："我讲完了故事，就进房去。那时只有九点多钟，我一时还睡不着。我想起还有六天工夫就要开学，学校里的功课荒废了两个星期，国文啊、英文啊、地理啊、历史啊，还有头痛的算术啊，差不多都要还给先生了，不如趁这空儿，打开书包来温一温。我拿出一本算术，才刚翻开第一页，偶然抬起头来，忽然看见玻璃上一个大如巴斗、黑如锅底灰般的黑鬼脸！唉！……霍先生，真吓人哪！"

霍桑吐了一口烟，仍不动声色地瞧着那少年，问道："那时候你怎么样？"

裴芝英的呼吸又增加了速度，答道："那时我不禁大吃一惊，急急立起身来，想要叫喊。不料那窗上的黑脸一霎眼便不见了。接着我开了侧门，点了一支蜡烛，走到客堂里一瞧，黑漆漆没有一个人影。我再走到窗外天井里去照视，忽然一阵冷风突地把烛吹灭了。我益发惊骇，慌忙回到房中，还是喘气不定。"

裴芝英的面色比之前更加惨白了，连他的手足都在簌簌地颤动。若说是伪装，我不相信这样一个孩子竟会有这么优越的演技。

霍桑低头想了一想，又婉声说："小朋友，你别这样。这里没有鬼，你用不着害怕。我问你，那晚上你讲的故事是个什么性质的故事？"

裴芝英道："那个故事的题目叫作'长脚鬼'。那是看门的招弟讲给我听的。"

霍桑一听这句，不由得吐出了一口烟，扑刺地笑了一声。

他回头向我道："包朗，这是我们阴历新年的第一案，可算一件利市呢！"他又向芝英说："小朋友，我告诉你。你不必再这样无意识地害怕。你所说的黑脸鬼，大概只在你的脑子里面。你在晚上讲了鬼故事，脑筋上就不免留下了一个鬼的影像。后来你回到房中，眼睛一花，便仿佛瞧见了一个黑脸的鬼。这原是你自己作弄自己。其实世界上哪里有什么真鬼？你不是在中学里读了书了吗？你不应当再这样子迷信了啊。"

裴芝英忽而举起两手，努力地摇着："不，不！霍先生，这不是迷信。我素来也是不怕鬼的。若说我因着讲了鬼故事的缘故才发生这回事，那么我们讲鬼已不止一天。以前怎么不见鬼脸？并且前天和昨天晚上，我已经绝口不谈鬼，怎么那可怖的黑脸鬼又连接地出现呢？"

霍桑面带着微笑说："据我想，后来两次，也无非是心理作祟。你第一次既然害怕了，才越变越怕，你也就越觉得真个有鬼了。"

裴芝英仍摇头道："霍先生，你的话实在不是事实。因为我第一次见了那鬼脸以后，心中也这样想过，认作自己眼花，并不是真有什么鬼。可是到了第二天——就是前天——晚上，那黑鬼竟照样在窗上显出来！"

我的朋友仍忍耐地说："喔，你看见的还是像上一晚一个样子吗？"

芝英说："不！那时我不但看见一个黑脸，还看见两只发光的眼睛闪闪地转动。我急急把隔房的周妈唤起来。我向伊说明了，伊就陪着我到庭院里去照看，却是静悄悄地没一点儿迹影。那时候不但我吓得魂不附体，就是周妈也不由不惊怪起来了。"

我听得出神，觉得肌肤上一阵寒冷，仿佛我已置身在裴芝英所说的环境里面。世界上到底有鬼没有？这问题还像是一个谜。一般从事科学的人固然都是主张无鬼论的，然而我们中国的伍廷芳博士和英国的奥利弗爵士，还有《福尔摩斯探案》作者柯南道尔勋爵，却又竭力地宣传有鬼主义。现在我听了裴芝英的话，竟也有些模糊起来。霍桑是有科学头脑的，当然也是无鬼论的信徒。他能听信这一个鬼故事吗？

裴芝英继续道："昨天晚上，那黑鬼益发厉害了！我因着前两次吓怕了，不敢再一个人坐在窗口，拉着周妈陪我。不料到了相近九点，那黑鬼果然又在窗外面显现出来。这时不但我一个人瞧见，周妈也惊骇地立起来。我们又急急拔了门闩，拿着蜡烛出去瞧。可是哪里有什么人影？但觉得一阵寒风，使我们的毛发都竖了起来！"

我看见裴芝英脸上的汗毛孔一个个都已紧张，他的毛发果真都竖起来了。

霍桑仍含着笑容，企图松弛那小客人的神经似的说："那么也许你的两个弟弟跟你闹着玩——"

裴芝英又乱摇着手，说："不是！不是！宝兴、宝祥绝没有这样的胆！况且那鬼出现了三次，我们三次都追出去。宝兴、宝祥没有隐身法，怎么一忽儿便无影无踪？"

霍桑好像听到一个有趣的故事似的仍带着笑容，说："小朋友，我瞧你这个模样，似乎你已确信你所见的是鬼，是不是？"

裴芝英答道："原是啊。霍先生，你得知道，我们家里一到晚上，前门就关了的，天井里当然不能够有什么人出入。我所看见的如果不是鬼而是人，人不会腾空飞去，怎么一霎眼间便没有影踪？"

霍桑沉吟了一下，问道："你家的前门可有守门人吗？"

"有的，就是招弟。"

"招弟睡在哪里？"

"他睡在门房里，但门房和天井中间还隔着一排仪门。"

"这仪门晚上可闩断？"

"虽不下闩，但晚上总关上的，并且那门很紧，开关起来总有很大的声响。"

霍桑丢了烟尾，凝想了一下，又道："那么你的卧室可是在楼下次间中？"

芝英道："正是，在东次间中。西次间和厢房就是我叔叔的书房，晚上没有人的。我叔叔、婶婶和宝兴、宝祥两个弟弟都睡在楼上。"

"你怎么一个人住在楼下？"

"这就因为我去年害了病，在楼梯上跌了一跤。后来我怕走扶梯，就从楼上搬下来，但楼下也不是我一个人睡。我已经说过，我的后房有周妈陪我。"

"这周妈是谁？"

"伊是抚养我长大的奶妈。我六岁时母亲死的时候，曾重重地托伊照顾我，所以伊待我也像亲生儿一般。"

霍桑点点头，又问："自从发现这黑鬼以后，你可曾告诉你家叔叔想过什么法子？"

芝英摇头道："我起先也想告诉叔叔，和他商量商量，可是周妈不赞成，不许我说。"

霍桑的目光转了一转，忽然现出注意的神色："喔，这是什么缘故？"

芝英有些疑迟，向霍桑呆瞧了一会儿，才缓缓地答道："伊的意思这个黑鬼有点蹊跷，怕有什么人暗算我。"

"唔，伊有这样的意见？你可知道伊有没有根据？"

"据伊说，昨天晚上伊不但瞧见那黑鬼，还瞧见一道雪亮的闪光，仿佛是什么钢刀。"

"唉，有一道闪光？你也瞧见了吗？"

"没有。我一看见那黑脸贴近到玻璃窗上，我怕得很，立即转过头去，不敢再瞧哩！"

霍桑低头吸了两口烟，又仰面向我点了点头，牵牵嘴。我一时猜不出这表情有什么含意，也不知道他对于这案子是否已有些眉目。接着他又找到一个话题。

他问裴芝英道："据周妈的意思，恐怕有人暗算你，是不是？那暗算的人是谁？伊可有什么疑惑的人？"

芝英又迟疑了一下，才道："伊……伊疑心我叔叔……"他又顿住了不说。

霍桑放下了纸烟，疑讶地说："疑心你叔叔？怎么会？这里面总有原因，你得说明白。"

那少年踌躇了一下，才说："我父亲生前和叔叔合开着一爿仁裕酱园。前年我父亲死后，我的一份遗产，由叔叔代我掌管着，说等我成亲以后交给我。因此，周妈恐防我叔叔有吞产的私心，就疑心他施什么暗计。"

"这个意思你自己可也赞同？"

"霍先生，这……这……这话我实在难说。"

"你放心。我们都是能守秘密的。你无论有什么意思，尽管说不妨。"

芝英拉一拉白围巾，疑滞地说："我本来相信真……真会有鬼。周妈一定说不是真鬼，是叔叔弄花巧。我……我……"他又忍住了。

霍桑催促地问道："说啊。你怎么样？你想你的叔叔会不会这样子？"

芝英舔舔嘴，说："叔叔待我还不错，不过我的婶婶却有些两样，有了好东西总先给宝兴、宝祥吃。有一次，伊竟容不得周妈，要想把伊辞歇。周妈是我的母亲托孤的人，我自然哭吵着不答应。后来因着叔叔的劝阻，才没有实行。"

霍桑点头道："原来如此。"他顿一顿，又问："你讲鬼故事的时候，你叔叔可曾听得？"

"听得的，就是看门的招弟也在我们旁边。"

"那招弟待你可好？"

"他待我还好。他常把鬼和狐狸精的故事讲给我听，因为我欢喜听这样的故事。"

"招弟今年几岁？"

"二十四岁，常熟人。"

"他在你们家里做了几年？"

"他是去年老王死了才来的。老王待我最好，也会讲故事。老王说过，我们家里有狐狸精。他在我们的后花园里，还看见过一只黑黑的狐狸！"

霍桑吐出一串烟，摇摇头，叹了一口气，又把身子挺一挺直。他皱着双眉，现出一副极度忍耐的神气，又向那小主顾说话："那么你对于这件事有什么想法？"

"我相信果然是有鬼的，要不然，也许是狐狸精。但周妈竭力反对，说这件事一定有阴谋。伊说伊从前家里的邻居裘日升家，出了一件奇怪疑案是先生你查明白的。所以我和伊商量以后，伊告诉我你这里的地点，叫我悄悄地到这里来，请你想个办法。"

"那么你来看我，你叔叔不知道？"

"是。除了周妈，谁也不知道。"

霍桑从椅子中立起身来，把吸剩的烟尾向烟灰盆中一丢，摸着下颌沉吟着。

我提示说："现在看起来，这件事还包含着遗产纠葛的家庭问题，不像是儿戏，似乎也有研究的价值。霍桑，你说是不是？"

霍桑向我瞧瞧，又微微吁口气："是。我总得去看一看。"他瞧瞧手表，又道："五点钟过了。我马上陪这位小朋友去走一趟。今天很冷，你在这里烤一会儿火，让我一个人去吧。"他就穿上大衣，戴了帽子，立即跟着裴芝英一同出去。

初春的日照虽然比残冬时长了一些，可是五点钟既过，暮景进行的顺序便非常快，黑影已经开始在壁角布置地盘。我坐在一只靠近火炉的安乐椅上，眼望着窗外溟蒙的天空，沉沉的思想。霍桑自从探案以来，经历的案子固然不少，但是真正鬼怪的案子还没有证实过一次。一般人相信，人们的生命，除了物质部分，还有灵的一方面。现在科学虽然发达，但它的力量还不能伸展到灵界上去。因此我虽然也崇奉科学，但到目前为止，我还不承认科学足以解释人类生命的各方面和宇宙间一切的谜。我这样子思想下去，越想越幻，我的脑思不知不觉地踏进了沉闷枯寂的哲学境界。于是那乘虚而入的睡魔便渐渐占据了我的感觉。

一串铃声突然把我惊醒过来。我敛神一听，知道是电话，慌忙走进电话室去听。那是霍桑打来的。他的话很简单，只说他在平等路翠乐居等我，叫我立刻就去。

捉　鬼

这时外面路上的电灯已亮，黑暗早已控制了整个办公室。原来七点钟已过，我竟打了一个多钟头盹。我急急整理舒齐，向施桂说了一声，就雇车往翠乐居去。

这案子究竟怎么样？鬼与狐狸，未免太可笑，那么真会是家庭阴谋吗？霍桑进行得如何？是否已经破案？如果已经得手，何以他还不回来，反要打电话叫我去？可是他还没有头绪，特地叫我去帮助一下？我仔细一想，又觉得不是。因为他约我的地方是翠乐居餐馆，又好像他已经成功，特地叫我去饮酒相庆。

车子将我送到翠乐居门前，结束了我无结果的思索。我踏上楼梯，霍桑已经在楼梯头上迎接我。

他瞧着我，笑道："包朗，你真有先见之明！"

我呆了一呆，不知道他指什么说的。他不解说，拉着我走进一间小室。

霍桑又说："你不是早知道今天晚上我们要去捉鬼，特地预先打一个盹休养休养吗？"

我也笑道："我打过盹，已给你瞧出来了？"我揉揉眼睛，又摸摸自己颅后的头发。

他笑一笑，彼此就坐下来。

我问道："这案子怎么样？你怎么说还要捉鬼？"

霍桑答道："是啊。我们吃了晚饭，就要去动手。"

我问道："事情的内幕究竟怎么样？你费了两个钟头可曾探得什么？"

桌子上早已摆好了几样菜，霍桑拿起筷子夹起来。我耐不住，照样再问了一句。

霍桑停一停筷，答道："我已经见过裴芝英的叔叔裴景贤和管门的招弟，又和那周妈谈过几句话。此外我到过楼上去看那两个孩子，又瞧过那发现鬼脸的玻璃窗。那窗共有三块直镶的玻璃，窗下砌着砖墙，新近粉刷过，刷得很白。那鬼脸就在下面第三块玻璃上出现的。这些就是我探得的结果。"

我问："那么你的见解怎么样？"

"我已经告诉你，我们要去捉鬼。"

"真的？真会有鬼？"

"是！"

我疑惑地问道："奇怪！这个世界上——"

霍桑摇摇手，插口说："包朗，菜冷了。现在姑且别多说。我们吃完了饭，你得振作些精神，帮助我捉鬼。"

我们装满了肚子到裴芝英家里的时候，已是晚上八点三十分钟。

霍桑指着面向西康路的一排墙门，说："这就是裴芝英家。"

那是一宅旧式的老屋，六扇黑色的墙门已经关上了。霍桑并不上前叩门，从侧弄里兜到一扇后门口，便叠着两个手指，轻轻地在门上弹了三弹。后门外没有灯，黑魆魆地瞧不见什么，里面没有声音。霍桑也不再弹，但静悄悄地等着。为什么这样子鬼鬼祟祟？莫非我们真个要捉鬼？

一会儿后门果真开了，可是丝毫没有声响。里面走出一个头发开始花白，年约五十岁浑身墨衣的老妈子来。伊的手中执着一支洋烛，眼睛有些近视，脸上满显着谨慎和保密的神色。伊就是芝英的乳娘周妈，一见我们，连连点了几点头，只是不作声。霍桑也照样行了一个哑巴礼，便拉了我一同进去。我们随着老妇穿过了几间黑室和一个黑暗的大客堂，就一直走进裴芝英的卧房里去。卧房中除了一张红木小床和几只榉木直背椅子以外，靠窗还排着一只旧式的书桌。那窗很长，共有四扇，每扇有三块大玻璃。我知道这窗就是那黑鬼显现的地方。

若在日间，室中的光线一定很充足，但此刻里面既然点着灯，窗外就越发黑漆漆了。

霍桑见了芝英，也不交话，似乎他已和他们预先约定。霍桑卸去了大衣，摸出白金龙来，顺手给我一支。我心神不定，不知道未来的结局如何，可也没法推想，就也胡乱地烧烟吸着。一会儿霍桑忽地仰起头来，好似倾听什么，接着又闭了眼睛吸烟。那周妈和芝英也在一块儿陪我们默坐着。

这哑剧延续了一刻钟光景，霍桑仿佛记得了一件事，便张开眼睛，第一次向芝英开口。

他说："小朋友，你此刻尽可以照样温书。"他又向老妇挥挥手："周妈，你也不妨仍旧到后房去。这里有我们。"

老妇立起身来，指一指右面那一扇闩着的门，低声问道："先生，这个门闩可要拔开了？"

霍桑摇摇头。

老妇又低声道："这是通天井的路，拔去了闩，出进可以便利些。"

霍桑答道："不必。这黑脸鬼如果今晚再来，我自有方法不教他逃走。"

老妇勉强点点头，退到后房里去。裴芝英也靠着桌子坐下来，面前摊开了一本不知什么书，他的眼睛偷偷地在向玻璃窗瞧望。

我测度这情形，似乎我们三个人专等那位鬼客降临。这个黑脸鬼究竟是真鬼，还是假鬼？霍桑已经看破了没有？我们此番参加，似乎是绝端秘密的。但是这鬼一连来了三夜，今夜里它还敢照样显现吗？万一不来，我们这样子偷偷掩掩的岂不是成了儿戏？

局势很诡秘，空气有些阴沉沉。我仰目四瞧，觉得除了墙壁上一盏彩纸扎成的走马灯略略点缀新年景致以外，四周都暗淡淡地没有生气。室内外完全寂静。除了偶然传来一阵飒飒的风声以外，只有我衣袋中的表机的走动声音，滴滴地听得清清楚楚。因这暗示，我便取出表来一瞧，已是八点五十二分。我记得芝英说过，那黑鬼显现的时候总是在九点钟相近。此刻不是已相近了吗？

我抬头向玻璃窗瞧着。裴芝英也早已伸长了头颈在等候。霍桑却闭了眼睛，像老僧入定般地坐着。若不是他嘴唇间衔着的第二支纸烟头上有些氤氲的烟雾，我几乎要疑心他已经睡着了。我身上的厚呢外衣虽没有卸下，却仍有一种寒凛凛、冷凄凄的感觉。我盼望的心越发焦急，我的呼吸也渐渐地短促起来。

三分钟又过去了。玻璃窗上仍是黑魆魆地没有异象。

呼呼！

一阵寒风猛扎玻璃窗上，窗格都轧轧地震动。我不禁打了一个寒噤。世界上果真有鬼吗？而且鬼也有现形的可能吗？我脑中一受这思潮的冲动，便不知不觉地感到脊梁上有一股寒流。我瞧瞧表，只差两分钟九点了。

这正是吃紧的关头。可是霍桑的态度真出我意料。他依然闭着眼睛，缓缓地吸一口吐一口地在那里养神。奇怪！他今晚来捉鬼，似乎不准备运用他的体力，只打算发挥他精神的力量。要是道家所说的游神方外的话确有几分真实性，那么此刻霍桑真仿佛进入了神离躯壳的境界了！我正在胡思乱想的当儿，忽听到一声锐呼：

"哎哟！来了！"

芝英的呼声还没有绝，我早已回转头去，瞧见当中一窗的最下一块玻璃上面，显着一个墨黑的怪脸！

我立即跳起来。那后房的周妈也已匆匆地从里面奔出来。伊奔到右面的一扇室门面前，拔去了门闩，刚要追出去时，霍桑像刚才从睡乡中苏醒过来的模样，忽而立起来高喝一声：

"周妈，别出去！"

周妈果然被他喝住了，站定在门口，浑身在发抖。我也感到莫名其妙的惊疑，还想奔出去。霍桑又向我摇摇头。

他又继续喝道："进来吧！"

这一声很有旧小说中老法师碰令牌召鬼的神气。原来在他一喝之后，一个黑脸的小鬼果然应声地走进来。

好材料

我们的目光不约而同地注视在那小鬼的身上。其实哪里是鬼？只是一个穿蓝绸皮袍黑缎马褂和戴一个黑色假面具的小孩子！

当芝英和周妈诧异出神的当儿，那孩子早已一手把一个硬纸做的面具拿下来。面具是张飞脸，不过几条白纹给墨涂没了，变成了完全墨黑。周妈忽然失声呼叫：

"唉！祥官，是你？"

我才知道这孩子就是芝英的堂弟宝祥。

宝祥笑嘻嘻地说："哥哥，你自己不是常常说不怕鬼的吗？现在怎么样？我跟你玩一下，你怎么就这样害怕起来？哈哈哈！"他放下了面具，拍着裴芝英的背。

裴芝英僵立在书桌旁边，他的脸上红一阵白一阵，分明又是惊喜又是惭愧。裴宝祥又把藏在背后的左手伸了出来，手中执着一把雪亮的洋铁做的玩具刀。

他又道:"这把刀不是你同我一块儿到城隍庙里去买的吗?你想这把刀可能够杀人?"

宝祥把刀挥舞一下,向芝英扮一扮鬼脸,便咯咯地笑个不住。周妈和芝英呆木地面面相觑,都窘得说不出话。

霍桑便拍拍芝英的肩,解围道:"小朋友,现在你可以明白了。世界上哪里有什么鬼?我早料是你的弟弟们跟你玩,你不相信。好了,现在你安安逸逸地睡吧,不要再自己吓自己了。"他又回头向周妈道:"你忠心爱护小主人,动机本来是不坏的,不过你为了偏爱的缘故,无中生有,胡乱猜疑,那是要不得的。现在你得了这一次教训,不可再存着无意识的二心,反而引起家庭间的纠纷。'疑心生暗鬼',你应当切记着这一句老话。"他穿上大衣,向我点点头:"包朗,你今晚已经得到一种很好的资料,总可算不虚此行吧?你先回去,我还要和裴景贤先生谈一谈。"

我等霍桑回寓以后,照例要叫霍桑解释他的破案经过。他也并不留难。

霍桑说:"我起先听了裴芝英的话,就觉得这孩子的神经有些异征,已经深信有鬼。我知道这件事不是用言语可以解释的了,就跟他去走一趟。我见了芝英的叔叔裴景贤,觉得他虽然脑筋守旧些,却是一个和善的旧式商人,不像会干吞产残害骨肉的勾当。我又向管门的招弟问了几句。招弟人还诚实,只喜欢看那害人的连环画。他也还有些孩子气,我寻不出他有什么不良的目的,故意要惊吓他的小主。后来我在芝英卧房中发现一盏走马灯,客室中还有许多掷炮的散纸,都是新年中儿童的玩具。除此以外,窗口下面的白粉墙上,又寻得一个被衣服摩擦过的痕迹。因此种种，我就确定了我的推想，料定芝英在窗上所见的黑脸，一定就是儿童们在新年中所玩弄的假面具。"

我说："这个理解你当时就想到的。你曾怀疑芝英的两个弟弟闹把戏。"

霍桑应道："是啊。可是那孩子所处的环境太陈腐恶劣了，先后两个仆人都是讲鬼话的专家，做家长的非但不加干涉，竟也参加旁听。学校教育的力量又太浅薄，因此鬼怪的印象便深深地印刻在孩子的脑海中，渐渐地入于执迷的境界。唉，包朗，家庭教育是多么重要啊！"他微微叹一口气。

我同情地点点头，又问："你确定了这推想之后又怎么样？"

霍桑继续解释道："我从那粉壁上的痕迹推想，似乎那人戴了面具，立在窗口外面，还及不到最下一块玻璃，故而仰跂了足尖，身子贴着墙边，才留下那摩擦的痕迹。我把芝英的两个堂弟宝兴和宝祥叫来一问。他们俩起先还抵赖，后来我到楼上去寻得了那假面具和假刀，宝祥方才承认。他说他因着听了鬼故事的缘故，才发生装鬼的意念，跟他的哥哥玩一玩。"

"那么宝祥的来踪去迹怎么样？怎么会无影无踪？"

"那也是很简单的，说破了不值一笑。你也看见过那客堂，大而空虚，夜间既不点灯，自然更容易躲藏。宝祥是从客堂里走入天井的，事后就藏匿在黑暗的客堂角里。芝英和周妈在惊慌中追寻，自然瞧不见了。"

我不禁笑出来："如此说，这一件案子完全是儿戏。你因此就也发明这一个儿戏的方法做结局，是不是？"

霍桑忽然沉下脸，正色道："包朗，你说这话未免太颟顸了！"

"唔？颠顸？难道你这样做法，内中还有什么大题目？"

"是啊。这一着从一方面说，解除了家庭间的一重疑障；另一方面，还救了一个孩子的性命。你怎样竟不能了解？"

"喔，这样子严重？"

"你可知道方才裴芝英来的时候，神经上所感受的恐怖已经到怎样程度？他差不多已经踏到疯狂的边缘，进一步就要发狂了。因此，我起初向他一再譬解，毫无效果。如果我不这样实地试给他瞧，只凭着口头的解释，你想他能够相信吗？他的脑室中所留的鬼影可能完全消灭吗？还有那个愚而忠的周妈，抱着一种芝英的叔叔要图吞产业的成见，你想可也容易疏解吗？没有受过教育的妇女们本来最容易发生这种偏见。我若不用实地表现的方法，我敢说谁也劝不醒伊。因着这两层意思，我才和裴景贤陈说利害，叫他今天晚上勉强宝祥再如法炮制地表演一回，以便解决这个莫须有的疑团。他赞成了我的计划，我就再向芝英和周妈约定，事实的真相却并不宣布。接着我就辞别出来，到翠乐居去打电话叫你。"

我沉吟了一下，说："这样说，你的用意是不错的。但我们在翠乐居里的时候，你怎么还守着秘密，不肯明白告诉我？"

霍桑笑道："这一着只能怪你自己。"

"唔？为什么？"

"你的性子太率直了，缺乏演戏的天分。要是你明白了这玩意儿的真相，串演起来，绝不会如此真切，说不定要露出马脚来。那就要弄坏大事了。"

我有些不服气："我几时坏过你的大事？"

霍桑走近来拍我的肩胛，笑道："好了，你别这样责难我了。我当初若使就和盘托出，以后捉鬼的举动，便不免要减少兴味。那么你将来执笔记述起来，哪里会有今晚这样身历其境的警切动神？我供给你这样一个好材料，你非但不谢我，却反而责怨我。真是岂有此理！"

我想了一想，也笑道："你的口才好，我说不过你。但那宝祥这样恶作剧，究竟也有些不是。你可曾警戒他几句？"

霍桑摇头道："这不是那孩子的过失。这事的来源是鬼故事，而鬼故事是招弟讲出来的。所以我曾申斥过招弟几句，不该看这种害人的鬼怪小说，把迷信吓人的故事讲给小主们听。刚才我又和裴景贤恳切地谈过几句。因为孩子们当这年龄，脑筋最脆弱易感。他们的耳濡目染，做家长的断不可完全抱放任主义。景贤很觉抱歉。他已经应许我以后一定尽力注意这问题。"

我觉得若把这一件事归纳起来，主因果真还不在招弟身上，实在是因着裴景贤的不明儿童心理，失于督教，才险些肇出大祸。这样看来，当家长的对于儿童的家庭教育，实在不可不给予严格的注意。

新 婚 劫

凡读过霍桑探案的读者们，大概都知道他大部分的案子，都是我和他二人合作的，案情的记述，也都是我亲身经历的见闻。其实自从我结婚以后，我因着和他分居，或偶然出外旅行，不能常和他在一起，他一个人单独进行的案子，数量上也相当可观。就像我所发表的《魔窟双花》《夜半呼声》《一个绅士》等，都是他单枪匹马的成绩。本篇所记，也是他一个人奏功后告诉给我听的。就案情而论，却也当得起离奇曲折的评语。我现在凭着观客的眼光，照着案子发展的程序记述如下。

包朗

远道归客

那是公历八月初旬的季候，暑天的余威依旧控制着大地，虽在清晨六点半钟的当儿，但热的威力早已依凭着阳光的流照，渐渐伸展到地面上来。那时黄浦江面被一道红赤的霞光所蒙络，江中的水汽也已开始被动地蒸发，似乎向那些轮埠上站立的劳工们预告，今天的热度一定不会在华氏表一百度^①以下。但脚夫们似乎已饱经热神的威胁，锻炼成一种强毅的抵抗

———————————

① 华氏 100 度约 37.8 摄氏度。

力，对于那天空的预兆，竟表示一种漠不在意的藐视态度。他们都伸长了脖子，聚精会神地向江心瞭望着。一会儿，忽有一缕黑烟在霞光中蜿蜒地袅升着，接着便有一艘轮船顺波逐浪地驶过来。一刹那间，脚夫们的嚣声顿时活跃起来。大家或挥臂擦掌，或整理肩上的扁担绳索，都表现出争先恐后的姿态。轮埠上除了那些脚夫们，还有许多迎接旅客的亲友、车夫和闲观的人，都拥挤地麇聚在一起。其实在这当儿，绝没有真正闲观的人——这些形态上近乎闲观的人，不消说也都是各有他们的任务和目的的。

巨轮越驶越近，埠头上的喧闹声浪也成正比例地增高。再等一会儿，轮船甲板上的乘客们蠕蠕攒动的状态，从轮埠上望去，也已清清楚楚。那轮船名唤新丰，刚从秦皇岛开来。乘客们远道而来，一望见轮埠，反都按耐不住，像要一脚跨上岸来的样子。等到船身傍着码头，那脚夫们早已一拥而上；船上的乘客们又争着提携捧负地登岸。那一种喧腾杂乱、纷扰挤轧的情状真是难描难写！

这时候有几个貌似闲观的人，却仍站在码头的旁边。内中有一个三十多岁的黑脸汉子，躯干既魁伟，又生着一双鹰眼，大蒜鼻两旁的横肉脸上又满长着四五天不曾修剃的髭根，样子非常可怕。这人身上穿一件白夏布长衫，颜色已不很洁白，领纽是敞开的。他的头上戴一顶廉价的巴拿马草帽，也分明是隔了几年的东西。那帽檐压得很低，但他的一副锐利的眼光却从帽檐底下炯炯地射出，向人丛中乱看。他好像要招接什么相识的客人，却又似有所顾忌，不敢走近船去。因为离他十余步外，另外有两个人并肩站着，模样儿像是什么侦探。那黑脸汉显然为审慎起见，故而并不向人丛中挤去。

十多分钟以后，他眼见一群一群的乘客们从他的面前过去，却仍没有满足他的期望。他并未从他站立的地方移动过，因为这地方非常重要，凡下船登岸的人，都逃不掉他的视线。末后乘客们越走越少，黑汉的两道浓眉便也越皱越紧，他分明失望了。

这黑脸大汉正要回身退步的当儿，忽而停了脚步，嘴里不自主地发出低微的惊呼声来："唔，他回来了？"

这时候有一个打扮漂亮的"少年"，提着一个皮包，正不慌不忙地走上码头。其实这人的年纪已是三十六七，额角上已给光阴先生凿下几条线纹，他虽慷慨地涂上一层厚厚的雪花膏，终究仍不能彻底遮掩。他浮滑而狡黠的眼睛，配着两条人工染色的黑眉，看上去很敏捷多智。他的身上穿一件阴白印度绸的长衫，脚上穿一双漆皮皮鞋，身材倒也翩翩。他的头上并不戴帽，乌油油的头发分明也抹足了什么发膏之类。所以远远地望一望他的打扮，仍不能不称他作"少年"。

那黑脸汉等来客走近，突然迎上一步，定着眼睛向那貌似少年的来客开口："唉，是你！"

那客人似乎微微吃了一惊，抬头一看，也不由不停了脚步："哈！老虎。"

黑脸汉忙摇了摇头，低声阻止他："别叫名叫姓！我们走过去谈。"

他说时自然而然地回过头去，向那两个侦探站立的地点瞟了一眼，却都已不见人了。那归客也早会意，便跟着黑脸汉向马路上走去。他们且行且向左右探视，看见背后已没有尾随或注意他们的人，才放心地并肩离开轮埠。

那客人先开口："虎哥，好久不见。你怎么知道我今天

回来？"

黑脸汉耸耸肩："小王，你今天回来，我可没有想到。我本是来等候小福的。"

那个叫作小王的忙问道："唉！你近来可是和小福有什么买卖？成功了没有？"

那叫作老虎的黑脸汉正想回答，忽又忍住了不说。他们便静默地走上了马路，在人行道边站住。

老虎答道："这是闲话，别提。我们那一件事不是还没有了结吗？我已候了你一年哩！小王，你也太不够交情，怎么音信全无？今天真是太巧！喂，这究竟是怎样一回事？"

小王回头一瞧，忽附耳向黑脸汉道："轻声些，后面好像有一个人跟着。你不如先给我找一个寄宿的地点，别的事回头再谈。"

黑脸汉似也赞成。他也回头向后面瞧了一瞧，便等着后面的一个人走过去。其实那人只是一个赶早市的小贩，这两个人自己心虚，才如此小心防备。黑脸汉随后向小王说，浙江路的利远旅馆，房金既廉，又很稳妥。小王点头赞同了，便各自雇了黄包车，向浙江路驶去。

当小王和老虎的车子经过吉祥路吉祥里口的时候，里内有一家人家，正忙着打扫布置。那是一宅五上五下半中半西式的屋子，有许多仆人正在大厅上张灯结彩，显见在这一两天中他们将办什么喜事。这屋子的小主人叫钱洁身，年纪还只二十七岁，却早已在美国得了法学博士的学位。他回国才半年，便挂起了律师的牌子，做了几次义务律师，接连辩胜了两次，已颇得社会上人的注目。这天，他在天没亮就起身，已经亲自在那辉煌华丽的新房中布置了好一会儿工夫。因为明天就是他的婚期，他自然分外起劲儿。

这时，他正取了他的未婚妻赵明珠的一张半身照片，跨上桌子，把照片挂到一只柚木妆台上面的墙壁上。挂上之后，他站远了瞧瞧，又觉位置不妥，重新把相框取下来，端在手里，又仔细地欣赏。他见那照中人美丽的姿容嫣然微笑，正是栩栩欲活。他越看越爱，不禁偷偷地隔着玻璃接了一个吻。后来他看见靠窗的一壁空着，就将照片挂在那里，果觉适宜得多。一会儿，照片挂好了，他正自站着端详，忽见室门开动，有一个小使女拿着一张报纸走进来。洁身忙将那张《大华报》接过，翻到了第五张的本埠新闻，便发现一男一女的肖像并列地刊着。下面记着的一段新闻，就是钱洁身和赵明珠结婚的消息。这一节新闻他分明是预先知道的，故而披阅之后，满意地笑了一笑。他略一凝想，又往手表上瞧瞧，便换了一身新制的条纹白府绸的西装，顺手将报纳在袋中。他向小使女吩咐了几句，才匆匆下楼。

两分钟后，他已跳上了自己的汽车，向丹凤路驶去。汽车到达丹凤路的转角，在沿马路末一个石库门前停下。石库门上标着"天水赵"三字。洁身似乎是熟门熟路，便直上前去叩门，一个十七八岁的少年立即开门出来。

钱洁身去了草帽，招呼道："明晖弟，早啊！你姐姐起身了没有？"

明晖微微笑道："早起身了。伊正准备要出去。"他拉着洁身的手走进去。

钱洁身走进了侧厢里的书房，还没坐定，就听得咯咯的皮鞋声音从楼上下来。明晖刚才从书室中溜出去，那花容玉貌的赵明珠已翩然入室。

赵明珠长伊的弟弟明晖两岁，白嫩的面庞，配着一双夺魂的秋波，一个细直的鼻子位置不偏不倚，恰到好处，鼻下承着一张红菱形的小嘴，出落得妩媚动人。伊苗条的身材也修短适度，处处都合符美的条件。但明珠天性喜欢朴素的装束，举止也落落大方，正可以借用一句"秾如桃李，冷若冰霜"的赞语。这时伊穿着一件国产白色小花纺的顾衫，足上丝袜皮鞋也都是白的，浑身雪白，真像天仙化人一般。

伊向洁身微微点一点头，含笑说："我听得出是你的声音。你这么早啊！"

洁身也笑着答道："你已打扮得这样齐整，足见你起得比我还早！"

明珠的手被洁身握住了，伊瞧见了洁身那种有含意的眼光，脸上不禁泛出一丝绛色，伊的头低垂下去，把手缩回来。

洁身问道："明珠，你要出去吗？这样早往哪里去？"

明珠答道："我往北川路找金石美去。"

"可是你要请伊明天给你做陪新？"

"不是。陪新的，我已经另外请了两个学校中的同事。我要石美明天一早就来，给我料理一切。"伊略顿一顿，变了些语声，"洁身，你知道我是没有父母的孤女。石美的年纪，虽只长我五六岁，平日里安慰商量，竟像我的妈一般。"伊更低垂些头，声调也有些颤动，好似欢愉中勾起了悲戚。

钱洁身忙插口道："好，好！这时候你何必再说这样的话？明珠，我给你瞧一种东西。你见了准喜欢。"

赵明珠勉强抬起些头，应道："什么呀？"

洁身急急从衣袋中摸出那卷报纸，展开了送到明珠面前，又用手指指着报纸上印着的两张肖像："瞧，这两个人是谁？

你可认识？"

明珠的目光在照片上一瞥，又在下面的新闻上约略地念了一遍。忽而伊把目光移转到地板上，头也重新低下去，竟默不作声。

洁身似出意料，微微讶异道："明珠，怎么啦？为什么如此？可是你的照片印得不清楚？"

明珠摇摇头，"不是。但是……这两张照片可是你送去登的？"

钱洁身笑着应道："是啊。我把你这种美丽的容貌登了出来，就要叫人家称羡我的艳福！你难道不赞成？"

赵明珠仍低垂着头，答道："我生平最不喜欢无谓的张扬。这举动我看太无聊，太没有意思！"

洁身的本意满望领受伊几句喜欢的赞语，却想不到明珠会有这样的表示。他有些发窘，呆立着说不出什么。明珠似乎防他再发什么不便作答的问句，便向手表上瞧了一瞧。

伊说："唉，八点钟了。我要去看金石美哩。洁身，你也快回去吧。明天就是婚期。今天你再来这样子絮絮不休，别叫人知道了笑话。"

洁身明知这是软性的逐客，勉强笑道："如果真有人这样子笑话我，我倒还引以为乐呢。"他又笑了一笑："明珠，可要我用车子送你去？"

明珠拒绝了，又催促他回去。洁身才和明珠握一握手，遵命退出，乘了汽车回去。不一会儿，赵明珠也走出门来，雇了黄包车向北川路去。

怪　信

利远旅馆共有七八十号房间，虽然不算得大，但因着旅馆主人有些手面，侦探们查房间时总比别家宽容，故而一般有几分顾忌的人都来光顾。先前老虎所说的稳妥，就是指这一层说的。

小王和老虎进了旅馆，开了一个三十一号的小房间，彼此坐定，照例先填了一张旅客的姓名职业单。但小王在单纸上却写着陈寿林的姓名。等到茶房拿了房金出去，小王立起来将房门关上，才低声开口。

他道："虎哥，那件事我委实很对你不起。我本想给你通一个信，又恐消息不密，反而连累你。"

老虎紧皱着浓眉，不耐似的瞧着对方："这些废话还是少说。现在既然见了面，不妨当面解决。"他伸出了手背上毛茸茸的巨手，似乎有所需索。

小王装出抱歉的样子，忙道："虎哥，你还不知道哩，我来告诉你。我当初本打算把货送到那里，钱一到手，立即回来。不料我到埠以后，偶然不小心，那活货忽而滑脚失风。我追寻不得，没法可想，一时又不能空手回来，没奈何我就在那边混了一年。那女人好像化了气，到底没有消息。我的景况也越弄越坏，只得再回南来想法。这件事我真很对不起你，但我自己也吃了大亏。"

老虎疑惑地说："当真？你莫非想——"

小王忙摇手道："老哥，你不要疑心。我们合伙儿办事，怎么会打谎骗你？你不相信，我可以赌咒，若真如此，我一定天诛地灭！"

老虎虽听得小王赌了咒，心中还是疑信参半，仍怒目向小王瞧着。小王却转身去开弄他那带来的皮包，似在故意避去他的目光。这时候门上忽然有叩击声音，两个人都不由不吃惊地回顾。接着那室门忽自推开，一个人在外面喊叫："要买报吗？"

他们见是卖报的人，才安定了些。小王摸出些钱，随意抽取了一张《大华报》，重新将房门关好。

他又低声向黑脸汉道："虎哥，你不用多心。我这里还有不少旧相识。不出一个星期，我少不得找一个机会来补偿你。这里耳目众多，不便多谈，请你原谅些。"

一个茶房端茶水进来。老虎果然低着头没有说话。他目送那茶房走出去后，房门仍开着。他略顿一顿立起身来。

他点了点头说："也好，我们再谈。"他说完了径自走出去。

小王似乎放下了重负，脸上露出得意的神气。他随即着手洗脸，洗毕了又在面上厚厚地涂了一层雪花膏，头发也梳了又梳，抹得乌黑，这一来他果真又减少了些年纪。他烧着一支纸烟，随手取过那张报纸，翻了几页。他忽然看见第五张本埠新闻上，登着一张双头的肖照。小王的嘴唇牵了一牵，露出一种轻蔑的冷笑。原来那照片中的一个人就是私家侦探霍桑，还有一个是警署侦探长汪银林。他们新近破了一件可惊的绑票案，故而各报中都记着一段很长的新闻，并把一张他们俩合摄的肖照登了出来。小王只在那新闻上约略瞧了瞧标题，便随手翻过，分明不屑细读。他翻到了琐闻栏中，另外看见了两张一男一女的照片。他的目光忽而停止不动，仔细一瞧，不觉仰直了身子，嘴里发出惊讶声来："这不是伊吗？哈！"

他急急念那下面的新闻：

"法学博士钱洁身律师将于本月九日（明日），与女教育家赵明珠女士，在吉祥路吉祥里口钱宅行结婚典礼。钱君与赵女士由友谊而发生恋爱，此美满之婚约完全成于自由，并闻成礼后，即将赴西湖度蜜月云。"

小王的眼睛里灼灼地露出异光。他口中烟雾乱喷，显然他不但心花怒放，还在那里运用脑力。

他又自言自语地说："哈哈！果真是伊！我正苦没有办法！那真是再巧没有！"

他的眸子转了几转："哼，对方是个博士，当然有钱！这是一个再好没有的机会——一个救穷的机会，我决不能放过！"

他立起身来，丢了残烟，背负着手在室中打了几个旋，又默默地寻思："伊明天就要结婚了。那么，我还有一线希望。我相信伊不会拒绝我！"

他立定了瞧瞧时针，刚交八点一刻。他回身从皮包中取出一件淡灰色外国纱的长衫，将身上一件阴白印度绸的换下来，又换上一双纱鞋，拿了那张报纸，从旅馆里出来。

小王第一步先往吉祥路吉祥里钱家去打探，果然看见有许多人正在那里布置。钱家的排场相当阔绰，证实了自己的推想，他不禁暗暗地欢喜。他悄悄地向一个男仆搭讪着，问明了那新娘的地点，便雇车往丹凤路去。

他寻到了丹凤路和福佑路的转角，看见一家门上果真标着"天水赵"的铜牌，便知他的目的地到了。他不敢直接前去敲门，先在左右窥探。时候还早，路上还不算热闹，那一排石库门也像赵家一般地都紧紧关闭着。小王又仰头瞧瞧，看见赵家楼上侧厢的窗口临近街面，玻璃窗关着，里面挂着淡蓝色的纱帘，料想就是明珠的卧室。

他先走近前门，凑着耳朵细听，里面寂静无声。他又兜到福佑路上的后门口去窃听，后门也同样闭着。他略一疑迟，便放着胆子，回过来叩那前门。他叩了好久，不见有人答应，不免有些心慌，一边把头向左右环顾，一边继续叩击。一会儿，他才听得里面有人慢吞吞走出来。小王看见开门的是一个年纪在六十以上的老妈子，才略觉放心些。

他假意问道："这里可是姓赵？"

老妈子应道："是啊。你可是找我家少爷？他刚才出去。"

小王呆了一呆，答道："不是。我要见你家小姐。"

仆妇摇头道："小姐也一早出去了。什么事？"

"唔。"小王踌躇着说不出口。

老妈子向他瞅了一眼，像要关门的样子。

小王忙举手阻止："喂，对不起，让我留一个信在这里。请你转交你家小姐。"他立即摸出铅笔，在日记簿上撕了一页，写了两句，授给老妇："这信很要紧。等你家小姐回来，你得立即给伊，不可耽误！"

老妇一边点头接信，一边斜眼瞧着小王，显露着怀疑的神色。小王又点头谢了一声，便得意扬扬地回身走开。

赵明珠的好友金石美是一个新近悬牌的女西医。伊以前本在一个医学校里担任教课，自从上年暑假起始，已将教职辞去，以便专心应诊。石美的医术既精，在职务上又十二分恳切谨慎，凡患病的人去求教伊，伊总不分贫富，一视同仁。因此，一般知道伊的人，对伊都有好感。那天赵明珠去见伊，石美的母亲已一早往亲戚家去了，石美正陪着伊五岁的弟弟在憩坐室中玩着。明珠说明了来意，请伊明天停一天诊务，一早到伊家里去帮忙。石美当然一口应承。明珠坐了一会儿，就辞别回家。伊这样一来一往，又耽搁了一会儿，前后约有一个小时，所以明珠回到家里时，九点钟已经敲过。伊下了车子，付过车钱，便举手叩门。

这时明珠的心中非常得意。伊想到明天就要和伊心爱的人结婚，从今以后不必再尝那孤寂的清苦风味；而甜蜜的恋爱生活，前途正未可限量。可是一刹那间，伊想象中的乐境陡地都变成了恐怖的幻象。原来伊进门以后，那老妈子便把有客人造访的事向伊报告：

"小姐，有个客人来看过你。"

"可是女客？"

"不是。一个男客。"

"他可是来瞧我弟弟？"

老妈子摇头道："不是。他说他是来瞧小姐的。"

明珠微微一怔，又问："他来瞧我？谁？你可认识？"

"不，我从来没有见过。他也不曾说出姓名。"

"那么，那个人怎样打扮？"

"他的衣服很齐整，年纪约在三十以内。长方形的脸，有一双灵活的眼睛，皮肤也是白白的，很是漂亮。他……他还浑身是香馥馥的。"

明珠不禁震了一震，一时好像很迷惘。伊停着目光，似乎竭力在脑府中搜寻，忽而伊的粉颊上泛出一阵通红，转瞬间红晕又消逝了，变成了灰白。

伊颤声问道："张妈，你可曾看见他的右颊上有一粒黑痣？"老妈子点点头："唔，有的。"

明珠的面色惨白得更可怕了："张妈，你可曾问他从哪里来？有什么事情？"

老妈子摇摇头："我没有问。"

明珠接着问道:"那么,他可曾说什么话?"

老妇走到长台旁边,从一个花瓶底下拿出那张纸条来交给明珠。明珠惊疑地将纸展开来一瞧,伊的身体忽而抖起来,若没有茶几的倚靠,几乎支撑不住。一会儿,伊振作起来,挺直了身子,伊似乎不愿让这仆妇看透伊的心事。可是伊这失态表现得太显著了,无论那老妈子怎样聋聩,也掩饰不住。

伊问道:"小姐,这个人是谁?那纸上写些什么?"

明珠忙将纸捏作一团,强制着应道:"没有什么。"伊想了一想,又道:"这张纸我弟弟有没有见过?"

张妈道:"没有。小姐出去以后,少爷也就出门,还没有回来。"

明珠随手将纸团纳入袋中,略一点头,便回身走上楼去了。

这本是一宅两幢连侧厢的屋子。明珠姐弟租了上下侧厢和半个次间;客堂楼上另有一个姓谢的二房东住着。这时谢家夫妇和女仆们,一伙儿都已往杭州避暑去了,故而全屋中只有赵家主仆三人。明珠回到了楼上侧厢中的卧室,就倒在一只藤椅上面。伊的呼吸急促,额上汗珠一粒粒地渗出来,面容也惨白得可怜。伊又摸出那捏绉的纸团,重新展开来一瞧。上面写着两行铅笔的草字。

那信道:

　　恭喜你!你明天要大喜了!但在你结婚以前,我打算和你谈几句话。请你今夜十时到大舞台东二厢里来一见,切勿失约自误。

王启

这些草字，好像每一个字中都有千百枚利针，针针直刺明珠的心窝。明珠立起身来，抹了抹汗，在室中打了一个回旋，忽在墙壁前站住。伊的眼眶中水汪汪的，向上面凝视着。墙上挂着一张一个三十多岁妇人的半身照片，就是明珠已故的母亲。好似明珠的方寸已乱，要想乞灵于母亲的遗像。伊的眼光移开去，又瞧到妆台上面的另一张照片。那是一个面貌挺秀的西装少年，就是伊的未婚夫钱洁身。伊忽摇了摇头，摸出白巾来掩着脸，伏在桌子上呜咽地哭了。

一会儿，伊忽仰起头来，作寻思状道："怎么办？我为什么不去找石美商量一下？"

事情太不凑巧。明珠第二次乘车往北川路去的时候，石美恰巧被一个急病的人家请出去了。那男仆因着主人不在，也溜往附近的纸烟铺去购烟，乘间和店伙们聊天，故而明珠敲了好久门，屋子里竟没有人答应。明珠本是在这里出进惯的，就毫无顾忌地推门进去。里面果真阒无一人，只见石美五岁的弟弟石英一个人在诊室中玩造屋子的积木。原来那个老妈子也已趁空到楼上去整理房间了。明珠不禁失望地呆住了。

伊婉声问孩子道："好弟弟，你姐姐呢？"

石英笑嘻嘻地说："姐姐给我去买糖哩。好姐姐，你也来造房子。你瞧，我的房子造得高不高？"

明珠只得笑了一笑，拍拍那孩子，随即坐下来。可是伊实在坐不住。石美大概是去医病的吧？什么时候才能回来？壁上虽有电话，可惜伊不知石美往哪里去，无从和伊通话。伊在诊室中等了好一会儿，仍不见有人回来，开始焦灼而烦闷。伊无聊的手将小圆桌上的报纸拿起来，竟也是同样的《大华报》。伊又翻见了伊和钱洁身的照片，不觉蛾眉颦蹙，似在怨恨洁身的多事。伊含愁的目光又瞧见霍桑和汪银林二人的照片，有意无意地读那节绑案的新闻。伊读完了，低头想了一想，忽然从椅子上跳起来。

伊自言自语："唉，他不是一个济弱扶困的大侦探吗？我能不能用这件事去求教他？"

明珠经过了一度迟疑，下了决心，便取过电话簿来，检查霍桑的电话号数。查得以后，伊又沉吟了一下，才毅然地摇动电话，报告号数。略停一停，听筒中就有声音传出来："你哪里？"

明珠的呼吸重新急促了，心房的跳动也骤然增加了速度，伊那握听筒的右手也簌簌地颤动。

伊勉强说："你是霍桑先生？"

"是。这里是霍桑事务所。你是谁？"

"我……我……"

"喂，你究竟是谁……有什么事？"

明珠惶惑的心又失却了自主，再没有勇气答话。伊握听筒的手好像风中的秋叶，颤动得几乎不能把握。

伊断续地答道："我……我有……我有一件……"

伊一再强制，却始终说不出来。伊把头一侧，便用力将听筒挂上。接着伊捧着一颗跳荡的心，匆匆地走出诊室，真像一个犯罪的人从监牢里逃出来的一般。伊出了大门，走了几步，因着外面空气的刺激，伊的呼吸调匀些，精神上也略见振作。伊伸手到衣袋中去，将那个纸团取出来，把它撕得粉碎。

"我真是太蠢了！我何必怕他？他会弄得出什么法术？我为什么自寻烦恼？"

三分钟后，伊便雇了车子回家去，定意不再让这件事盘踞在伊的脑中。

变　端

　　八月八日那天早晨，侦探长汪银林，因着那报上宣传的绑票案已告结束，特地到爱文路霍桑寓里去道谢。十点钟时，他们正在闲谈之间，忽而电话机上的铃声响动了。汪银林看见霍桑正在打开一封来信，便立起来代他接电话。不料那电话来得太奇怪，他问了好久，对方只答了几句断续不全的话，电线忽而断脱了。

　　汪银林讶异道："怪事！怪事！那是个女子的声音，可是终没有说出一句话来。霍先生，会不会有什么人和你恶作剧？"

　　霍桑早已丢了信笺跳起来，不等汪银林说完，忙把听筒夺过去。

　　他接着问道："喂，接线员，对不起。这里是霍桑事务所。请你快查一查，刚才接到这里来的是什么号数？……唉……五二七三四？好，好，对不起！"他随手将一本挂在旁边的电话簿拿下来，一边将听筒挂好，一边急急在电话簿上检查。他又朗声念道："五二七三四，金石美女医生，北川路八二号。"他又问道："银林兄，你说那声音是个女子？"

　　汪银林应道："是。我确信是一个女子。"

　　霍桑一度沉默："那么不会有意戏弄。绝不会！我想这女子大概有什么疑难的事情，起初原想向这里求助，但一转念间又觉得有所顾忌，难于出口，故而半途中止。"

　　汪探长点点头："唔，这推想很近情理。现在你的意思怎么样？"

　　霍桑的好奇心显然已经被调动起来。他低头想了一想，立即下了决心。他走到衣架旁拿了草帽和手杖，准备出门。

他一边答道："我看这回事很值得注意。我打算到北川路去瞧瞧那个金石美。"

汪银林并不反对，便跟着霍桑出门，彼此在门口分手。

霍桑到金石美家的时候，不但那个男仆早已买了纸烟归来，金石美也已诊毕回家，老妈子已经将伊的弟弟石英领到了楼上去。石美进了诊室，开始料理文件，那男仆递进了一张霍桑的名片，石美不觉呆了一呆。伊久闻霍桑是一个有名的私家侦探，这天报纸上也登着他的照片，但他会突然光顾伊的诊所，实在不能不使伊惊奇。

一会儿，霍桑从容地走进会客室来。他鞠了一个躬，站住了目灼灼地打量伊。金石美的身材比赵明珠的略略矮些，穿一件白绸的颀衫，朴素无华，瓜子形的面庞，敏慧的眼睛，秀媚不俗。伊因着职务上的关系，奔波劳心，交际应酬，自然比明珠苍老些，在人事的酬应上当然也练达得多。但这时候伊见了霍桑的状态，一时竟莫名其妙，伊的心房中也禁不住微微震荡。

伊一边请霍桑坐定，一边问道："霍先生，有什么见教？"

霍桑含笑答道："金女士，刚才不是你叫我来的吗？"

他的目光仍凝注在伊的脸上，似乎要从伊的神情上观察虚实。但石美的神情只有诧异，并没有惊骇或羞愧的表示。这不免使霍桑感到些迷惘。

石美缓缓地答道："霍先生，这里面不会有误会吗？我并没有邀请你啊。你从哪里得到的消息？"

霍桑道："金女士，你在半小时前不是打过电话的吗？"

"唔？没有。"

"你不曾打电话到我的事务所去吗？"

石美摇首道："没有啊——霍先生，你究竟什么意思？"

伊的疑焰高涨起来。

霍桑沉吟了一下，解释道："刚才有一个女子打电话给我，没有说出姓名，便把电话线摇断。我向电话局中的接线生查问，据说通电的是五二七三四。"

金石美张大了双目，愕异地不答。

霍桑又问："金女士，你的电话号数不是五二七三四吗？"

石美迟疑道："是的，但我才刚出诊回来，不曾用过电话，更没有打电话给先生的必要——"

霍桑忙接嘴道："喔，你是出诊过的？那么，会不会有别的人借用过你的电话？"

石美略一沉吟，便走到诊室门口，叫那男仆永金进来。

伊问道："我出去以后，可有人来过？"

仆人一口应道："没有。"

在水金意识中，这句话是实在的。当赵明珠第二次来去的时候，他正在附近的烟纸店中聊谈，当真没有瞧见。不过这一点，他此刻即使想起来，也不敢在主人前实说，故而只索一口回绝了。

石美回头道："霍先生，今天家母是一早出去的，屋子里没有别人。我自己不曾用过电话，又没有别的人来过，一定是接线生弄错了号数。"

霍桑默察金石美的声音状态，又听得仆人毫不疑滞的答话，果然也信作误会。他点点头，又鞠一个躬，含笑道歉："金女士，这回事也许当真是出于误会的。我因着好奇的缘故，冒昧地来惊扰你。请你原谅。"

石美送霍桑出门以后，回进了诊室，默默地寻思。伊觉得霍桑的来临未免太突兀。真是误会吗？还是有什么人弄乖巧？

还是……伊思索好久，最终也解释不出。伊的弟弟石英忽而奔进来讨糖，嘴里还呀呀地发问："好姐姐呢？"

石美一听，不觉怦然心动。伊知道"好姐姐"的称呼，本是伊弟弟叫赵明珠的。莫非明珠又到这里来过？伊一边拿出糖来给那孩子，一边抚摸着他的头：

"弟弟，可是好姐姐来过的？"

那孩子似答非答地道："好姐姐不肯和我一块儿造屋子，我的糖不给伊吃。姐姐，再给我两块吧。"

石美笑了一笑，又拿了些糖果给他。伊想起明珠清早来时，石英也见过伊。他的话算不得凭，又何必神经过敏？并且明珠下一天就要成婚，怎么会用得着什么侦探？伊最后的结论，便认作这回事完全出于误会。

九日那天的饭后，吉祥里钱律师宅中，众宾纷集，正是热闹极了。行礼的时间本定在午后两时，可是不到一点半钟，礼节上应有的布置都早已备好。他们的婚礼是半新半旧式的，因为新郎、新娘虽都是受过新教育的人物，但新郎的父母，对于我国旧有的仪式，还不主张完全废弃。故而迎亲的旧式仪式，虽然一概屏除，但新娘到门时的高升鞭炮，却仍未能免俗。

吉祥里弄口早站着许多仆人，安排着炮仗、火把，专等待新娘的汽车到来。许多瞧热闹的男女邻居，都挤在一堆。独有一个穿阴白印度绸长衫，带龙须草帽的男子，却孤零零地站在一旁——这人就是小王。这天他戴着一副黑色眼镜，草帽的檐边也压得很低，骤然间自然瞧不出他的真相。但如果有人凑近去瞧他，便可见他的面容沉着，眼镜里面的目光也在闪烁不定。他又手站着，伸长了脖子，在瞭望新娘的汽车。那种期待盼望的神气，似乎比新郎还急切些。

　　一会儿，三辆汽车呜呜地连贯而至。第一辆车上扎着灿烂的彩绸，分明就是新娘的车子；第二辆中是两个陪新的女子；最后的一辆中坐着一个眉目清秀的少年，就是新娘的弟弟赵明晖。仆从们一望见扎彩的汽车，便都着手燃放爆仗。于是噼啪噼啪的声浪连续不绝，屋子里面的乐队也开始响起来，又加着那些闲观人们的争执喧叫，简直是闹得乌烟瘴气。

　　这时候那小王突然活跃了。他忽跨前几步，似乎要实施某种严重的动作，准备早些站定一个恰当的地位，以防被闲杂人们所阻。他一等到汽车驶近，正在将停未停的当儿，陡地奔近车门，伸出一手，闪电似的将车门拉开。他探头进去，忽见车中除了新娘以外，另有一个女子陪着。小王似乎不防有这一个人，仓皇中说了一声"你好"，便急急地回身退开。明珠早看见了他，惊呼了一声"哎哟"，伊的头部向车座上一仰，竟晕过去了。车中同座的女子自然就是明珠的好友金石美。伊也不防有这个变端，虽没有喊叫出来，一时也惊骇失措。后面汽车中的两个女陪新已姗姗地走过来，准备扶新娘下车。第三辆车中的明晖也在下车。从钱宅中走出来的两个八九岁的小女孩，也都捧着鲜花到新娘的汽车门口来迎接。

　　金石美的神智略略恢复了。伊看见那不知谁何的男子一霎眼间已不见影踪。别的人似乎因着纷乱的缘故，还都没有觉察这一幕变局。爆仗的声音却还闹得厉害。伊打定主意，镇静地走下汽车，先吩咐一个钱宅的仆人赶紧拿一块冷手巾来，说是新娘受热昏倒了。在紧急的传递中，冷水浸透的手巾立即送到。石美接过了，立即施行临时的急救。钱宅中有一个年长的男亲也跟着出来。石美将计就计，便向那老者说明新娘受热昏晕的情形：

"天气太热了，新娘的神智一时不能清醒，今天不能够成礼了。我只索将伊送回去医好了再说。"伊说完了这几句，不等钱家里的人答复，便吩咐同来的三辆汽车立刻驶回丹凤路去。

这一来是太出意料的，不但钱家里合家的人都惊骇失望，连那些瞧热闹的闲人们也都觉非常扫兴。只有那个半老少年小王仍闲闲地站在对街的转角。他从人丛中望见了那退回去的车尘，嘴角上露出一种可怕的狞笑。

明珠的惊晕只是一刹那间的事，经过了冷手巾在额上的罨覆，便渐渐地苏醒过来。但伊的神经太荏弱，明知那天再不能成礼，就也听凭石美的调度。汽车回到了丹凤路本宅门前，伊用手巾掩着眼睛，默默地不发一语。金石美是一个世故比较深些的女子。伊在车中并不发任何问句，车子停了，就先将明珠扶进了楼上的卧室，又给伊卸去了礼服，使伊安卧在榻上。伊又回下来向两个女陪新道歉，声言明珠既然不幸染恙，只能改期成礼，请各自暂时回家。伊随即打发汽车送这两位女宾回去。

伊又向明晖说："明晖弟，你等在楼下。如果有什么人来，请一概婉言谢绝。你姐姐此刻必须安静休养，再惊扰不起哩！"

石美回到楼上时，看见明珠正伏在枕上嘤嘤地啜泣，眼泪浸湿了枕褥。张老妈子在榻边伺候着。石美又将张妈打发开去，摸摸明珠的额角，才低声地向伊的好朋友安慰：

"珠妹，你放心，不用哭。你告诉我，那个人是谁？"

明珠仍用手巾掩着脸，伏在枕上抽噎地不答。

石美又偻近些："这究竟是怎么一回事？那个人可是打算行刺你？"

明珠的反应依旧是一种凄楚的呜咽。石美沉吟了一下，伸手抚摩着伊好友的卷发，又恳挚地低问：

"珠妹，你我总算是知己朋友，是不是？你究竟有什么样的困难？要是我的能力办得到，一定帮助你。"

明珠才缓缓地露出半面，含泪答道："姐姐，我很感激你！"

"那么，你告诉我啊。"

"姐姐，请你原谅。这件事我还得静静地想一想。"

又是一片静默。明珠的抽噎声减少了，可是伊的脸仍给手巾掩护着。石美凭着极度的诚意，像一个慈母抚慰爱女般地再婉声低问：

"珠妹，你不用疑虑，尽管说。我必尽力所及，给你解决这个难题！"

"姐姐，你如此待我，我真是感激万分！不过此刻我实在说不出。你请暂时回府，让我静静地思量一会儿，再来请教你。"

石美有些失望。究竟是什么一回事呢？但明珠既然这样子缄口不说，伊也不便相强。

伊又问道："好。那么你此刻身体上觉得怎么样？"

明珠道："现在我没有痛苦，只是脑子里略觉昏乱罢了。"

石美在明珠的腕上按了一按脉，说须服些安神药，就写了一种安神剂的方子，叫老妈子往药房里去配购。伊又给伊将两扇一东一南靠街的窗，一齐开了，以便通进些新鲜空气。

末后，伊又向明珠道："珠妹，你好好地躺一躺，我暂时回去，晚上再来瞧你。但你不用忧愁。你得知道什么事总有个解决的方法，悲伤是没有用的。"

明珠点点头谢了一声，仍不起床。金石美就辞别回去。明珠哭泣了一会儿，越发悲哽了。伊缓缓地从榻上坐起来，瞧着墙壁上挂着的母亲的遗像，呆呆地出神，泪珠渗渗地挂满了伊的粉颊。

伊低低地哀呼："妈！你的女儿有危险了！妈，你能救我吗？唉，谁还能够救我？"

叭叭的汽车的喇叭声音在伊的门前停住了。

伊不禁暗暗地吃惊道："这可是洁身？我怎样见他？"

伊走到窗口探头一瞧，门口停着的果真是洁身的那辆黑漆汽车。伊又着急了。伊的双手捧着胸膛，似乎怕那心儿会撞穿了胸骨跳腾出来。伊的脸上红一阵白一阵，真是说不出的难受。不料不多一会儿，伊又听得那汽车叭叭地开回去了。明珠暗暗诧异，不知道洁身怎么就退回去。伊的一颗惶急的心略略安宁了些。其实洁身的退去，原出于金石美的锦囊妙计。明晖听从了金石美的吩咐，看见洁身来临，就竭力阻挡，说他的姐姐正在休养，不许他上楼。洁身听说这是医生的吩咐，虽急于要见见爱人的面，然也不敢十二分固执，只得悻悻地回去。这一来倒给明珠解除了一种难关。

可是明珠的魔劫大有再接再厉之势！

十分钟后，那叫作小王的人又在伊家的门外出现了。小王的举动似乎很小心。他先在前门的隙缝中偷窥了一下，看见明晖正垂头丧气地交抱着两臂，在客堂和厢房中间踱来踱去。小王不敢冒昧，急急地退下去，转了一个弯，在后门上推了一推，后门闩着。他也不敢叩击，徘徊了一会儿，忽仰起头来，向窗口上望一望。玻璃窗却完全洞开，里面的淡蓝纱的窗帘为风力所引，在窗口外飘拂不定。小王的眼珠旋了几旋，接着是微微一笑。他走前几步，到一个较僻静的地方，从衣袋中取出纸笔来，匆匆写了两句。他又偻着腰从地上拾起一块碎砖，将那写字的纸包在砖外。他重新回到了明珠卧室的窗口下面，先向左右瞧瞧，没有人注意他；便取出砖包，望准上面的窗口用力一掷，果真掷进了卧室里去。

阁笃！

那砖块落在楼板上面的声音相当大，不但使明珠惊跳起来，连下面的明晖也闻声诧异。

明珠回头一瞧，看见楼板上有一个小小的纸包。伊明知它是从窗外掷进来的，急将素巾抹了抹脸，凭着那福佑路的南窗向外瞧视。街上没有异状，除了往来的行人和车辆，并没见什么可疑的人。伊回转身来，弯着腰拾起那纸包，随将纸包拆开来。伊的手指在颤动。

那纸上写着：

今夜十时，请到浙江路利远旅馆三十一号来一谈。如再失约，休怪我无情！

王

明珠呆住了。那纸条仍执在伊的手中，不声也不动。伊的脸色起先是灰白，渐渐由白泛红，伊的头也垂落了。一刹那间，伊忽又挺直了腰肢，伊的柳眉紧蹙着，星眸怒睁着，露出一种下了某种决心的神气。伊将那张小纸捏作一团，愤愤地向地板上一掷。

伊自言自语地说："只有这一条路哩！……也没有别的方法！……唉！我也顾不得许多了！"

伊回身向妆台走去，开了抽屉，寻出一把牛角柄的短刀。伊将刀抹拭了一下，握着刀扬了一扬。伊又旋转头来，闭着嘴唇，向墙壁上连连点头。伊做出一种无声的表示，分明要借重这一把小刀，解决伊的圆满婚姻上的一重障碍。

旅馆中

八月九日那天晚上，蓦地刮起了一阵季候风，天气比较凉爽。金石美在晚膳过后，又想起伊的好朋友赵明珠来。伊记得先前曾约定晚上再去看伊。伊很惦念明珠的身体究竟怎样，又疑惑伊为什么不肯坦白地告诉伊。到了九点一刻，伊便动身往明珠家来。石美在车中寻思，日间的事实在太出意外，却推想不出它的底蕴。

伊暗自忖度："那个开汽车门的男子究竟是谁？明珠一看见他，又何致如此惊惧？瞧这样子，似乎明珠早就认识他。但伊和他的关系究竟是怎么样的性质？昨天在我家里打电话给霍桑的，会不会就是明珠？"

石美又联想到明珠已往的历史。伊知道明珠的家况是很清寒的。伊从苏州师范学校毕业，也是出于伊的小学校长的帮助。伊的父亲跟母亲的历史怎样，石美并不深悉。但明珠平日的行径是很端谨的，又觉得这一回事未免来得突兀。石美一路想来，很替明珠担忧。伊满望此刻去见明珠，必能问一个水落石出。从伊和明珠的深切的交谊上估量，明珠纵有隐秘的事，谅来也不至于始终缄默。

石美的车子驶进了丹凤路口，将近福佑路的转角，距明珠的寓屋还相差四五家门面，伊忽然遥遥望见转角的电灯底下，有一个浑身黑衣的女子，正站在一辆黄包车前，看那车夫将车篷拉下来。一会儿，这黑衣的女子跨上了车座，那辆车子便向着石美的车子迎面拉过来。在这一瞥之间，石美不觉吃了一惊。因为那女子虽用白巾把面部掩住了，但还逃不过石美的眼睛。伊认识这黑衣的女子就是赵明珠！

伊寻思道："哎哟，明明是明珠啊！为什么如此？伊莫非当真要赴什么秘密约会？太奇怪！"

那下篷的车子已急速地向北奔去。石美忙吩咐自己的车夫不必停下，掉转了方向，也跟着那前面的车子行进。伊先想追上去招呼，转念一想，情势如此，似乎不便冒昧撞破。伊打算悄悄地跟伊去，瞧瞧伊到底有什么举动。

当这两辆车子一前一后地行经民国路的时候，忽有一辆黑漆的汽车迎面疾驶而来，车中坐着的正是钱洁身。他本是来看赵明珠的，可是不幸得很，当面错过，彼此都不曾注意。

这黑漆汽车转弯驶进了丹凤路，直到赵家门前停住。洁身跳下车来，急急地上前去叩门。赵明晖正在厢房中默坐深思。叩门声扰乱了他的思绪，他立即从藤椅上仰直了身子。他觉得那叩门声特别急促，心中暗暗惊异，走到厢房门口，忽又踟蹰地站住，有些不知所措。

砰！……砰砰！砰砰！

连续的叩门声好像打在明晖的心头上，使他激动得厉害，但他终于走出去开了门。

钱洁身匆匆闯进了门，仓皇地问道："明晖弟，你姐姐怎么样？有没有危险？"

明辉看见是洁身，脸上的神色略略自然了些。他瞧着洁身答话。

他含笑答道："我道是谁？是你！……洁哥，你这样子叩门，也许会使伊惊醒！伊刚才服了安神药水，正睡着呢！"

洁身点点头，似也放心了些："唔，不错。我委实太冒失。现在请你领我上楼去瞧瞧。"

明晖作迟疑状道："金姐姐说过的，姐姐必须静静地休养，不能和任何人谈话。洁哥，伊此刻睡着，请你别上去。"

洁身有些不高兴："我瞧一瞧伊，总不妨事吧？你放心，我决不和伊谈话。明晖弟，快领我上楼。"

明晖仍摇头不肯。他的身子好像做出一种拦阻的姿势。

洁身似乎按耐不住，作愠怒声道："明晖弟，怎么？你不让我上去？"

"不是，不过……不过……姐姐要睡……"

"我决不叫醒伊，我只要看一看。"

"我想你还是停一会儿再来——"

"不！我一定要上去！"

洁身已有些怒气，把明晖推开一些，就夺身前进，冲进了客堂，转瞬间已上了楼梯。明晖阻拦不住，呆了一呆，只得跟在后。

洁身奔到了楼上，看见客堂楼上的房门锁着，知道是二房东的卧室。他在侧厢的门上用指弹了一下，却没有声音。一丝灯光从门隙中透露出来。洁身叫了一声"珠妹"，仍不听得答话。他再也耐不住，立即引手推门。门竟应手而开，他就轻轻地放步进去。他走到床前，白珠罗纱的帐子下着，仍是静悄悄的。洁身站住了再叫一声"珠妹"，仍没有答应。他低头向床前一瞧，不禁怔了一怔。他有些惊讶，有些进退不得，接着他下一个决心，伸手揭起帐门来。

床上是空的！

洁身愣住了，嘴里低低地惊呼。他旋转身来向室中瞧瞧，也空无所有。但明晖已跟了进来，灯光照见他的面容有些变色。

洁身厉声问道："你姐姐呢？"

明晖也望见了空床，回答不出，颜色越发白了。

"说啊！你姐姐在哪里？"

"唉！我……我不知道伊到哪里去了……即刻张妈下楼睡时，还说……还说姐姐服了药，正安睡着……"

洁身觉得这孩子不但语声战栗，连他的身体也有些发抖。他低垂着头，目光仍瞧着空床。他脑海中的惊潮疑浪雾时间层叠而起。

他减低些声浪，问明晖道："你当真不知道你姐姐上哪儿去了？"

明晖点点头："是，我委实不知道。"

"你自己可曾出外过？"

"没有……也没有……没有。"

洁身一边问话，一边移动目光，在室中乱瞧。他忽见地板上有一块碎砖，似乎觉得有些异样，便俯身把砖拾起来。

明晖说："洁哥，你等一等，我下楼去问问张妈。"

洁身不理会，听明晖下去。他拿着拾起来的砖块仔细查验。他虽觉这东西不应在这卧房里，但瞧了一会儿，仍寻不出什么头绪。他再扩大他的视域，查看每一个角落。他又看见壁脚下有一个小小的纸团，忙走过去拾了起来。他把纸团展开来一瞧，他又愣住了。那就是小王投进来的约会的纸条！

"太奇怪！伊会到那边去？为什么？"

洁身思索了一会儿，虽还不明白底细，但明珠失踪的缘由，已约略猜到了几分。他瞧瞧手表，正相近十时。他料想明珠一定是往这约定的利远旅馆去了。他在迅速的决策之下，认为眼前唯一的计划，只有立刻追到浙江路利远旅馆去，别的事更不暇深究。

他把纸条放在袋中，匆匆地下楼。他走到梯下，看见明晖已叫了那老妈子起来，以备洁身问话。洁身却绝不停留，点了点头，便向外奔出去。他到得门外，一边跳上汽车，一边向司机说了一声浙江路，那汽车便风驰电掣般地驶去。

当钱洁身从明珠家退出来时，明珠和石美的黄包车，早已一前一后地到达浙江路利远旅馆的门前。明珠在旅馆门口略略踟蹰，便低着头匆匆进去了。

石美的车子也早在旅馆的左近停下了，伊因着急于要尾随明珠，只顾昂起了头，急急追上前去。不料伊走到旅馆门口的阶沿下面，忽被人在手臂上一把拖住。伊吃惊回头，见是车夫，才记得忘记了付车钱。旅馆门口有许多人出进，那些人虽不特别注意，但石美已觉得羞窘万分。伊慌忙从衣袋中取出钱来付给车夫，匆忙中竟将袋中的一块素巾遗落在地上，伊自己毫不觉察。

在这当儿，明珠已掩面登楼。楼梯上上落的客人很多，有轻薄妖娆的妇女，也有鬼鬼祟祟的烟鬼、赌鬼，人品既杂，语声也很喧闹。故而明珠上了楼梯，东张西望地直寻到三十一号的门前，竟也没有引起人的特殊注意。

伊在三十一号室门外踌躇了一下，便将掩面的素巾纳入衣袋，顺势在袋中摸取一种东西，紧紧地握着。伊的左手握住了门钮，用力一旋，室门便应手而开。一转瞬间，明珠已走了进去，室门便重新关上。

旅馆门外的金石美，在付过车钱之后，又昂着头逡巡了一会儿，才决意进旅馆里去。伊刚跨上了阶沿，偶然回头，忽见有一辆黑漆的汽车正在旅馆门前停止。石美微微一怔，忙闪身入内，再探头向门外一瞧，看见一个穿白条纹府绸西装的男子，早从汽车中跳下，急忙忙跨上阶来。伊认识这男子正是明珠的未婚夫钱洁身。

石美不能不惊奇了。洁身怎么也会尾踪而来？明珠的某种秘密已被他瞧破了吗？他好像是怒容满面，分明不怀好意。那么后果怎么样？不但洁身和明珠的婚姻再没有团圆的希望，今夜也许会闹出大乱子来吧？但石美自身也处在闷葫芦中，看不透内幕中的秘密。伊能从中挽救吗？不，这当然不可能！伊只索避过一旁，让钱洁身走进去。一个茶房从外面进去，在阶石上拾起了那块遗落的白巾。石美也不曾觉察。

洁身在账柜上问了一问，就径直上楼。到了楼梯头上，他看见一个白长衫上绣着红色的"九号"字样的少年茶房，便拉住了问话。

他问道："你可曾看见有一个女人——一个年轻的女人上来？"

那茶房呆了一呆，含笑答道："女人？唔，年轻的女人？……这里出进的年轻女人多着呢。先生，你问的女人怎样打扮？"

洁身寻思了一下："大概是穿白色衣裙的。"

茶房随便地答道："喔，方才有一个穿白绸的女人走出去。也许就是你要找寻的人吧？"

洁身握着拳头，咬着嘴唇，似乎不知道怎样回答。

茶房反问道："你可知道伊住在什么号数？"

这句话似提醒了洁身。他忙答道："唔，三十一号。"

九号茶房道："三十一号就在那边东首的甬道里。"

"是姓王的吗？"

"不，他姓陈，是一个男客。"

"此刻有女人进去吗？"

"我没有看见有什么女人。你自己进去问吧。"他有含意地笑了一笑，掉头走开。

洁身依着九号茶房所指示的甬道走过去，到了三十一号门前，他又立定了踌躇起来："不会误会吗？闯进去会有什么后果？"他忖度了一会儿，又握拳咬唇地下了决心，决定进去瞧一个究竟。他举起两个指头，在门上弹了两下，没有回音。他又附耳在门上细听，似乎室中早有戒备，也听不出什么。他终于放大了胆子，引手用力一推，就推门进去。

在钱洁身进入以后，那三十一号的室门又照样关上了。可是只隔了一两分钟的光景，洁身忽而又仓皇地退出来。他的态度突然改变，和进去时已完全不同。他面颊上的血色都消失了，愤怒的目光也变换了恐怖。他的两腿从楼梯上一级级走下来时，也有些颤动。他且下且取白巾抹他的手指。到了楼下，他又露出一种掩避的神色，好似防人瞧见他一般。直到他走出了旅馆，跳上汽车，车轮开动了，直到他靠在车座上面，他的心房还是跳荡不定。

那时候金石美仍逗留在旅馆的对门。伊因着惊异的缘故，既不敢跟着上楼，又不愿先自回去。伊看见了钱洁身退出来时的模样，不禁悄悄地自言自语：

"不好！瞧他的神气，分明已出了什么重大的乱子！这究竟是怎么一回事？楼上闹过什么事吗？明珠怎么样了？不会有什么危险吗？"

石美正目送着那飞驰的汽车，回头一瞧，忽然看见一个浑身穿黑衣的女子也在从旅馆里走出来。那女子低垂了头，又隔着马路，当然瞧不清面貌，但伊举步的姿态，在石美眼中非常熟悉，一望便知是赵明珠无疑。石美正想走过马路去招呼，恰见有一辆电车驶过，阻止了伊的行进。等到电车过去，明珠忽已不见。伊再向左右两面一瞧，有一辆黄包车正向南面进行，不知道是不是明珠，但车子已去远了，已不便叫喊。伊犹豫了一下，觉得自己的神经也太紧张，没法宁静下来，一时也想不出什么适当的步骤。伊在路边的人行道上下定了主意，伊应利用明天清晨的时间，做一番缜密的思考，然后再打算进行的方式。于是石美仍抱着整个疑团，雇了车子回北川路自己的家里去。

两条线索

八月十日的清早，上海各报纸上都载着一段简单的谋杀新闻：浙江路利远旅馆三十一号房间中一个名叫陈寿林的旅客，忽在上夜里被人用刀刺死。这陈寿林在九日晚上八点钟时，在房间里吃夜饭，晚饭后不曾出去。到十一点钟时，有个茶房走过三十一号，看见房门开着一些，里面灯光亮着，探头进去瞧瞧，便发觉他已死在床上。但凶手是谁还没有端倪。

到了八点钟时，警察总署侦探长汪银林已经邀了霍桑，一同到利远旅馆去察勘。那时那个化名陈寿林的小王，仍直僵僵地躺在床上。床是铁质的，一端靠壁，床上的单被依旧折叠着，白纱的帐子也仍钩起。尸体是覆卧的，身上穿一套白色花绸的衫裤，脚上的丝袜和缎鞋也都没有脱卸。尸体的背上却露着一把刀柄。汪银林在床前站了一站，轻轻将尸身上的刀拔出来，随即将尸体翻转一个身，才看见胸口上有一大摊血渍。他的眼睛张着，可是它的狡黠性已给死神所抹杀，只是空洞洞地凝滞着。膏抹的头发有些散乱。雪花霜丧失了它的掩护功能，额角上的皱纹便一条条地暴露出来。没血的嘴唇张开着，漏出两排灰色龈的牙齿，助长了刺目的丑态。霍桑偻着身子，用放大镜在伤口上细细地照了一照，便指着死者的胸口，向银林说话：

"这伤口很阔大，足有二寸光景，显见下刀时的猛烈。我瞧这一个伤痕足以致命。"

"是，这见解我也赞同。可是凶刀怎么反插在背上？"

霍桑皱着眉峰，迟疑了一下："唔，很费解……"

汪银林接着说："你想会不会凶手下刀以后，防他未死，或是凶手的余怒还没发泄，故而再在他的背上刺了一下？"

霍桑摸着下颌，点点头："那也可能。"他从汪银林的手中取过了那把从尸背上拔出来的木柄凶刀，仔细瞧了一瞧，忽而惊讶起来："这刀竟如此狭长！倒是出我意料的。"

汪银林着手解开尸身上的衣纽，似乎要检寻其他的伤痕。霍桑也帮助他，又用放大镜照验尸身的全部。他看到颈项部分，忽又发现头颈里有三个粗大的指爪痕迹；那颈皮已被指甲抓破，还有殷殷血印。霍桑指给汪银林瞧了以后，又在日记簿上写了几笔。他随即又向室中查验，先在地板上寻出了两点血渍；又拿出电筒，在床背后验视了好一会儿。他从床背后回过来时，汪银林已在向那个陪同察勘的有短须的姓吴的旅馆账房问话。霍桑在旁边听了一会儿，也插入一句。

他问道："吴先生，昨夜里可曾有一个女客到这里来过？"

账房摇头道："没有啊……我……我不知道。"

汪银林说："喔，霍先生，你知道有个女客来过？"

"是。床背后的地板上积着薄薄的灰尘，显出两个女子的足印，高跟鞋，很显明。"

账房接口说："唔，那么让我去问问茶房。"他说着便匆匆退了出去。

霍桑趁这空儿走到衣架面前，伸手向挂着的一件阴白印度绸长衫袋中搜了一搜。袋中除了一只烟盒，一本小册子和一支铅笔以外，另有一只皮夹，内中约有二十多元钞票。此外毫无异点。不多一会儿，那姓吴的账房领着一个第九号的少年茶房走进来。账房先生的手中还拿着一块白色的纱巾。

账房说："这块手巾是楼下的十七号茶房阿四昨夜里在大门口拾得的，好像是女子用的东西，先生，你瞧瞧，有没有关系？"他递过了白巾，又指着少年茶房，向霍桑说："这是根保，是这堂口的领班。他说，昨夜里不曾看见有女人到这房间里来过。"

霍桑先将白巾接过，凑到鼻子上去嗅了一嗅，又细细瞧验，发现手巾角上有小小的白线编成的"ZM"两个交花的英文字母。他的目光闪了一闪，谛视着手中的白巾，嘴里喃喃地咕着："这样巧？"接着他把白巾授给汪银林。汪银林略一察视，忽先发表他的见解：

"这两个是外国字啊。"

"是。但现在上海人有西文拼音名字的很多。"

"它是在下面大门口拾得的。"

"是。但落掉手巾，不能不算是慌张的征兆，说不定会有关系。你嗅一嗅，有什么气味？"

汪银林果真将手巾嗅了一嗅："并没有香味，可是像有一种药味。"

霍桑点头道："对，我也觉得如此。对不起，这手巾让我暂时保存着。"

汪探长点点头，寻思了一下，便将白巾交还了霍桑。霍桑旋转头去，开始问那少年茶房：

"你叫根保？是这部分的领班？"

"是。"

"你说昨夜里没有女人进过这房间？"

"是，我没有瞧见。"

"昨天白昼呢？"

"也没有。他是前天早晨来的，我没有看见什么女人来看过他。"

"那么可有什么别的人来过？"

根保舔舔嘴唇，踌躇了一会儿，仍吞吐着，好似急切间想不出答语。他低头追想了一会儿，方始回答：

"我记得昨天饭后两点钟光景，有个穿黑拷绸衫裤的短小的男人——约莫二十岁——来推三十一号的门。"

"唔，推门？进来没有？"

"没有。那时候这陈先生不在。"

"你问过这推门的人没有？"

"问过的。他说要找一个姓吴的女人。我回答他不是，他也就走了。"

"以后又来过吗？"

"没有。"

"还有别的人没有？"

根保搔搔头："我记得这客人进来的时候，另外还有一个黑脸的大汉子陪着他来——"

霍桑忙道："唔？一个黑脸大汉子？这大汉昨夜里可曾来过？"

根保摇头道："不，我……我也没有瞧见。但是另外有一个人……”

他忽而又舔着嘴唇，眼光移向那个有须的账房，顿住了不说。

霍桑催促道："你为什么不说？这另一个人是谁？"

"说啊，你怕谁？有什么顾忌？"汪银林因着这第九号还在犹豫状态，打气似的催逼一句。

根保道："有个西装的少年，我不知道有没有关系，因为他并不是来看这陈先生的。"

霍桑说："你说说看。他怎么样？"

"他起先问我有没有看见一个穿白衣的女人。我回答没有，问他找哪一号。他才说三十一号，还问我是不是姓王。"

"他就走进这里来吗？"

"我没有看见，不知道。"

"那时你曾走开过吗？"

"不，我没有出去。不过我要管十六个房间，常走来走去，并不站定在一个地方。"

霍桑的目光闪动了一下，向汪银林瞧瞧，似暗示这个西装少年很有注意的价值。

他又向第九号问道："你把那个人的状貌说一说。"

根保又低头追索了好一会儿，才道："那人很漂亮，身材比先生你低些，也瘦小些。我看他的年纪还不到三十。他身上穿一套白府绸的西装，打扮也很时式。"

霍桑瞧瞧银林。银林点点头，表示会意。霍桑又摸着下颌，默自想了一想，又问第九号那黑汉的状貌。

根保说："这个人样子很可怕，个子很高，黑色的脸，有个大蒜鼻，下巴上须根墨黑。我以前好像看见过他。"

"唔，那么这人怕是这里老客人？"

霍桑的问话没有回音，第九号但摇摇头，又瞧瞧那账房先生。汪银林看见了，就问那账房：

"吴先生，你可认识这个人？是不是老顾客？"

账房连连摇头道："不，我不认识他。他一定不是这里的熟客。"

霍桑点点头，向汪银林说："好吧，我瞧这件事并不难办。我们若上劲些，不久便可解决。此刻你可以在这里料理一下，招呼伙友们，想法子把那个黑脸大汉找来问一问。我从另一条路去查查那个西装少年，一得到线索，我马上会报告你。"

汪银林依允了，霍桑随即离开三十一号房间。他走出了旅馆的大门，又从袋中取出那块旅馆账房交给他的白纱巾。他重新把这纱巾凑在鼻子上嗅了几嗅。接着他点了点头，便雇车往北川路去。

原来霍桑在尸室中既已发现了女子的足印，已确信有个女子进去过。这一小方纱巾也明明是女子的东西，虽是在大门外拾得，也许事有凑巧。巾角上"ZM"二字，和前天打电话而否认的金石美医生的名字的拼音相合；并且白巾上还带着些药味，更像是医生身上的东西。因此，他认为这里面也许有某种联系，就定意先往金石美家去尝试一下。

这时金石美已在伊的书室中读悉了报纸上的谋杀新闻，心中正自杌陧不安。据伊料想，这案子分明是钱洁身干的。论势，明珠也必同时在场，很像有通同——至少有知情——的嫌疑，但不知那被杀的陈寿林是什么样人。伊正在推想这案子怎样解决，有什么方法可以免除明珠的嫌疑，忽又看见霍桑的名片递进来了。伊既不能回避，一时又不能震慑伊的神思。伊的医生的素养，这时竟也摇动起来。霍桑一看见石美形态慌张，便觉得他的推想已不像完全落空。他行礼坐定以后，便乘机作虚冒的问句。

他说："金女士，请原谅。我前天来这里时，可惜你不肯说明，才造成这不幸的后果。今天的情势不同了。金女士，你不能不据实见告了。"

他说话时，他有力的眼睛凝注在石美的脸上。他看见这女医生玉容惨白，唇吻忽张忽合，像要答辩，一会儿又低垂了头，似乎一时又无从答起。

霍桑又说："金女士，我想你是受过教育的，我们还是开诚布公的好。"

石美勉强抬起头来："霍先生，你说的是什么一回事？我不明白。"

霍桑不答，指着书桌上的报纸，说道："这报纸是今天的？那么这案子发觉的消息，你也早已知道了啊。我想还是你自己说方便些。"

石美啮着嘴唇，勉强应道："霍先生，你这话有什么意思？你要我说什么话呀？"

霍桑直截应道："就是你昨天夜里往利远旅馆去参与谋杀陈寿林的一回事。"

石美的身子不由自主地震了一震。伊作惊骇声道："什么？谋杀？……谁说我有这一回事？"伊站直起来。

霍桑仍婉声答道："金女士，请安静些，坐下来。喏，你自己瞧吧。这还算不得证据吗？"

他手的动作配合着他的问句，早从衣袋中摸出那块白纱巾来。他用两手撮了手巾的两角递给金石美瞧。这举动可以运用一下"动如脱兔"的形容，使石美无从准备。伊又愣了一愣，忽自然而然地在衣袋外面摸一摸，随即低垂了头，再没有话说。

霍桑反作安慰声道："金女士，请放心。我知道这案子必是另一人干的，实际上与你无干。我又知道这件事，你是知情的。现在你为辩白自身和主张公道起见，必须把你所知道的情形，凭着你医生的忠实态度，完全说明。"

金石美的头依旧垂落，并不回答。

霍桑仍用温婉的语调说："金女士，你总明白，这是你的义务——一个公民对于法律所负的不可避免的义务，是不是？"

石美显然已没有抗辩的能力。伊依旧低沉了粉颈，隐隐有一声叹息从伊的嘴里吐出来。一会儿，伊仰起了紧蹙双眉的脸，果真把上夜里在旅馆门口所经历的事实毫不遗漏地和盘托出。不过伊的语气都是客观的观察，并不指定什么，伊对于明珠也不无有几分袒护的意思。

霍桑听完了伊的故事，点点头，醒悟地说："唉，这里面还有这样一重曲折，我真想不到。"他略顿一顿，又问石美说："你自己没有上楼去？"

石美坦白说："没有。我只在旅馆门外勾留了一会儿。我的手巾也定是在那时候落掉的。"

"那么前天的电话，你想也是赵明珠打给我的？"

"我想如此，因为我的弟弟说，那时候伊似乎来过。不过明珠不曾告诉我，我也还没有机会问伊。究竟是什么一回事，我也不知道。"

霍桑认为石美的说法是真实的，这凶案的真相，伊也蒙在幕中，所以他并不费工夫深究。他不再延搁，问明了钱洁身和赵明珠二人的住址，便辞别出来。他先赶往吉祥路去见钱洁身，不料扑了一个空。据钱家的仆人说，小主人不在家里，也不知道到了哪里去。

霍桑寻思道："唔，他跑了吗？不过这一条线索既已凿通，迟早总可以循迹推案。我把这消息报告了银林再说。"

可是霍桑到警署的时候，汪银林不在。

汪银林着实忙碌了一会儿。他和霍桑别后回到了署中，便吩咐全体探伙们，赶紧侦查那黑汉的踪迹；又派人到旅馆门外去，向那些专在旅馆门口接生意的车夫们探听与凶案有关系的消息。他私忖霍桑自己进行的那条路索，势必比黑脸汉的一条更加重要。他虽没有说明从哪方面着手，但这绝不是他故意守秘。因为他知道霍桑素性耿介，成就了必归功于他，他"坐享其成"的例子，在他的往史中未尝没有。

半个钟头以后，忽有一个探伙带着一个黄包车夫进来。那车夫还是少年，名叫杨纪堂，经探员们调查以后，他自愿作证。他说昨夜十点半光景，有一个穿黑衣的女人，在利远旅馆门口叫他的车子。那时候伊很慌张，还吩咐将车篷拉下了，似乎要避人瞧见，情迹非常可疑。汪银林暗思霍桑说过这里面有一个女子。现在这一个意外的消息，时间上恰相符合，觉得很高兴。

他忙问道："这女子坐你的车子到哪里去？"

车夫道："到丹凤路口。我看见伊从一个后门里进去。"

"你认得这个后门？"

"我认得。"

"好，我跟你去走一趟。要是不错，回头给你赏钱。"

在这个时候，赵明珠的处境真是难受至极。伊因着夜来的惊变，精神恍惚，失了常度。伊的额角上热得像火炙一般，好像真的患病了。伊已一夜没有合眼，此刻横躺在床上，仍是穿着夜来的衣裳，翻来覆去地不能安宁，好像有一支利箭连续不断地在那里刺伊的心房。

十点左右，伊忽听得门外有汽车停止的声音。伊忙从床上跳起来："洁身又来了？"伊的疑问立刻得到证实。伊果真听得明晖在楼下和什么人谈话。"怎么办呢？"伊十二分惊惶，可是这时候伊已无处藏身。

一转瞬间，洁身已"阁阁"地上楼；更一刹那，他已闯了进来。明珠也曾鼓足勇气，抬头看过他一眼。伊看见他穿着一身白府绸条纹的西装，神色仓皇，一双乌黑的眼珠里，充满着骇光。明珠怕极了，可是又没法逃避。伊只有消极地听凭命运的摆布。伊把目光垂下，颤动的娇躯靠住妆台，默默地不发一言。

洁身走到距离妆台两步的光景立定了，挺直了身子，神气显然带着威胁。

"明珠，昨夜里你到哪里去了？"他的声调也一样凛冽。

明珠不答。伊的头旋了过去。

洁身又问道："说啊！这里面究竟有什么玄秘？"

明珠仍旧是默然。伊的双手用一块素巾掩住了面庞，忽而伏在妆台上嘤嘤地啜泣起来。伊的身子也颤动得厉害。洁身固然也有些怜惜的意思，但一股怒火控制着他，剥夺了他温文的性格。

他仍带着怒声道："这件事不是一哭就可以了的！你还是实说的好！"

默然还是默然。啜泣声似乎更高纵了些。

"明珠，你太对不起我！"

阁阁！阁阁！

明晖忽然也上楼来，声言有个侦探长汪银林要见明珠。明珠突地住了哭泣，抬起头来。伊的水汪汪的眼睛看见明晖的面色惨白，他通报的语声也低哑地失了常度，分明他心中怀着的恐怖并不比伊的减逊。

伊强制着应道："弟弟，好。你不用担忧。我下去见他。"

伊抹一抹眼眶，站直了，忽又坠下去，伊的腿显然支不住伊心头重载的忧惧。洁身对伊感情的柔和方面终于暴露了。他有些不忍，张着两臂扶住伊。他的怒气也立即降低了。

他阻止伊道："慢。让我先去见见他。你歇一歇。"

他抢步下楼，一直走到厢房里面。汪银林坐在沙发上，态度绝端严冷，目灼灼地向洁身的身上端详着。洁身是当律师的人，在平日自然有相当的镇静功夫，但这时候实逼处此，竟也有些不能自持。他站定了不开口，同样用视线对抗着。人们的视线要是可以估量的话，这时候洁身的眼光的比重一定抵不过汪探长的。

银林慢慢地立起来："你是谁？"

洁身机械地答道："钱洁身。"

"唔，我因着一个证人的指引，特地来侦查那件利远旅馆的案子。你昨夜里不是到过利远旅馆的吗？"

钱洁身固然是有准备的，但似乎还不提防有这单刀直入的问句。他一时竟闭紧了嘴唇，回答不出。

汪银林又说："据一个九号茶房说，昨夜有一个穿府绸西装的人到那边去过。那人的状貌跟你恰巧相同。"

洁身还是在犹豫状态中，像在考虑应付的词句，又像在估量它的后果。

汪银林又说："我还知道那人到那边去，时间是十点光景。"

洁身仍不回答。银林的眼睛仍注视着对方。

"我还知道那人要找的是三十一号。"

那少年的犹豫还没有解除。

"唉，钱先生，那个人可就是你？"

洁身略一沉吟，忽然点头应道："是的，是我！我当真到利远旅馆去过的。"

汪银林的唇角上嘻了一嘻，暗暗地透一口气，似在自庆他的虚冒已产生了结果。

他索性进一步问道："好啊！你能够直说，也可省去许多口舌。我问你，你为什么杀死那个陈寿林？"

霍桑的义务

汪银林的初步试探已经奏效，原想再接再厉地乘胜进逼，来一个"先声夺人"的手法，使钱洁身慑服下来。不料结果却超出了他期望，而且超出得很远。因为钱洁身不但没被慑服，反而挺直了腰，怒睁着双目，又举起一手来指着银林：

"汪探长，你说话留神些！这是人命案子，不能随便乱说！"

"唔，我随便乱说？"他的神气有些窘。

"当然！指控凶手应得有证据。这是法律常识，你当公务员，应得知道！"

"唔，那么你说你不是凶手？"

"自然。"

"凶手是谁？"

"我不知道。"

汪银林吃了几句钉子，又见了这凛凛难犯的神气，反而有些气馁了。他自悔他的"再接再厉"未免轻用其锋。他镇定了些，又发了一句比较稳妥的语句：

"那么，你为着什么事去见他？"

"我不是去见他。我本来不认识他。"

"你昨夜到他那里去，做什么？"

"我去找另一个人。"

"喔？你去找另一个人？这另一个人是谁？"

"我不便说。"

"为什么？"

"这不干你的事，也和这案子没有关系。"

"没有关系？这似乎不能由你自己决定的吧？"

"可是你也不能随便决定它是有关系的。我已经说过，你得注意证据！"

汪银林也记得报纸上的新闻，眼前这个人是个新近结婚的法学博士，是个律师。他也是吃法律饭的，他的步子当然应得修正些，不能越出法律的轨道。

银林又问："好，你可曾找到你所要找的人？"

洁身仍简捷地说："没有。"

汪银林顿了一顿，又小心地采取渐进的稳打稳扎策略。他沿着法律的边线发问：

"那么，你是进过三十一号里的？是不是？"

洁身才一度踌躇。

"是的。"

"你看见陈寿林吗？"

"看见的。"

"你总和他交谈过吧？"

"没有。我进去时他已经死了！"

"喔？你能不能说得详细些？"

"我入室的时候，看见他覆卧在床上；走近一瞧，才知他已被人杀死。"

"唔，后来怎么样？"

"我不认识这个人，也不知道他怎么会被杀，所以马上退出来。"

"你没有任何动作？"

"没有。"

"那时候室中有别的人吗？"

"没有，除了那床上横着的尸体以外，我没有看见第二个人。"

汪银林用手摸摸他肥圆的面颊，点点头，好像已经接受对方的表白，但他的眼光始终留在洁身的身上。

他又问："照你的话，这件凶案，你不但没有干，也没有任何动作，更不知道它的真相。你简直毫无关系，是不是？"

洁身坚决地应道："是。"

"这些话都实在吗？"

"自然实在。"

一种迅雷不及掩耳的动作突然打破了渐趋宁静的局面。汪银林忽然趋前一步，猛力捉住了洁身的右手。

他作惊呼声道："唉！既然如此，你的指甲中怎么还有血痕？嘿嘿嘿！你还有话说吗？"

其实这一着也只是银林的再度虚冒；即使洁身的指甲中当真有血，银林的眼光也不会如此敏捷。他只因受不住对方的冷峻的对抗态度，才冒险地试一试，想发泄一下闷气。不料洁身果然十二分惊骇，赶着将手缩回去，他的面色也泛白了。

他惶然道："那……那是我推摸他身上时沾染的……我只在他的背上的刀上摸过一摸……你……你别误会。"

汪银林冷笑道："唔，误会？我想在如此情形之下，误会的绝不止我一个人吧？……钱先生，我劝你还是实说的好，省得多费空话——"

厢房的门突地给推开。一个穿黑绸顸衫的女子直闯进来，正是赵明珠。钱洁身与汪银林都出乎意料，不由得愕然相顾。

明珠合上了门，走前一步："汪探长，对不起。你们的谈话，我都已听得。但这件事和洁身……唔……和钱先生实在没有关系。我可以保证他。"

伊回头向洁身瞧瞧。洁身忽唇吻张动，似乎要答辩，却没有声音吐出来。汪银林先瞧瞧钱洁身，又瞧瞧赵明珠。他略略定一定神，点点头。

他向明珠说："不错。昨夜里有个女人到过利远旅馆去，后来在十点半左右，伊坐车子回到这里。就是你吗？"

明珠点头道："是我。"

银林道："唔，我本是来找你的，现在你自己承认了，很好。"

"我已准备把我经历的一切事都说出来，不过第一步我先得解除你的误会。钱先生和这事完全没有关系。"

"喔，你能够证明他？"

"是的。"

"有什么根据？"

"因为他进三十一号去时，我恰巧在里面。他的行动我都瞧见。"

银林的心在兴奋和激动下跳跃得厉害，但他仍维持着镇静的外貌。

他重复说："唔，你恰巧在里面！你去干什么？"

明珠的头又低了一低，随即仰起目光，毅然地答道："我去看一个姓王的人！"

"一个姓王的人？是谁？"

"就是那个被杀的人。他本来姓王，名叫金宝，人家都叫他小王。他的化名却不止一个。"

"唔，你去看他有什么事？"

"我因着他强迫的约会，在九点半时，悄悄地从我家后门出去，坐黄包车往利远旅馆。我到了那里，一直走进了三十一号。他……他……"伊的语声塞住了。

银林催促说："说啊。他怎么样？"

"他已经覆卧在床上，背上露着一把刀柄，显见已被人杀死。我吃了一惊，正想退出来，忽听到叩门的声音。我一时惊恐，就躲在床背后暂避。接着，我看见那推门进来的，就是这钱洁身先生。我知道他是去找我的，但那时他没有看见我，我也不敢走出来见他。我从帐子后面看钱先生只在那尸身上推了一推，又摸了一摸，便急急地回身退出去。所以他刚才说的话，我可以证明句句是实在的。"

汪银林的希望减弱了些。他一边瞧着明珠脸上的神色，一边又看看钱洁身。这少年正口哆目张地发呆，绝不插口。汪银林默自忖度了一会儿，才再向明珠说话：

"照你的话，这个小王也不是你杀死的？"

"当真不是。"

"你可知道杀死他的是谁？"

"我不知道。"

汪银林蹙紧些眉毛："那么，你去看小王，究竟为着什么事？你也得说明白。"

明珠忽高声说："我要杀死他！我……我起初本有杀死他的意思，这就是我预备的凶刀！"伊突然从衣袋中摸出一把牛角柄的刀来。

银林与洁身见了，都怔了一怔，彼此相看了一眼，却都说不出话。明珠的态度很从容，把那刀放在一张茶几上面，神色上凛凛然，继续发言。

伊说："现在我不能不说明了。"

伊回头瞧瞧洁身，又道："这种事，我本来不敢在你的面前说，可是此刻再顾不得了。这小王是个恶魔——是我的杀母仇人。我们本住在苏州，父亲早死，我母亲早年守孀，略略有些遗产，本也可以过活。不料伊受了这恶魔的引诱，跟着他从苏州迁到上海来。他本是一个专门欺骗妇女的恶棍，不到一年，我母亲所有的首饰积蓄，完全被他骗尽。他便丢了我母亲，悄悄地走了，那时我母亲已经有了孽孕，又是含羞，又是怨恨，在分娩时竟因难产而死！"

明珠的眼泪已从伊灰白的面颊上泻下来。钱洁身好像变作一个石像。汪探长也站直了静听。明珠经过了一度抽噎，接续伊悲惨的故事：

"这件事说起来真教人羞愧心酸！那时我还只十二岁，我的弟弟明晖十岁。我们俩受了这种耻辱，上海又没有亲戚，孤苦伶仃，几乎流落在异乡。幸亏我们有一个姓李的表舅，将我们俩带回苏州，又给我们送进了学校，才得勉强成立。

"不料在我婚期的前一天，这该杀的恶汉忽又出现，约我往大舞台去。我不知道他为着什么，也许是要向我胁索，也许有别的阴谋，总之是不怀好意，所以我没有理他。唉，我真是恨他，怕他，可是我又不能跟任何人说明！果然在昨天我将要举行婚礼的当儿，他胆敢露面，闯进我的汽车里来，像要行凶的样子。我们的婚礼便因而被破坏。后来他又丢进一张字条，第二次约我。我觉得我的前途已给他毁了，也就准备拼着一死，杀死这个恶汉，免得我死母的耻辱再宣扬开来。因此我昨夜里悄悄地到他的旅馆里去，谁知我的目的没有达到，这恶汉已被别的人杀死。这虽是他恶贯满盈的后果，但可惜不曾死在我的手里！"

惨凄的秘史随着明珠的叹声而结束了。这叹声引起了钱洁身同情的叹息。他的闷葫芦已给打破，他开始后悔他的错疑，又悔恨他态度的孟浪，但这时候他无从表示。

汪银林缓缓地说："据你们所说，这案子与你们两个人都没有关系，是不是？不过在真凶查明以前，你们究竟还脱不了嫌疑。因为这都是你们一面之词，毫无佐证——"

明珠接口道："先生，你要证据？可是在这状况之下，我又从哪里去找证据？"

钱洁身忽走前一步，毅然地说："汪探长，你既然不相信，不妨把我一个人捕去，用不着再连累伊。"

银林说："不过事实上伊的嫌疑比你更重．我不能擅专——"

厢房的门又开动了。明珠的弟弟明晖，突然推门而入。他的面容惨白，两眼张大得可怕，呈露出一种凶光。室中的三个人都愕异地注视他。

明晖挺身而前，大声说："汪先生，让我来说明白吧，免得带累我的姐姐。这恶汉其实是我杀死的！"

室中的三个人没有例外地愣了一愣。大家都面面相觑，反觉得寂静无声。室中的空气也因静寂而越发紧张。

明晖继续说："他起先杀害了我们的母亲，此番又来害我姐姐！故而我决心下这毒手，以免他再留在世界上害人！"

银林的反应是惊喜，洁身和明珠却是诧异。明珠把身体靠着茶几，只瞧着伊的弟弟发呆。

银林问道："你这话实在吗？"

明晖只点一点头，还没有回答，明珠似乎窥破了什么，忽站直了抢着说话。

伊说："弟弟，你不要冒认！我们虽有嫌疑，但实则实，虚则虚，到底总可以水落石出。你如果想代替我受罪，我死也不承认！"

洁身也举起了右手，似要参加意见。明晖忽摇着两手，阻止别人发话。

他庄容说："姐姐，洁哥，你们听我说。我的话都是实情，并非虚认。此刻我的大仇报了，死也没有遗憾，你们何必阻我？"

他又回头向银林道："汪先生，我告诉你。这恶汉起先恫吓我的姐姐。姐姐谅必怕我弄出事来，守着秘密，不让我知道。但昨天送亲的时候，我的汽车先停，我正在下车，忽然看见前面有一个人抢着开我姐姐的汽车门。我没有看清楚，起先还不疑有什么变端，可是我的姐姐马上晕倒了，我才引起疑心。当时我曾向人丛中找寻，那个人已不见踪影。回家以后，我只默默地怀疑，还摸不着头绪。后来我忽听得楼板上阁笃一声，心中一愣，立即悄悄地到门外去探视。我看见一个人正伏在墙角，向着我姐姐的楼窗口窥探。我仔细一瞧，才认得这个人就是害死我母亲的流氓！

"以前我的年纪虽小，但他的印象已深深地留在我的脑中，故而我一见仍能辨认得出。那时候他没有看见我，只顾洋洋得意地雇了车子回去。我便也悄悄地尾随着同去，才知他住在利远旅馆三十一号。晚饭以后，我一个人忖度了好一会儿，便决意给我的母亲报仇。到了八点一刻，我溜了出去，顺路买了一把木柄的刀，混进了利远旅馆。我在没有人留意的时候，溜进了三十一号里去，准备实行我的计划。

"那时他正和衣睡着，我轻轻走近床前，乘机下刀，毫不费力。接着，我又急急地赶回家来。一来一往，时间上还不到一个钟头。我自以为这件事干得非常迅速秘密，却不料我姐姐后来也私自去见他，便造成了这个疑团。汪先生，现在你总可以明白了。我情愿跟你去受罪。这件事不但与洁哥毫无关系，我姐姐也绝不知情，请你别连累他们。"

明晖挺直了腰踏前一步，伸出了两只手，预备接受汪银林的手铐。洁身和明珠呆立在两旁，要想阻挡，又找不出理由，显然进入了迷惘状态。

汪银林看见明晖侃侃地直认，竟也不暇深思，以为凶手有了着落，这案子便可以彻底结束，感到十二分欢喜。他觉得这一次事机凑巧，他竟不劳霍桑的帮助，独力破了一件疑案，委实是很可纪念的。可是他的手铐终于没有拿出。在他实施逮捕手续以前，厢房门又开了，霍桑踱了进来。

钱洁身与赵明珠移转了目光，起先是诧异；但听了汪银林的招呼，知道他是一个公正敏慧的私家侦探，便想象到这件疑案或许还有平反的希望；因此他们的脸上都露出一种又惊又喜的神采。赵明晖却仍低垂了头，绝不理会，似乎已死心塌地地准备受罪。

霍桑一边一一地端详室中的人们，一边答应汪银林的招呼："银林兄，你何必如此心急？假使你在办公室中再耽搁一会儿，那你就用不着再走到这条错路上来了！"

银林诧异道："错路？这话有什么意思？"

霍桑反问道："你到这里来干什么呀？"

"有个叫杨纪堂的车夫，领我到这里来。他说昨夜里他从利远旅馆送伊到这里的。"他指一指明珠。

霍桑向明珠瞧瞧，又点点头："唔，你查明了些什么？"

"我已查明了凶手。"银林的眼光不期然而然地向明晖瞟了一眼。

霍桑微笑道："什么？这孩子是凶手？"

银林道："是。他自己承认的。"

霍桑顿了一顿，回头问明晖道："当真？你为什么杀死他？"

明晖直截说："我要报仇！他害死了我们的母亲！"

霍桑仍宁静地说："喔，那么你怎样杀死他的？"

明晖重复说道："我早已说过了。我走进三十一号去时，他正睡在床上。我猛力地在他的背上刺了一刀，便退出了回家来。"

"喔，你的一刀刺在他的背上？"

"是，故而他来不及抵抗。"

霍桑点点头："银林兄，还好，你这一趟还不算完全落空。"

"唔，什么？"

"因为死者背心上的一刀，也是我们起先就怀疑的，我从

各方面查究，还不能关合。现在你使这少年说明了这一点，那
疑点也有了结果了。"

银林仍莫名其妙，呆呆地瞧着霍桑："霍先生，你的话是
什么意思？这孩子究竟是不是凶手？"

霍桑自言自语地说："严格而论，这孩子也有毁尸的罪。"

"只有毁尸的罪？"

"是。"

"真凶不是他？"

"当然。"

"可是他刚才为什么自认？"

"那是他的自信，也是误解。"

"那么真凶是另外一个？"

霍桑一边取出日记簿来，一边点头应道："是啊。你瞧，
这里有一个显明的证据。这孩子如此瘦小，他的手指可合得上
死者头颈上的三个阔大的指甲痕？喏，这里有一张爪痕的图
形，你不妨比对一下。"

汪银林拿了图比对明晖的手指的时候，霍桑旋过头来，向
钱洁身瞟了一眼。他看见银林满意地点头，又继续他的解释：

"银林兄，指印的大小是不是相差太远？"他指一指洁身，
"我起先还疑惑是他干的，但第九号茶房根保说，他比我矮些，
身材也瘦小些，才知也合不上死者颈项间指痕。至于女子的手
指，当然没有这样子大，更不必说。当时我瞧了那地板上的血
渍和尸颈上的爪痕，还有那可怕的阔大的伤口，我的目光便集
注在另一个人的身上。不过案中关系的男子，多少总有些牵
连。我为搜集线索和佐证起见，当然先得设法侦查明白。"

汪银林忍耐不住地问道："那么，那真凶到底是谁，谁是

另一个人？"

"是张三虎。"

"唔？"

"就是那个黑脸大汉张三虎。"

"唉！现在他——"

"他已经让你的探伙们在春明客栈中捉住了。"

"喔，这样巧？"汪探长因着转变得剧烈，好像反而疑惑这消息的真确性。

霍桑安闲地说："他的样貌太显豁了，尤其是他的大蒜鼻给予你的手下们一个容易辨认的标记。"

"那么这黑脸汉已经承认？"

"是。他被捕的时候，那把凶刀还在他的身上，指痕也已经比对过。刚才他因着无可抵赖，已经完全招认。"

汪银林舒了一口长气，低垂了头，又微微地叹息。明珠把美目凝注着洁身；洁身也高兴地瞧着伊，伊随即将视线移开去。但明晖的眼光中并无兴奋，只有诧讶，好像他对于霍桑的解释还是半信半疑。

银林怃悢地说："唉，我当真走错了路！但那张三虎为什么要杀死小王？"

霍桑答道："那是'黑吃黑'一类的把戏。他说在一年前他和王金宝——小王——通同拐诱过一个十八岁姓王的女子，由王金宝押到营口去贩卖。不料金宝一去不返，杳无音信。直到前天早晨张三虎偶然撞见了王金宝。王金宝显然是想独吞赃款，谎说那女子逃走了，钱就落了空。张三虎是只老狐狸，看见王金宝举止阔绰，却不肯给他一个钱，用谎话来骗他，心里实在气愤不过。但当时他忍住了不曾发作。当夜十点钟时，三虎再到旅馆里去，打算坦白地跟金宝理论，但扑了一个空，没有见到面。昨晚上断黑以后，他再去找金宝索款。见面以后，金宝仍是一味哄骗，说不久有一注财源来，可以分给他些，三虎不相信，一定要现付。大家便扭打起来。三虎因着怒火烧灼了他的理智，不计利害，便拔出他随身带着的一柄利刀，猛力在金宝的胸口上刺了一刀。金宝来不及抵抗，便立即气绝。

"三虎杀了人，才觉得仓皇无措。他将金宝抱在床上，连钱都不想搜寻，就匆匆退出。这种情形，你在查验时早应明了，原不必我此刻说明。只可惜你心急了些，才多走一遭。现在你快些回去结案，我还须在这里问几句话哩。"

银林先前的一团高兴，恰像火盆中的一团炽炭给浇了一桶冷水，霎时间烟消火灭；可是一阵风过，这浇熄了的炭又重新旺起来了。他的情绪经过了连续的变动，终于有些懊恼。他勉强点了点头，便没精打采地空着手退了出去。霍桑便使用温婉的语调向明晖和明珠俩说了几句安慰的话，又究问这回事的经过情由。明珠又在含痛的状态下，把已往的惨史从头至尾地复述了一遍。这倒使钱洁身感到自咎自悔的不安。

末了，霍桑说："赵女士，可惜你前天不曾真个打电话给我。不然，你也许可以免受这一番虚惊。现在这样结束，你真是不幸之幸呢！"他忽而走到明晖的面前，伸起右手在这孩子的肩上拍了一下。他又发出一种庄肃的声浪向他训诫。

他道："小朋友，这一回事，你的用意虽然可原谅，但你的举动实在太愚笨了。试想假使王金宝不先被张三虎杀死，你一个人去和他相敌，你可会占得便宜？此番你总算是侥幸的，毁尸的罪，我还可以给你想法。但你得记着，你以后的行为，总得运用你的理智，不可全凭一时的感情冲动。"

钱洁身似乎感激已极，突然走过来握住了霍桑的手，恳切道谢，阻碍了明晖的喃喃不清的答词。

洁身说："霍先生，你抉破了一重疑障，免除了我们三个人的牵累。我不知道怎样谢你。"他摸出一本支票簿来："霍先生，你自己签一个数目吧？"

霍桑把支票推开了，笑道："太笑话。这件事原是平淡无奇的。我既没有费什么脑力，当然也不会受酬。但你们结婚的时候，如果请我喝一杯喜酒，那我一定破例叨扰的。"

洁身回头瞧着明珠，说："明珠，你能原谅我吗？我实在太鲁莽，我——"

明珠挥一挥手，似阻止他再说下去。

洁身走近去，执住了明珠的手，低声问道："那么就明天怎么样？"

明珠似允非允地把头垂了下去。

洁身高兴地向霍桑道："霍先生，明天请早些光降。正式的请帖，回头马上送过去。"

霍桑微微笑了一笑，点点头走出来。明晖一直送到门外，还再三地道谢。霍桑自然也欣欣得意。但是厢房中明珠和洁身，那种种悲尽欢来的情绪，自然更是别有一番滋味哩。

窗

香消玉碎

我坐在黄包车上，不住地昂着头向前面瞭望，恨不得立即达到我的目的地——柳荫路，何家。峭厉的东风吹在我脸上，我因着内心的焦灼，竟毫不觉得。

车夫的两条腿，一起一落地在急急前进。我竟忘了人道观念，顾不到体恤车夫，只觉得他跑得不够迅速，不能如我所愿。我预计路程，至少还需六七分钟。若使和一个知心的朋友谈话，或干什么感兴味的事，六七分钟原只是一霎眼的工夫。可是在这个当儿，我只觉得按耐不住。我在这无可奈何的当儿，又把霍桑叫专差送给我的一封短信，摸出来再念一次——这已是第七次！

那信道：

包朗：

　　我知道你是一个尊崇女性的人，尤其是对于那个何杏芳，我记得你曾经特意地赞美过。可是我刚才得到一个不幸的消息，伊已经被人谋杀了！我料想你对于这件事一定会关注，所以特地通知你。你的笔墨如果可以暂搁一下，不妨就到柳荫路三〇七号何家去走一趟。电话打不通。我因着案情的急迫，又不能来邀你同行。你赶紧直接去，我在何家里等你。

霍桑

三月十八日下午四时

霍桑的记忆力当真不弱。大约在三四年前，霍桑曾侦查过一件失珠案，那个委托的失主叫何莼香。这案子我也帮同着办的。我记得这何莼香有两个女儿和一个儿子。大女儿叫梅芳，是个丰姿绰约的少女，次女就是杏芳。那时杏芳还只十四五岁，在一个中学里读书。伊有一个白皙如玉的面庞，一双俊俏敏慧的眼睛，两条细眉。那一种天真活泼的姿态，不但当时我曾经赞赏过，伊那情影至今还留在我的心目之中，没有模糊。此刻我骤然间得到这个消息，当然要关注，而且急于要明白这件事的究竟。这活泼可爱的少女怎么会遭人谋害？霍桑既不提只字，我自然也不便悬揣。

我又记起两个月前，伊的父亲何莼香过世了。莼香曾当过什么军职，后来退职经商，做过什么纱厂的经理。他在商界里也已略略有些名望，故而他的死耗，报纸上曾经登载过。梅芳和杏芳，却并不像一般所谓"交际之花"那样在社会上活动，所以这一次的事情可算出乎意料。我按捺不住的原因也就在此。

柳荫路三〇七号，从前我曾到过几次，所以这时我远远地望见那褐色瓦的西式屋顶耸出于绿柳之上，便像遇见了数年阔别的旧相识一般。车子到了那一扇开着一扇关闭的铁门之前，我便忙着跳了下来。那盘花的铁条门上仍包着铅皮，不过铅皮上的淡绿色的油漆已经暗淡很多，分明因着屋主人的物故，屋子也有些小小的沧桑的朕兆。铁门两旁的短围墙上爬满了青翠的藤蔓，墙内排列着一行正在抽条的垂柳，和门里面那个用未斫树干搭成的葡萄棚架子，都还保存着四年前的旧状。不但如此，那个曾经被霍桑训斥过一顿的老阍人，也依旧住在那葡萄棚旁边的门房里面，分明他的司阍的职务至今没有升迁。这老人我记得名叫金寿，年纪已在六十以上。我还记得霍桑当时训斥他的缘故，就因他太颟顸。其实颟顸的考语，对于这老人委实是再恰当没有。这时候他见我走进门去，既不招呼，又不拦阻，只是跨出了他的门房，呆瞪瞪向我瞧着。

我问道："有一位姓霍的先生来了没有？"

他忽连连摇着手，答道："少爷说过的，他此刻正有事，不见客！不见客！"

我觉得这老人现在又多了一种"优点"，他的耳朵也重听了。我心中既是十二分焦急，偏偏又遇着这个阻难。若要和他解释明白，不但很费唇舌，至少总得破费四五分钟工夫。我不再答话，掉转身来，从那葡萄棚覆阴的水泥径上前进。

老阍人忽而灵敏起来，追我的背后，一把拉住我的那件薄灰呢外褂，满嘴里乱嚷："不能进去！你……你不能进去！"

正在这无可如何的当儿，忽然有一个三十多岁穿蓝色短袄的女仆，站在那朝南的正屋的石阶上面，一边招手，一边呼叫："唉，包先生，请进来。霍先生才刚上楼去。"

这个给我解围的女仆固然也是三四年前的旧人，伊还认识我，我却已记不起伊的姓名。不过这时候我也没有闲心思追想，答应了一声，便跟着伊穿过了楼下的广厅，一直走上楼去。

我们上了楼梯，有一间六角形的广室，右手里一条甬道，甬道的尽端有一个窗口，甬道的两边，各有三个门口，门都静静地关着。我暗念我每次走进一家发生凶案的人家，总有一种惊惶扰乱的景象，这一次竟是例外，全屋子都静寂无声。若不是那女仆的眼光之中漏出些惊忧的神气，我几乎要疑作走错了人家，回身退出去了。

我们走进甬道的时候，那女仆低低地说："请轻声些走。大小姐正害着伤寒，太太也在发胃气病。"

我点点头，才明白了这静寂的原因。一会儿我跟着那女仆走到了甬道尽端的靠右手的一室门前。女仆在门外站住了，向我演了演手势，仿佛叫我自己进去，伊却不预备进去。伊的眼光向地板上瞥了一瞥，忽把手掩住了嘴，脸上现出恐怖神色来。

我立即了解伊的意思。那地板本是漆着栗壳的颜色的，但抹拭得不太清洁，又因着陈旧的缘故，漆光早已磨灭，靠门口的部分更是磨损得多，已显露出松木的本色，故而即使有什么足印也瞧不清楚。就在这门口的一边，有一条细而曲的流痕，殷红触目！

那是血！

原来那门口下面并无槛条。门虽关着，可是那一股血流仍能毫无阻拦地从门下面流出来。这显然是那女仆的恐怖感觉的主因。它似乎发生了传染性，霎时间竟波及我身上。我只觉浑身一凛，我周身的毛孔好像受了本能的指挥，一时便完全紧缩拢来！

当我的手握住那门下面有血流的门钮上时，心中自然而然地悬想到何杏芳被人惨杀的景象。这又使我禁不住怔了一怔，一时竟没有勇气推门进去。可笑吗？不，我得申辩一句。一个久经临诊的外科医生，偶然因着精神上的变动，临到手术台上，竟会拿了刀不敢下手，也并不是稀罕的事。幸亏这时候霍桑已经感觉到我的临莅，便隔着门和我招呼："包朗，进来吧。"

说也好笑，我经他一招呼，好似黑夜中孤单的行人，忽然瞧见了一缕灯光，精神上顿时振作起来。我轻轻推开了门，方才跨进了一步，那地板上的惨状立即映入我的眼珠。

在门的左侧，那香消玉碎的何杏芳，斜侧着身子躺在地板上面。伊的右太阳穴上显着一个血洞，血液流过了伊的玉琢似的面颊，在地板上成了一个小涡。从这小涡中穿出一股主流，钻过门口，流到外面去。杏芳这时已经十八九岁了，当然长得比我先前所见的更娇媚。可是这时候离"娇媚"足有十万八千里！伊的眼睛虽闭，却没有合拢；那失色的嘴唇也一半张开，露出些惨白的齿尖。伊的灰白的脸加上那血液的污染，正合得着"伤心惨目，有如是耶"。伊的身上穿一件雪青软缎的长袖夹顾袍，足上一双肉色的长筒丝袜，高过了膝盖，一双橡胶底的网球鞋还是簇新的。伊的头向着靠甬道的墙边，足部向着南窗，一只右手压在身底，左手却横在地板上。从这不自然的状态推测，可见伊受伤倒地以后，立即气绝而死。

我的眼光抬起来时，才瞧见室中除了霍桑以外，还有两个男子：一个是穿淡棕色西装的少年，白皙的面庞，两条浓眉，一双美目，直挺挺地站在窗侧。他的背心袋口挂一条细的金表链，西装的胸口袋上插一支金墨水笔，又露出一些白绸蓝花的巾角。他的神气英武中带些傲岸。他就是死者的弟弟，名叫翰卿，另一个是他们的男仆，叫作林全发。这翰卿也已长成了一个秀挺颀长的少年，和我四年前所见的情形已完全不同。后来我知道他已经十七岁——小杏芳一岁——正在上海中学读书。那仆人林全发雇用还只半年，年纪在二十六七，体格很魁伟，五官也还端整，有一双流转不定的黑眼，身上穿着一身玄色假毛葛的夹祆裤，足上白纱袜缎鞋，也很整洁。

这时霍桑手中正执着一只六角形的绿色玻璃壳子的小钟，很谨慎地承在掌中，似在那里估量这钟的重量。

他说："这钟就是致命的凶器，已经没有疑问。这玻璃的一边本留着一个指印，可惜已被血液所染污了。这钟原来的位子，可是放在那里桌上的吗？"

霍桑的话似乎是向何翰卿说的。翰卿却只微微地点了点头，同时他的目光不太自然似的瞧到靠近朝东窗口的一张书桌上去。

死者杏芳正在沪江美术专门学校里习画，学的是国画。这一室就是伊的画室。室中有朝东朝南两个窗口，光线很充足。画桌上摆满了颜色盆、笔洗、画笔、画碟、砚台和各种颜色的锡罐，另有一幅没有完成的花卉画稿仍平铺在画桌面上，虽用一块古铜镇纸压着，但仍被风微微在桌面上拂动。我才知道霍桑手中的那只玻璃小钟，原放在画桌的一角，他进来以后，却是从死者头旁的地板上拾起来的。钟的一角染着不少血迹。霍桑既假定它是致命凶器，当然已没有疑义。

那翰卿的右手叉在腰间，左手摸着下颊，眉宇间冷淡而带着些傲慢。我看见了已有几分不快的感觉，又听了他回答霍桑的那种语气，更使我暗暗诧异。

他说："霍先生，我想你还是把这钟照原样放在地板上吧。我知道案中的证迹，在未曾经过官警们察勘以前，别的人似乎不应当擅自移动！"

这几句话，假使我和霍桑易地而处，未免要觉得难堪。并且他说话时勉强的微笑和冷涩的声调，尤其使人难受。可是霍桑的应付态度又出我的意料。他向我瞅了一眼，微微一笑，随即俯下身子，把那只玻璃钟照着倾覆的样子，放在死者的头侧。

他答道："不错。我委实不应当乱动。那么，你可是已经报告了警署？"

翰卿说："正是。家母的意思，恐怕这件事宣露出去，坏了家声，所以叫李妈打电话请先生来。但是这是一件人命案子，势不能随便处置。所以我不等家母的许可，方才已经通报了警署。"

霍桑连连点头道："很好，很好。你的处置非常适当。这种案子当然不能私自处办的。令堂所以叫我来，大概就因着我们有一些旧交情，要我们来从旁助理一下罢了。"

翰卿的容色似因着霍桑的几句说话，减少了些冷气。他又在腰间的一只手也放了下来，说道："霍先生，你说得对。现在你可已瞧出了什么线索？"

霍桑又微微一笑，答道："线索？唉，抱歉得很。我进来了还不到十分钟，并且发案的情形也没有听过一句。线索问题似乎还谈不到吧。"他一边说着，一边走到那画桌的侧边，靠近东窗口站住。

他又说："唉，这一扇窗没有下拴，也不曾钩住。"他就把这挂着白纱帘子的虚掩的窗索性向里面拉了开来，探头向窗外瞭察。一会儿他又把窗照样合上，嘴里不经意似的说道："外面的东风很尖峭！包朗，我瞧你穿得太单薄呢。"

这句话近乎不伦不类。他在敷衍我吗？还是受了这少年的冷待，自己在"聊以解嘲"？我正苦不知怎样回答，何翰卿忽似引起了兴味，发出一种急切的语调，向霍桑问话：

"霍先生，你瞧这扇窗怎么样？你可是——"

"唉，慢！你不听得有人上楼来了吗？这一定是那班公务员到了。"

案　情

两分钟后，霍桑的说话被证实了。一个西区的署长，同着一个警士已被那个引导我的女仆引到画室门口。那警士在门外站住，只有那肥胖的署长踱了进来。这署长名叫黄守白，和我们本有一面之交，这时自然用不到介绍。他和何翰卿招呼以后，便向霍桑说话："霍先生，你的消息真灵！这一次你又比我们先到场啊！"

霍桑微笑着答道："正是，你的记忆力很不错。不过你总记得那一次吕姓家的盗案，我们虽然先到，破获的功劳到底是归给你的。此番你也尽可以放心！"

黄署长的第一句话的含意，本来也带着些"骨子"，但听了霍桑的答话以后，他的脸上露出一种不大自然的笑容。他顿一顿，点点头，态度上变得自然了些。

他笑着道："你真好！像你这种本领，尽够得上当一个官家侦探。可惜你老是不肯，那未免太谦虚。"

霍桑忽略略曲了曲腰，答道："黄署长，你想我可以'够得上'？那未免太抬举我！"他又向我瞅了一眼，摆一摆手："好了。现在我们别说闲话。这件案子很严重呢！"

黄署长年纪已近四十，是一个胖子，有一双乌黑的眼睛。他穿一件石青华丝葛夹衫，袖子很宽。他的身材比我短去半尺光景，瞧去似乎很臃肿。但他的举动却又出人意料地非常活泼。他旋过他秃着额发的头来，向地板上的女尸瞧了一瞧。

他作叹息声道："唉！这女子长得真美丽！……可怜！……死得怪可怜！"他一边说，一边俯下身子，用指尖在死者的额角上摸了一摸。他又说："这案子什么时候发现的？谁是发现的人？"他的眼光已瞧到死者头部旁边的那只玻璃小钟。他又呼道："唉！这玻璃上有血，这钟不是一个绝妙的'时间证人'吗？我何必多问？委实太笨哩！"

霍桑忽冷冷地答道："黄署长，你并不笨。这钟算不得'时间证人'。"

黄署长已把覆面的玻璃小钟拿在手中，又急急放在耳朵上听。

他瞧着霍桑道："怎么？钟已经停了啊。"

霍桑点点头："不错，确已停了。"

"那么，这钟掷停的时间，岂非就是行凶的时间——"

"慢。这钟不是因丢掷而停止的。黄署长，我认为你得仔细瞧一瞧再说。"

黄守白有些不很惬意，皱着眉毛，走到窗口去。他在钟面上仔细察看。我也乘势一瞧。钟的长短针正停在六点半钟。黄署长抬起头来，脸上忽现出一种疑惑的神色，向着霍桑呆瞧。

霍桑很轻意地说："这有什么疑惑呢？据我所知，这案子发生了不过一两个钟头。此刻才交四点三十六分，那钟却停在六点半钟，分明这钟本来是停着不走，并不是因着掷击的震动而停顿的。你如果把后面的铜盖旋开来瞧瞧，便可知钟的发条确实已完全松散，不过并不曾断折。"

黄署长牵了牵嘴唇，乘势落篷了。"唉，你已经瞧过里面的机件吗？我却还没有瞧过哩。"

霍桑道："我还曾把那发条旋过一旋。这要请你恕我擅专的。"

"笑话。你瞧得真精细。霍先生，你对于这件案子可已有了见解没有？"

"对不起得很。我还没有听得这案子发生的经过情形。"

"唉，不错。何先生，谁发现这案子的呀？可是你自己发现的？"

何翰卿摇了摇头，但把目光瞧着他旁边的仆人，努一努嘴，仿佛说："全发，你把经过的事说出来吧。"

我们的目光不约而同地集中在那壮硕的仆人身上。他起先静悄悄地站在一旁，态度似乎还安闲，这时忽而局促起来。他的两手忽前忽后，好像不知道应安放在什么地方，嘴唇虽微微动着，却没有声音透出来。这种状态，很像是一个未经世故的少年，临事慌张失措，又像是怀着鬼胎，只怕他的故事露出什么破绽。他的情况究竟属于哪一种原因，我一时却分辨不出。他经过了几秒钟的犹豫，到底控制住了他的情绪，开始讲述故事。

林全发说："今天中饭的时候，二小姐曾吩咐我，将伊画室中的水盂和笔洗换一换清水。当时我因为帮着李妈收拾午餐后的碗碟，不曾立即就去。等到我在厨房中收拾完毕，已近一点半光景，我就上楼到这画室里来，准备给伊换水。但我走到这画室的门外，听见这里面有谈话声音。我知道许先生正在和二小姐闲谈，因此我不敢冒昧，就重新回下楼去。"

黄守白署长忽插嘴问道："这许先生是谁？"

何翰卿从旁代答道："他是我们的姨表兄，叫许邦英。今天他来探望我大姐的病的，曾在这里吃午膳。"

黄守白又问："唉，这许邦英曾到这画室中来和死者谈过话吗？他在什么时候离去的？"

翰卿的眉峰略略皱了一皱，答道："我不知道确切的时间。据看门的金寿说，他出门的时候已是两点半钟。"

黄守白道："这倒奇怪。他走的时候，你不曾送出去？"

他问了这句，忽斜着他的眸子，向霍桑瞥一瞥，仿佛表示这问句含有深意。霍桑也微微点了点头，表示他的赞同。说句平心话，这位黄署长虽有些好胜卖弄的脾气，但这句话的确问得不错，我也着实欣赏。

翰卿疑滞了一下，方才答道："他是在这里出进惯的，所以我们也不拘俗礼。我在吃过午饭以后，在那草地东面的画室里做一种化学试验，因此更不曾注意到他的离去。"

黄署长点了点头。他的眼光从霍桑脸上打了一个旋子，又停止在那男仆的脸上，似要叫他继续说下去。

全发果然继续说："我回到楼下，料想许先生总还有一会儿勾留，趁着一时空闲，便打算出去买一双袜。我取了钱出去，正交一点四十分钟，等到回转来时，已是三点将敲。我就急急地——"

霍桑突然止住他："慢！你到什么地方去买袜的？怎么竟费了一个多钟头？"

全发吞吐着道："我碰着了一个朋友，喝了一碗茶，故而多耽搁了一回。"

霍桑点点头："唔。你讲下去。你回来后怎么样？"

全发道："我把袜放在自己的房间里，便急忙忙上楼来换水。我走到这画室的门外，先站住了听一听，许先生是否还在里面。因为有一次二小姐因着我直闯进去，打断了他们的谈话，曾将我重重地训斥过一次，故而我不敢不特别顾忌些。那时我听了一会儿，室中静悄悄的。我在门上轻轻地弹了一弹，正要推进门去，忽觉有一股血腥气味直冲我的鼻子。我的眼睛向地板上一瞧，便吓得魂灵儿出窍！有一条血线正从门下面流出来！"

　　男仆的声浪有些发抖，略略停一停。黄署长和霍桑都不插口。何翰卿也默默地低沉了头。全发又说下去：

　　"我一时不知道怎样才好，心中想喊叫，又不知道里面究竟出了什么岔子。惊惶中我低低地叫了一声'二小姐'，里面仍没有声音。我就旋动门钮，放大了胆用足气力一推门，便瞧见二小姐这样子躺在地板上。唉！那时候我惊吓极了！我觉得二小姐分明已给什么人杀死了。我不敢独个儿走进来，就重新把室门拉上，退出去报告。我本想先到大小姐房中去告诉太太，但走到了大小姐的房门口，又觉得不妥当。因为大小姐病得非常厉害，太太的胃病今天恰又发作，那时她们的房中静寂无声，谅来都正睡着。我用这样的消息去惊动她们，岂不要发生危险？我一转念间，便决意先下楼去报告少爷。"他回头瞧瞧翰卿："我方才走到楼梯脚时，少爷恰巧要走上楼来。我就把我看见的事报告他。以后的事，少爷都是亲身经历的。"

　　霍桑和黄署长二人都提振了精神默默地倾听。黄署长的目光一霎一霎地注视在全发脸上。霍桑的眼睛虽也同样瞧在这讲故事的人身上，但他曾悄悄地向翰卿瞟过几瞟。翰卿视线的方向，却和这两个人的不同。他不瞧全发，只瞧着地板上的尸体；有好几次他曾偷偷地在霍桑和黄署长的脸上瞅过几眼。我仿佛是一个局外人，眼光自由得多。所以他们几个人的情状，都完全在我的观察的范畴之中。

　　经过了半分钟的静寂，那黄署长回过脸来，向翰卿问话：

　　"我想你得到了这个恶消息以后，当然就陪着他进来瞧过一次的，是不是？"

　　翰卿点头道："是的。这消息是出我意料的。我和全发一走进来，所瞧见的景状，和此刻的完全没有两样。当时我不敢擅动，便到大姐卧室里去通知家母。家母一听，几乎昏厥过去。接着，伊便吩咐打电话请霍桑先生来，我也就打发小童保生到警署里去报告。直到霍先生到来，我方才第二次走进这画室。这就是经过的全部情形。"

黄署长又低头瞧了瞧死尸。他举着右手在秃顶上搔了一搔，似乎在思忖什么。他经过了一番考虑，又向翰卿问话：

"你第一次走进来时，室中的景状可是和现在的完全一个样子？"

"是。完全没有两样。"

"当时有没有什么倾翻的椅子和其他的异状？"

"没有。"

"你也没有动过？"

"没有。"

"那么你进来以后，只是瞧了一瞧，绝对不曾有过任何举动？"

何翰卿微微咬着自己的嘴唇，两只手交抱着，做一种追忆的样子。

他答道："我曾在二姐的鼻子上摸过一摸，完全没有气息。此外并无别的举动。"他像卸责似的补充一句："好在我进来的时候，全发也一同在旁边。"

黄署长回过头来，向全发道："你第一次发觉这案子的当儿，可曾有过什么动作？"

全发摇头道："没有。我一瞧见以后，立即退出去，连门口都没有踏进。"

"那么当你推门进来瞧时，除了这地板上的二小姐以外，可曾见什么别的异状？"

"异状？先生，我不明白你的话。什么样的异状？"

"譬如有什么人——那也许就是凶手——藏匿在壁角里。你可曾瞧见或是眼角中瞥见这样的景状？"

全发呆了一呆，才慢吞吞答道："没有。我不曾瞧见什么。"

黄守白似乎瞧出了什么破绽一般，立即抢住说："我瞧你的神气，分明带着些疑迟不决的样子。为什么呀？你老实说，究竟瞧见没有？"

那仆人的脸上泛出一阵苍白，嘴唇在颤动，语声也更不自然。

他道："委实没有。我已经说过，我把门推开了以后，我的眼睛便立即瞧到二小姐身上。接着，我又马上退出。我实在不曾瞧见什么。"

黄署长紧接着说："唉，这样说，那时候如果真有人藏匿在这室门的背后，事实上你也瞧不见。因为你虽然推开了门，却不曾走进来。门背后有没有人，你当然也不能瞧见，是不是？"

全发惊骇不定的目光，忽向他的小主人瞧了一瞧，又垂落下去。

他缓缓答道："话虽不错，可是我同着少爷第二次进来的时候，和我第一次独个儿推门瞧视，相差不过三四分钟。我们一起进来时，这房里明明没有人。要是有人的话，这里的出路也只有一条。我们也应当和那个人撞见。"

黄署长的眼珠转了几转，忽又得到了把柄似的点点头。他斜着眼光，发出一种经过锤炼似的语调：

"你说只有一条出路？这不是就指从那甬道里下楼的一条路说的吗？但那东面的窗不是还虚掩着吗？并且三四分钟的间

隔，时间上也不算短啊。"

黄署长说了这几句话，他的头昂起了几寸，两只手也交握着，那种得意扬扬的神气再也遮掩不住。仿佛一个猜诗谜的酸儒，自以为谜底已经猜着，只少一层找古本出来印证的手续，便禁不住摇头晃脑起来。他注视着霍桑，似乎把霍桑当作古本，要想他证实一句，助长他的声威。

霍桑在已往的数分钟中，除了静默地观察以外，丝毫没有表示，这时他因着黄署长的高兴，似乎不能不凑凑趣。他也就不能再缄默。

霍桑的见解

霍桑向黄署长点了点头，说道："黄署长，你的意思，可是说在全发第一次和第二次进这画室之间的时间中，有一个藏匿的凶手是从那东窗口里逃出去的？是不是？"

"是啊。你想三四分钟的工夫，干这一跳的动作，时间上不是尽来得及吗？"

"是，尽来得及，而且绰绰有余！"

"这楼房并不高，从楼窗到地面，至多不过十四五尺。从这窗口里跳下去，我看也不需要什么专家的技能。"

"当真，任何人都办得到，就是你老人家跳了下去，也决不致伤损你的足筋。"

"哈哈！霍先生，那么你也和我有同样的见解？"他得意忘形地笑出来。

"唉，对不起。不过我的意见，有一点却和你有些差别。"

霍桑显然扫了他的兴，使他不由愣住了。

略停一停，他反问道："什么差别呀？"

霍桑仍婉声答道："你假定那人是跳下去的，我却觉得并非如此。那人除非有翅膀飞出去！"

"什么话？"黄署长语声中已经含着一星子火气。

霍桑却仍沉静如常："那是最平常的。黄署长，可惜你性子太躁急些，不曾先到窗口去瞧瞧，便急于发表你的见解。否则，像你够得上做警署署长的才能，绝不会有这个粗忽的假定。"

黄署长虽略略犯些夸大狂，但他的落篷的机智却也不容轻视。他一听霍桑的说话，两粒黑色的眼珠闪了一闪，便急急走到东窗口去。他拉开了那扇虚掩的窗，探出了身子，向下面瞧了一会儿，便咯咯地发出一阵笑声。

他回头向霍桑说："好一只老狐狸！我却还差你一筹哩！对，窗口上并无痕迹，下面草地上也不见落地的足印。对，我的假定果真近于早熟。"他说完了话，又是一阵笑声，把他自己的窘态完全洗一个干净。接着，他摸摸自己的秃头，又问："霍先生，你现在有什么见解？"

这句话简直是代替我发的；而且翰卿也转过了脸，显出一种同情的神气。大家分明都被层层的疑障蒙住了，感到牙痒痒地难熬，需要一种东西来搔一搔。我更急于要听听霍桑的意见。霍桑似还有些踌躇不决，仿佛他正在考虑此刻是否已到发表的时机。过一会儿，他勉强发表了他一部分见解。

他道："从眼前的事实看来，有两点似乎已略有把握：第一，当全发第一次推门到这画室门外的时候，这凶案虽然发生未久，凶手却早已不在室中。不过这一点我们必须假定全发的说话完全属实，才有根据。第二，这室中并无争斗迹象，而且所用的凶器就是画桌上的这一只玻璃小钟，便可见这凶手并不是外来的陌生人，却是和死者素来熟识的。第三，这命案的发生，大概也是出于偶然的。那凶手的初意，也许并无行凶企图。否则，那人势必要携带或使用另一种更有效的凶器。"

这三种见解，不但我暗暗地赞同，连那黄守白也连连点头，好似也因此触发了什么。

他复述着霍桑的话道："唉，素来相识的人！这句话很有意思。"他转侧些头："何先生，你当真不知道你的表兄许邦英在什么时候离去的？"

何翰卿答道："我虽然没有瞧见他出门，但他离去的时间我已经说过。他是在两点半钟走的。"

"你怎样知道的？"

"看门的金寿告诉我的。"

黄守白点点头，分明已接受这句回答。我倒有些不以为然，忽似骨鲠在喉，再也按耐不住。

我插嘴道："这老头儿太颠预不灵。我看他的话不一定可以作证。"

翰卿似不防我会从旁发话。他向我瞟了一眼，眼光中带些敌意。

他说："话虽不错，但这事恰是凑巧。我们门前有一只邮筒，每天两点半时，邮差准时来开筒收信。据金寿说，我表兄出去时，有个邮差恰巧来收信。因此，金寿这句话是可以作凭的。表兄离去的时间，的确是在两点半钟。"

黄守白寻思了一下，才说："那么，你表兄起先既和令姐在这画室中谈话，他去的时候，看门的可曾见令姐送他出去？"

翰卿答道："这一点我也问过，金寿说他只看见邦英一个人出去。"

黄署长又换一个话题："你们这里有几个仆人？许邦英去了以后，可有人瞧见过令姐？"

翰卿道："我们一共有五个仆人。我都曾问过。那李妈和那小童保生，都在楼下厨房里。他们都说没有看见二姐。还有一个小使女秋香，今天早晨有事回家去了。"

黄守白的眼光一闪，又向霍桑瞧了一瞧，自言自语地说："这样看，这一位许邦英先生，我们实在有见他一见的必要。"

他所说的"我们"字样，明明是擅专地把霍桑也计算在内的。可是霍桑也点点头表示赞同。

他道："不错，我们应得找他来谈一谈。翰卿兄，令表兄是做什么的？"

"他在沪江大学读书，读的是文科，今年就要毕业。"

"他住在什么地方？"

"黄河路九十九号。我刚才已经打电话把这凶案通告他。但据他家里的仆人说，他还没有回家。"

黄守白乌黑的眼珠再度闪一闪："那么我不得不赶紧些了。"他又瞧着霍桑，似乎要征得他的同意。其实他明明怕霍桑得了先着，故而想赶在我们的前面。

霍桑答道："你不是要去见见许邦英吗？很好，我早晚也打算和他谈一谈。"

那何翰卿的嘴唇张了一张，似要表示异议，但因着黄守白已忽遽地走出去，似又不便阻拦。这神气霍桑也已瞧出，等到黄守白带了那警士下楼以后，霍桑便向翰卿发问："翰卿兄，你不是有什么意见要发表吗？"

翰卿的手指在他的背心纽扣上抚摸着。他瞧瞧那男仆林全发，又瞧瞧地板，好似有什么说话难于启齿。

全发忽接口道："先生，我倒有些想法。"

霍桑回过头来，瞧着他道：喔？很好，你尽说。"

"我觉得这件凶案是那——"

"是什么人干的？"

"是张德禄——是他干的。"

这话一出，翰卿忽然怒睁着双目，作叱喝声道："全发，你怎么能随便乱说？"

霍桑排解似的说："我想他有意见发表，我们用不着禁止他，正确不正确是另一问题。全发，这个张德禄是什么样人？"

翰卿抢着道："他是家父的司机，在我们家里做过五年，一向是很忠心的。自从我父亲故世以后，才把他辞歇掉。全发此刻凭空说他是行凶的凶手，实在太荒谬！"

全发辩道："少爷，我不是凭空说的。上礼拜天，他来看太太，说已失业两个月，要借几十块钱。那时二小姐恰在旁边，便代太太一口回绝了。德禄很不满意地出去，也许因此恨二小姐。"

翰卿又申斥道："你分明在说谎！哪里有这回事？"

全发道："少爷，实在的。那天你恰巧不在家里。这……这个可以问太太——"

霍桑插口道："对，这件事实在不实在，立刻可以证明，用不着多辩。但德禄借钱不着，即使怀恨，未必就会马上行凶。全发，现在无凭无据，你怎么能说他就是凶手？"

全发道："那也有缘故。今天我买袜回来，走到柳荫路口，忽然看见德禄迎面过来，步子非常匆促。当时他不曾看见我，我也没有招呼他。此刻我想起来，他也许就是从这屋子里出去。因为金寿有些糊涂，他悄悄地进出，尽可以瞒去他的眼睛。"

翰卿一眼不霎地瞧着全发，仿佛一个法庭上的律师，凭着全神要想找对方的破绽，可是竟找不出，因此他心中的怒气只能从目光中发泄出来。

这时霍桑举一举手，似要发表什么意见。我忽见那先前领我进来的女仆李妈，推门进来报告："霍先生，太太醒了，请你谈话。"

两个病人

我曾经说过，在我上楼以后，经过了一条甬道，方才达到画室。这甬道的两边各有三个门口，那画室是甬道右边的最后的一室。这时我们离了画室，走进那甬道入口左边的第一室去，这是死者的姐姐梅芳的卧室。那何老太太一则因自己的胃病发作，二则为了陪伊生病长女，故而也在里面。我们到了室中，我见靠壁有一只红木榻，挂着白华丝葛的帐子，白银帐钩钩起了帐门的一半，榻上有一个少女裹住在一条绣被之中，就是患疾的梅芳。这时伊倾向床的里边侧面躺着，两颊绯红，眼睛半闭着，呼吸很短促，一望而知伤寒症的热度正升得很高。伊的对面有一只沙发，何老太太就横在上面，身上也盖着一条厚厚的绒毯。我们入室的时候脚步很轻，走到了沙发面前，何老太太便靠着一个女仆扶掖，勉强着撑坐起来。伊的年纪已在六十左右，花白的头发，额顶的上部已秃去不少，脸色焦黄，肌肉也瘦削而多皱纹。这时候伊的右手还捧在胸口，分明饱受胃病痛苦的折磨。

伊向我们点点头，发出一种微弱的声音，向霍桑说话："可怜啊！我的杏芳！霍先生，你想这个人多么狠心啊！"伊微弱的语声中还夹着些呜咽。

霍桑安慰伊道："何太太，请宽怀些。我们一定可以给令媛申雪。"

"喔？谢谢你！你……你们可已经……已经……"

"是。我们已假定凶手不是陌生人。我们相信总可以查明白的。"

那老妇忽仰视着霍桑的脸，答道："当真？这个可恶的凶手真不能轻恕！不过……"

伊忽顿住了不说。伊的眼光似曾向站在伊旁边的翰卿瞥过一瞥，接着便凝住在地板上面。我觉得伊这种表现很值得重视，显然霍桑也已感觉到，他问："何太太，你可有什么意见？"

"我……我请你谨慎些。这件事如果关系我家的……"伊的话再度停顿，但霍桑早已会意。

他忙道："我明白。不过这件案子已经有官家侦探负责。我们只能从旁处理。"

翰卿看见他母亲的眼光又瞧到了他的脸上，便先自说："正是。这是我去通报的。我觉得这样的人命重案，断不能私自解决。只可惜那请来的一个署长，委实是一个笨伯，未免失我所望。"

何老太默然不答，但一眼不霎地瞧着伊的儿子。在这种难堪的静寂之中，霍桑便从中解围。

他道："何太太，我要请问一句。今天你的外甥许邦英在什么时候走的？你可知道？"

"我不知道。"

"他临走时不曾进来辞别你吗？"

"没有。饭后我胃痛好些，曾略略睡过一会儿。所以他在什么时候走的，我都不曾听得。"

这时候床上的梅芳忽而张开眼睛来接嘴，我们都不约而同地旋过头去。

伊说："表兄临走的时候，本要进来辞别的。但我的妹妹阻住他，说妈正睡着，不必惊动，故而他不曾进来。"

霍桑作惊喜声道："唉，何小姐，你怎么会知道？可是你表兄去后，令妹曾进这房里来过？"

梅芳道："不是。伊送他下楼的时候，曾在我房门口站过一站。我听得他们说过这几句说话。"

"唔，那么令表兄在什么时候离去的？"

"这个我不知道。我也没有注意时刻。"伊说完这几句话，气喘得厉害，一双红灼的眼睛，显露一种感受痛苦的神气。接着，伊闭拢了眼睛，又侧着头旋向榻的那边去。

霍桑又回过脸来向何老太道："还有一句话。令外甥可曾结婚或订婚？"

老妇答道："他近来正和梅芳说起亲事，不过还不曾谈妥。"

霍桑点了点头，接着又鞠一个躬，作温慰声道："何太太，你保重些。我如果有什么消息，再来通知。"

当我们从这卧室中出来的当儿，我乘势凑近霍桑的耳朵，低声说道："这是一个新发现啊！杏芳既曾送许邦英下楼，他的嫌疑不是已可以解除了吗？"

霍桑道："不错，不过需要一个先决条件，就是梅芳的话必须完全信实才行。"

我道："那么，你莫非怀疑伊的话？"

霍桑略一沉吟，才低声道："并非如此。不过你知道他们俩正在论婚，私心袒护，也是有可能性的。我们不能不防。"

我们走下了楼梯。霍桑声言要去瞧瞧许邦英。那何翰卿忽走近霍桑的身旁，放低了声音说话："霍先生，能不能再坐一坐？我有一句话要和你谈谈。"

霍桑站住了，向他瞧了一眼，便点头应诺。

翰卿说："我们到我的书室中去谈，比较妥当些。"

于是他在前引路，穿过了客厅，从朝东的一扇侧门里出去。侧门外有一方草地，就在这草地的对面，有三间西式的平屋，漆着淡灰的颜色，瞧去非常幽静。翰卿把我们引进了一间小小的书室，室中的一部分排满了书架，另一部分却辟作化验室似的，桌子上散着许多天平、瓶、杯等化验用品。

我们坐定以后，翰卿先开口道："霍先生，你对于这件案子，可已有什么把握没有？"

霍桑的眼睛瞧在这少年脸上，嘴里答道："此刻还难说。不过我相信迟早终可以水落石出。"

"那么，你已经有了什么线索？"

霍桑又沉吟了一下，答道："线索当然是有的。不过你既然要和我谈谈，我想还是先听听你的高见。"

何翰卿皱了皱眉，才道："这位黄署长实在不行。案中很重要的疑点，他竟绝不注意。譬如画室中的那扇东窗，虚掩着没有拴上，他竟视若无睹。霍先生，我想你对于这窗，一定会认作有注意价值，是不是？"

霍桑微笑着道："你过誉了！惭愧得很。不过这一扇窗的问题确实有些奇怪。今天的东风很急，死者在室中作画或谈话，似乎没有开窗的必要，即使要开窗，在势也应开南窗才是，但南窗却拴着。"他略一沉吟，又说："若说开窗是凶手的出路，我刚才已经说过，那也不成问题。我此刻经过草地的时候，又曾仔细查验过一回，绝端没有跳窗而下的痕迹。这还是一个疑问。现在你既然说到这一点，谅来总有些特殊的见解吧？"

翰卿忙点头道："正是，我觉得这窗的问题，实在是案中唯一的关键。今天我吃过了中饭以后，就到这书室中来做试验。经过了两个钟头光景，我略觉有些疲乏。等到这书架上的小钟敲过了三记，我便放了手，打算到草地上去疏散一会儿。不料我刚才踏到草地，猛听得砰的一声，不由使我仰起头来！"

他顿一顿，目灼灼瞧着霍桑。霍桑点点头，说："什么？是关窗的声音？"

"是。那时我二姐画室的东窗，正被什么人用力合上。我觉得这关窗的举动太急促，未免有些疑讶。我高叫了一声'二姐'，并无应声。因此，我更觉惊疑。因为在这种情势之下，很像有什么人正在画室中干什么不正当的举动，看见我从这书室中出来，防我瞧见，便急遽地将窗关上。我又喊了第二声，又问了一声'什么人呀'，却始终没有人答应。这才引动了我的好奇心，急急穿过草地，走上楼去。我刚上楼梯，便瞧见全发神色仓皇地走下楼来。接着，他便把他发现的事告诉我听。"

这一番话确实是很重要的。因为据全发说，他不曾走进画室去，关窗的当然不是他。从情势上看，很像那时候画室中真有一个人藏伏着；那关窗的举动，就是这个不知谁何的人干的。但这个人是谁？怎样逃走的？难道当真会插了翅膀飞去？

霍桑沉吟了一下，作惊异声道："唉，这一点真不可思议！这东窗是什么人关的？我瞧这屋子不像会有什么复壁秘道。那么，这关窗的人又凭什么'法术'，竟会不留迹象，又不被人瞧见，而能无形无踪地脱身？"

霍桑这几句自言自语，忽引出了何翰卿的一阵苦笑。他冷冷地说："霍先生，你也会想到那时候画室中有两个人吗？不，不！那明明是全发在那里捣鬼！"

霍桑仍不慌不忙地说："喔，你可是说全发的话不实在？"

"正是，我敢说关窗的一定是他。他说他当时只推门望了一望，不曾进去。这完全是谎话。"

"唔，他为什么说谎？"

"那自然有理由！"

"那是什么？"

翰卿咬咬嘴唇，不即回答。

霍桑进逼一句："你莫非说他就是行凶的凶手？"

何翰卿忽铁青了脸，怒睁着双目，说："是！当真如此！我确信他就是杀死我二姐的凶手！"

霍桑不答。室中静了一静。翰卿严峻的目光钉住在霍桑脸上，像急于要听他的意见。霍桑仍很镇静。他的足尖在地板上轻轻拍了几拍，方才婉声反问："你说全发是凶手，有什么理由和根据？"

"当然有。我二姐对于全发的态度很差。上月里他曾偷过我二姐的东西，伊就要辞歇他。后来因着我母亲的劝解，才没有实行。上星期伊又把全发申斥过一次，重新提出辞歇的前议。因此种种，也许就结下了怨仇。"

我觉得翰卿所说的原因，如果实在，确也有重视的价值。因为我瞧那全发的神态，和那双流转不定的黑色眸子，当真不像是个诚实的人。霍桑低侧了头，眼光瞧着桌子上的那座天平，静默不答，分明他正在考虑翰卿的说话。

一会儿，霍桑才仰起头来："翰卿兄，你的意见确有考虑的价值。但你所说的全发偷过令姐的东西，他偷的是什么？"

"我不清楚。但你如果强迫他说明白，也不怕他赖。"

"那么，第二次令姐为什么事又提出辞歇的前议，你也不知道？"

"是，我也不知道。但这个也有方法查明白。"

霍桑点点头，立起身来，取了帽子，表示要告辞的样子。我也同样起立。

翰卿也立直了说："霍先生，我觉得这样的凶手，留在家里太危险，必须立刻把他捕住才好。"

霍桑的唇角上露出一些微笑，弯弯腰，婉声答道："抱歉得很。你总知道这不是我分内的事。这一层我也不便'擅专'啊。"

翰卿似觉察了答语中的讥刺，脸上微微红了一红。

他嗫嚅着道："那么我去找黄守白。"

我们走出何家大门的时候，霍桑紧皱着眉峰，一只手摸在他的下颌上，似乎怀着满腹的心事。他站立在邮筒旁边，右手撑住了邮筒，低垂了头，显出一种踌躇不决的样子，好似他的心目中已有好几条线索，一时却不知从哪一条进行。他是富于决断力的，这种犹豫状态，委实是难得看见。因此，我更领会到这案子的困惑和严重。

我正要向霍桑问话，他忽先向我说："包朗，你先回我的寓所去吧。这案子很有些曲折，我必须费一番功夫调查。但今天黄昏时分，总可以有消息报告你。你暂时耐一耐。"

两种假定

这种强制的分别，我当然是十二分不满意。但在这种严重的情形之下，霍桑本人既然还没有把握，我若再和他执拗，也未免不情。我只索把这絷似乱丝的疑团带回到霍桑的寓所里去。

我曾经费过好一会儿工夫，想把这疑案寻出一个头绪。这案中已经有三四个嫌疑人，就是那许邦英，那男仆林全发和那个辞歇的司机张德禄，这司机嫌疑最轻。他是林全发嘴里说出来的，万一全发自己干了这件凶案，他的指证当然一文不值；即使他的话实在，这张德禄是否有行凶的可能，也还是一个疑问。其次要算许邦英了。如果梅芳的说话，果真是为了论婚的关系，故意替他掩饰，他当然是有行凶可能的。不过梅芳说话的真伪，又用什么方法去证实呢？邦英又为了什么缘故才下这毒手？他和梅芳论婚，杏芳有什么从中破坏的举动，他为除去障碍的缘故才行凶吗？但这样的手段未免太酷毒了，情理上也觉得牵强。照眼前的情势推想，那仆人林全发的确最觉可疑。只需翰卿的话完全属实，那么全发的行凶已有七八分近情。但反过来想，翰卿的话当真可靠吗？在我的意识之中，觉得这翰卿的神色态度和他的话，都有些冷漠不太自然。这不自然的原因是什么？我又推想不出。

天色渐渐地暗下来了。东风从窗中吹进来，阴飒飒有些寒意。霍桑还没有回寓。他虽然允诺我黄昏时带消息回来，但不知道会是怎样的消息，是拨云雾而见天日的破案消息吗？我也不敢预期。我自己寓所里电话恰巧坏了，又不能给我的妻子佩芹通个电话，心中感到焦躁。我等了一会儿，独自胡乱进了些晚餐，越发觉得不耐。但我既不知道霍桑的行踪，又无从找寻，除了闷坐着等他以外，更没有别的办法。不料一种意外的机会突然到来，解除了我的无聊。

西区署长黄守白忽赶来找霍桑谈话。他听说霍桑不在，便要回车辞去。我当然不肯轻轻放过他，便告诉他霍桑即刻就要回寓，留住他少待。他答应以后，我就乘机探问这案子的情形。他第一句话就使我的精神提振了不少。

他说："检察官已经验过，案子快结束了。凶手的口供也迟早可以得到。"

我作惊异声道："哈！你已经捉住凶手了？谁呀？"

"就是那男仆林全发。我已把他捉起来了。"

这个凶手的姓名早在我的料想之中，故而并不怎样惊奇。

我问道："你凭什么根据指他是凶手？莫非就听了何翰卿的话？"

黄守白的颈骨又增了硬度，两只手又没目地交握着。他的得意的神气，这时候又掩藏不住。

他答道："不错。不过翰卿的报告只是一方面，我还有别的证据。"

"唔，那是什么？"

"第一，时间问题。全发当买袜回去的时候，据他自己说，恰交三点钟，并且把袜放下以后，立即上楼去的。但这话没有证明。因为他回来的时候，没有人瞧见他。所以他究竟在什么时刻回家，也无从证实。"

"你可是问过那守门的金寿？"

"是的。他说三点左右，他一直坐在门房中，不曾看见全发进去。因此，全发如果在两点三刻或更早些回去，时间上尽来得及干这件凶案。"

"金寿的证词未必靠得住。这老头儿太糊涂。"

"反正金寿不曾看见全发进去，我们并不重视他的证语。而且就因为金寿糊涂，全发更有提早溜回去的可能。"

"那么全发行凶的理由呢？"

"据翰卿说，也许是含怨报复。但我看，说不定他还有其他的目的。我们把全发逮捕以后，曾把他的卧室搜查过一遍。你试猜一猜，我在他的枕头底下发现了什么东西？"

"唔，我怎能猜得出？可是有什么重价的珍宝？"

"不。他竟藏着十四张模特儿照片和一本性书！"

这报告也是出我意料的。我不禁带笑说："我想不到他也有审美观念！"

"'审美观念'？好一个冠冕的名词！不过在我们没有'审美观念'的人的眼中，他的枕底下藏匿着这种宝物，他的行为也就可想而知。并且那本性书的里面，还写着一个'杏'字，这里面更有线索可寻。因此种种，他的罪行不是已完全显明了吗？"

"那么，你的意思，可是以为全发的行凶，就因着要想强——"

黄守白不等我说完，便微笑着插口道："大概如此。不过这里面那些弄笔墨的人所说的'艳史'，只能等林全发自己说了。"他瞧瞧手表，便立起身来："我本是特地来通知霍桑先生的。现在等不及他，就请你转知一声。他如果再喜欢劳些神，最好就请他想个法子，叫全发快些吐供。别的方面，请他不必再白白地劳神奔波了。"

我在黄警官临走的时候，又问他曾否和许邦英会晤，他说已见过一面。但据守白观察，邦英对于杏芳的凶耗非常震悼，神情上绝无可疑。他凭那梅芳的说话作证，故而认为许邦英无可怀疑，不得不别寻途径。

黄守白去后，又隔了三十分钟，霍桑才回寓。这当然是我十二分盼望的。可是灯光照见他的神气，我高兴的心情立即打了折扣。他的脸色沉着，两条眉尖微微皱促，嘴唇也紧紧闭着。这状态既不像是凯旋，又不见失败懊丧的样子，却依旧是先前那一种疑虑不决的神气。

他坐定以后，便向我说："包朗，你得原谅我。我刚才的约言，此刻还不能实践！"

我道："这案子可是还不能结束？但刚才黄署长说，这案中的凶犯已经捉住了啊。"

"我知道的。不过我还不敢同意。"

"你已见过黄署长吗？他到这里来过的。"我把刚才的谈话约略地告诉了他。

霍桑道："我不曾见黄守白。但我已到警署中去见过全发；又重新到何家去和那个女仆李妈谈过几句，最后我又曾往上海中学去走过一趟。"

"喔，那么你所探得的一定不少。你往上海中学去为了什么事？"

"自然是调查那何翰卿的行径。"

"什么？翰卿的行径也在被调查之列？"

"是。你觉得有些诧异吗？"

"他是死者的同胞骨肉啊！怎么会——"

霍桑忽挥挥手阻住我，发出一篇滔滔的议论：

"是的，包朗，在你意中，死者是他的姐姐，论情是骨肉，万不能把他列入嫌疑人范围以内，是不是？其实伦理观念的力量本来是很脆薄的，尤其在现代所谓一切解放的社会中，人们的行动正在努力捣毁伦理的约束。我记得心理学家 G. H. 罗宾逊（G. H. Robinson）曾经说过，人们的心理状态，共有四重。第一重——也就是最外面的一重——就是所谓文明的：当人们在社交场中，整齐的衣冠，温文的礼貌，一切言语行动，自然都合得上文明的条件。第二重就是孩子的，如果他们在密室静居之中，和相知的好友同处，他们的言和行便会脱略社交时的面具，另换一种无拘无束、放浪形骸的孩子的状态。人们如果饥饿了一个星期，看见了生肉，大概也会像原始人一般抢来充饥。这时候，第三重野蛮的心理状态，便会遮掩不住。再进一步，人们到了某个紧急危险的时期，或是利害关系发生了尖锐的冲突，那时第四种兽的心理状态，自然也禁不住要暴露出来！"

我默然了好一会儿，暗忖霍桑的理论在事实上果真也不容讳言，尤其在这个新旧道德青黄不接的时期，处处都暴露出反常的现象。因为传统的伦理基础，既然因封建制度的崩溃，连带地起了摇撼，新的标准还没有建立起来，社会间失去了正轨，青年们的行动便无所适从，往往趋入歧途。骨肉相残的事实，近几年简直已"数见不鲜"。

我问道："你莫非已经假定这何翰卿曾经有这兽行？这一件凶案难道就是他？——"

"不，不！我的假定还没有到这个地步。不过我觉得当侦探的头脑，应得像白纸一般，决不能受任何成见所支配。我们只能就事论事，凭着冷静的理智，科学的方式，依凭实际的事理，推究一切疑问。因此，凡一件案子发生，无论何人，凡在事实上有嫌疑可能的人，都不能囿于成见，就把那人置之例外。所以我认为这何翰卿也是嫌疑人中的一分子。"

我对于这个外表漂亮的少年，本来也有一种异感，傲岸而冷酷，缺乏温厚的仪态和姐弟间应有的情谊。不过我正像霍桑所说的受了伦理观念的支配，不敢推疑及他。所以霍桑的见解，事实上我也赞成。

"那么你想他的嫌疑已到了怎样的程度？"

"还难说。"

我又另换一个题目："你侦查的经过怎么样？"

"好，我告诉你。我和你分别以后，先去找许邦英，却没有遇见。据说他回家时听得了何杏芳的凶耗，又和黄守白谈了几句，便又赶到何家去了。因此，我重新回到何家，又偏偏相左。许邦英为着料理杏芳的丧事，已经出去买棺材、殓衣了。那时林全发已被拘到警署里去，我就赶到警署，向全发问过一会儿口供。

"据全发说，何翰卿所说的杏芳曾提议辞歇他，确有其事。第一次他所偷杏芳的一种东西，不是别的，就是一本性书。唉！这本书在社会上秘密地风行着。它会贻留多少毒害，斫丧多少青年男女，你委实不能想象！如果让它蔓延开来，执政的不加扑灭，那尽可以造成'灭种'的危险而有余！不过这最可怕的恶果，也许要在二十或三十年以后才会暴露，近视的人们眼前还见不到罢了！"

霍桑停一停，深深地叹一口气。他的话又岔到了题外去。可是我并不阻挡他，听他自由地发挥。他倒岔开得不远，立即回到了本题：

"杏芳购买这一本书，当然是秘密的。一朝失窃，伊虽然不便明言，心中却明知是全发所窃，故而便声言要辞歇他。第二次因着全发把邦英给杏芳的一封信，误送给了梅芳，因此又引起杏芳的申斥。全发和杏芳的感情固然很差，但似乎还不致采取这严峻的报复手段，竟至于伤害伊的性命。并且在事实上也有疑问，故而我还不敢和黄守白表示同情。"

我道："全发虽不是衔怨报复，但他正在青春的发育时期，说不定正患着'色情狂病'，另有其他非分之想的目的。"

霍桑点头道："不错，这固然也是有可能性的。不过我们的眼光，同时须顾到别一方面。我们若假定行凶的就是全发，那么关窗的人也一定是全发了。但这关窗的话是翰卿说出来的。这句话既属案中的关键，那么这说话人的本人的信用自然也不能不加以估量。据李妈告诉我，在两星期前，杏芳和翰卿二人，曾有过一次激烈的争斗。争斗的原因，就为着女子承继权的问题。这一点我们不是也应当郑重考虑的吗？"

唉，案情真是越弄越复杂了。兄弟姐妹间为了遗产问题，争执涉讼，或甚至于自相残害，在当今社会中，已经算不得稀罕。那么这一点假定翰卿行凶的动机，固然也有成立的可能。但在事实方面，他真也有可能性吗？我的默想，似乎已被霍桑觉察到。他自动地分析下去。

他说："从事实方面看，他的行凶确也有极强的可能性。据翰卿自己说，今天下午，他始终在他的书室中做化验。但那时候仆役们都在楼下，除了杏芳在书室中以外，楼上只有两个病人躺着。他上楼去干了这件凶案，然后再悄悄地下楼，当然也不会被人觉察。"

我道："你以为他特地上楼去行凶的？"

霍桑道："这也不一定。他进去时也许并无凶念，但谈话之间，说不定重新提起了遗产问题。他一时发火，便构成这件凶案。因为从证迹上观察，这凶案不是预谋，而是偶然构成的。"

我想了一想，又问："那么，还有窗的问题怎样解释？"

霍桑道："这也许就是他卸罪的一种狡计。他故意把窗开了，然后悄悄地下楼，等待什么人走上楼去，就假说因着关窗的声响，引动他的注意。后来他就利用着这一点，把杀人的罪名加在全发的身上。"

我道："你想他本蓄意要把这罪名加给林全发吗？"

霍桑又现着犹豫状道："是否预谋或出偶然，我还不能说。我们对于翰卿的性格和往日的行径还不深悉，不便就贸贸然决定。"

他定着目光，用手摸着下颔，又喃喃地自言自语："唔，有几个关节，眼前还不能互相拍合。"他沉吟了一下，又说："总而言之，那窗的问题是案中的关键。如果翰卿的话确实不虚，那定是林全发狡赖，当然不能卸罪；要是翰卿说谎，那么他本身的罪名最后也无可逃避。"

我默想了一会儿，又问道："这倒是相互交叉的问题。你可有什么方法解决？"

霍桑沉吟地说："我已经考虑了好一会儿，现在准备从两条线索进行。第一条，刚才我已到过上海中学去，本想去瞧瞧那位训育主任金南山，问问他翰卿在学校中的学业的成绩和品行，不巧没有遇见。我准备再走一趟。第二条，我要去找那个全发的朋友，做电气匠的赵小毛。据全发说，他今天买袜以后，曾和赵小毛喝过一次茶，直喝到三点钟方才回去。他如果随意说谎，现在既已被拘禁，势不能再和小毛接洽，我只需一见小毛，立刻可以证明。不过这种工作只能等明天进行。你如果想要得最后的消息，只能请你再走一趟。你总不会又怨我卖关子吧？"

一个浅显的科学实验

下一天早晨，我又丢了笔墨工作，赶到霍桑寓所里去。他果真已一早出去了。我又只得耐着性子等待。我坐在他的办公室中，取了一张报纸，随意消遣。我在本埠新闻中瞧了一遍，那何家的凶案还没有记载。我又独自默想。这件案子的线索虽多，但每一条都有一种窒碍，使人无可捉摸。忽然间我的脑海中产生了一种奇怪的幻想。何杏芳不会是自杀的吧？自杀的目的，我们虽不可知，但事实上却有几分可能。那玻璃小钟既然有坚硬的锐角，太阳穴又是一个最易致命的部分。伊也许因着一时的刺激，就把这钟当作自杀的凶器。那也不能说不近情理啊。

一个穿时式西装，身材适中，面貌俊秀的少年，被霍桑的老仆施桂引了进来，打破了我的遐想。这人就是许邦英。他二十二三岁年龄，长方形的脸，肤色并不太白，但一条笔直的鼻梁，两只敏活的眼睛，显得很英秀，谈吐也有礼貌。他一则听说霍桑要和他会面，二则他自己也要来委托霍桑，侦查这案中的凶手，所以自动地造访。我和他招呼以后，乘机问他关于这件事的经过。他的答语竟和梅芳所说的情形完全符合。

他说："我在杏芳的画室中瞧伊作画，约莫耽搁了一个钟头。到两点半时，我就辞别出来。杏芳送到我楼梯头上，那时我因着姨母睡着，故而不曾进去辞别。"

我突然问道："你不是正在和梅芳论婚吗？"

他的头低一低："是的。不过还没有确定。"

"那么谈到怎样程度？"

他一听这话，立即抬头，但赶紧又低下去，似乎有些踌躇。好一会儿，他才仰起脸来回答：

"我和梅芳的婚事，姨母因着要亲上加亲，三年前已经提起过。但姨夫的意思，必须等我大学毕了业，才能订婚，因此耽搁下来。今年我姨夫去世了，暑假里我又将毕业，所以我姨母重新谈及。"

"你本人对于梅芳的感情怎么样？"

"唔……很好。"

"你也赞同这婚姻吗？"

"唔……是的。"

他的神气又有些犹豫。我索性再接再厉，问："那么你对于杏芳的感情怎么样？"

邦英突然瞧着我："我和杏芳一样是表兄妹，感情本来很好。近来彼此见面的机会更多，交谊也更密切了些。唉，包先生，昨天我听说那警官竟怀疑我，以为这凶案也许是我干的。这见解岂不太可笑？所以我想请霍先生彻底侦查一下，查明那个真凶。"

他有些焦灼不安，声言另有事情，等不及霍桑，停一会儿再来。我送他出门以后，回想他说话时的态度很恳切，说话也近情理，当真不像有嫌疑的可能。过了半个钟头，霍桑方才回来。这时候我又大失所望。因为霍桑的脸上仍旧带着上一天那种犹豫不决的神气，分明他的探索依然没有结果。

他疲累地坐在藤椅上，说："包朗，我想不到这一件小小的案子，竟会如此幻秘。我经过了一番探索，不但不能解决，反而越弄越糊涂！"他说完了，叹了一口气，垂头丧气地把身子倒在椅背上。

我问道："霍桑，到底怎么样？你莫非已经绝望？"

他摸摸头："绝望的字样在我的字汇中是没有的，不过很困惑，到处碰壁！"

"那么你此刻所调查的事实究竟怎么样？"

"我所说的两条线索都查到了。据上海中学的训育主任金南山说，翰卿的学业成绩非常优秀，品行也不错，不过性情爽直而躁急些，又因着年轻有产的缘故，交际的礼貌上略有欠缺。这一点可以证明他不是一个阴谋狡猾的人。我昨天所假定的构谎卸罪的猜想，未免不合实际。然后，我又见过那电气匠赵小毛。他和全发昨天当真在仝羽春喝过茶，直到两点三刻，全发方才分手回去。这一点在时间上已符合。况且若说全发有什么性的冲动，一时妄为，但对房既有人在，又当白昼，情势上也觉不合。把这两方面关合拢来，不是互相抵触了吗？因为何翰卿所说关窗的事既然不是虚话，但关窗的人却又不像是林全发。这疑问不是困死了人的脑筋吗？"

唉，这真是太迷惑人了！我不能不同意霍桑的见解。那扇画室中的东窗究竟是谁关的？那凶手究竟是谁？委实神秘已极！若在那些熟读神怪小说的人看来，这自然不会成什么问题，也许要说有什么来无影去无踪的剑仙干的哩！可是宇宙间一切现象都逃不出自然的定律。窗的关合当然不会没有理由，可是理由是什么？我绞尽了脑汁也想不出！

我把许邦英来访问和谈话的事向霍桑仔细说了一遍。霍桑很注意地倾听。等我说完，他忽从那藤椅上立起身来，烧着一支纸烟，在室中不住地踱着。我知道他正在努力思索，仿佛我的报告又引动了他另一种新的思路。

正在这时，他的仆人施桂突然推门进来。霍桑愣了一愣，陡地停了脚步。他的眼睛瞧瞧窗口，又瞧瞧施桂。霎时间他的嘴闭紧了，双目大张，流露出一种异光。这种异光，每在破案

的时候，我原是常瞧见的。可是在这失望困惑的当儿，他又怎
会有这样的眼光？

他问道："施桂，什么事？"

施桂答道："西区黄署长差个警察来，在门口，说要请你
到警察局去帮他问供。这是他的名片。"他随即将一张名片递
过去。

霍桑接了名片，略看一看，便道："好，你出去给我回复。
请黄署长在一个钟头以内，到何家去领功！"

奇怪！霍桑的神气变了，眼睛里闪闪有光，连他的语声
也有些颤动！他目送施桂退出去后，又在办公室中乱走。我
看见他这种变化，心中说不出的惊异。可是一时又不知道从
哪里问起。一会儿霍桑忽立定了，丢了烟尾，取起呢帽，大
声叫我：

"包朗，快走！这案子已经破获哩！"

"当真？"

"自然！"

"谁是凶手？你怎么会知道？"

我惊异得简直不能相信。霍桑不答，一边拉着我走出门
去，一边自言自语：

"唉，这件事好险啊！我几乎错过了一个最重要的要点。"

"霍桑，到底怎么一回事？你刚才还困住在迷阵里，怎么
一霎眼就会破案？"

"你要问我怎么破获的吗？好，我告诉你。有两个引子：
一个是你！一个是施桂！别的话到何家再谈！"

霍桑的寓所门前正有几辆空车停着。我们各自跳上一辆，
便急急地向柳荫路行进。我没能再向霍桑问话，他的不伦不类

的答语和谁是凶手的问题，让我只得仍抱着整个疑团。聪明的读者们，你们能给我一些指示吗？

十分钟后，我们已到达何家。进门的时候，那个颠顸的老金寿又想出来阻挡。霍桑把手一挥，拉着我走进正屋。我看见客堂中张着青幔，幔前桌上供一张杏芳的半身肖照，烧着一对蓝烛。幔后停着一口棺材，还有几个女子守在幔内，形成一种冷凄凄的景象。霍桑不顾，一直走上楼去。他走到楼上，便转入甬道，在那左边第一个门口站住。我一直跟在他的后面，不知他究竟要干什么。他在那室门上敲了两下，接着不等里面的回答，便旋开了门进去。

室中的景状和昨天的完全相同。梅芳仍旧侧躺在那红木榻上，面朝床里。那白华丝葛的帐帘照样有半面下着。何老太坐在沙发上，气色似乎比上一天好一些。

霍桑走到沙发面前，低声说："何太太，这案子已经查明了。这不是一件谋杀案，是一件误伤致死的事。"

何太太惊惶地问道："喔，误伤？怎么一回事？"

"我还不便说明。"

"为什么不便？"

"我怕说明了使你伤心。"

那何老太挣扎着站起来，伊的目光在霍桑脸上凝注了一会儿，才答道："霍先生，你不必过虑。我就为要知道真相，才特地请教你。你尽说不妨。"

"那么我告诉你。很不幸！这是一件骨肉相残的事！"

这一句话显然还留些余地，仿佛含抱着些试探性质，深恐一句说破，那老妇人也许承当不起，故而先说一句缓一缓势。但是何老太并无过分的惊惶，好像这一着早在伊的意想之中。伊的目光注视在地板上，又像在暗暗点头。

伊顿了一顿，反问道："是不是翰卿——"

霍桑接嘴道："不是。何太太，你误会了。干这事的人，就在你的眼前！"

何老太的身子又突然倒在沙发上，惊恐的目光立即从伊的眼睛里漏出来。

这当儿又有一种异动。我猛听得那红木小榻上发出轧轧的震动声音。我急忙回头瞧，那患病的梅芳忽而已从榻上坐了起来。伊的脸色惨白得可怖，两目大张，一只手在空中挥动。已失却了柔和的女性，变成一个疯人模样。接着伊低低地惨呼了一声，便重新倒在榻上。

这案子如此结束，不但出我意料，还使我精神上受到一重剧烈的刺激。当霍桑把这案中的情形解释给我听时，他也感喟不尽。

他叹息道："包朗，情海的风波是多么险恶啊！这案中的两个女子，我敢说都是很天真纯洁的，可是因着爱魔的作祟，丧失了理智，抉破了伦理的藩篱，竟酿成这一幕惨剧！我们知道邦英和梅芳是在三年前论过婚的。那时候他们俩是亲上加亲，感情一定很深，但杏芳却还是一个情窦未开的小女儿。不幸这婚事延搁了三年，杏芳已长成起来。伊长得又比伊的姐姐更美丽，有了夺爱的资格。我们从所知道的事实上看，伊不时和邦英密谈，谈话时又不许人家阻扰；有一次伊因着全发送错了一封信，竟大发脾气。你曾告诉我，你问邦英对于梅芳的婚姻的意见，一方面他虽表示赞同，却有些不自然的样子。另一方面，他又自己承认，他对于杏芳的感情最近更密切了。这种种都足以证明杏芳确有夺取伊姐姐的情人的趋势。"

我点点头表示赞同："对，这理论很合事实。但凶案构成的经过，你看怎么样？"

霍桑说："那天许邦英本是去探望梅芳的病的，却在杏芳画室中勾留至一个多钟头。梅芳虽在病中，实逼处此，怎不难受？故而当邦英离去以后，梅芳大概就乘着伊母亲熟睡，扶病到画室中去，和杏芳理论。杏芳在感情冲动中，也许说了什么不逊的说话。梅芳的妒焰正高涨，一时动火，便随手取了画桌上的那只玻璃小钟，向伊的妹妹丢掷。不料一失手掷中了杏芳的要害，就肇成这件惨祸。"

我想了一想，答道："现在想起来，你的话当真很合情理，但当时我们怎么都想不到呢？"

霍桑皱着眉峰说："事情很复杂，牵连的人又有三四个。我们又被那窗的疑问所纠缠，一时竟解释不出。因为梅芳本病着，又有伊的母亲作陪；我不幸又不曾和邦英早些见面，没有早知道他们订婚的历史和邦英对于这姐妹俩的感情的厚薄。因此，我就把梅芳除外。唉，好险啊！我们几乎被困住在错路上！"

"那么后来你又怎样抉破这个疑问的？"

"我已经告诉你。打破这疑团的引子，一个是你，一个是施桂。"

"唔？你是说你听了我所说的许邦英对于姐妹俩的态度而触发的吗？"

"是。"

"施桂呢？"

"他给我一个实验的启示，才使我明白那窗并不是什么凶手关的。"

我还不能理解，又问道："施桂给你一个实验的启示？什么意思？"

霍桑不答，立起身来，把办公室右边的南窗关上了，又将左边的一扇关上一半。这窗也像何家的一般向里开的。他又走到办公室的门口，握住了门钮，用力向里面一拉。室门一开，因着室中空气的震荡，那扇半开的窗便自动地向外合上，发出一种砰然的声音。

我不禁恍然地欢呼："唉！原来如此！那窗是全发推门时用力太多，因着空气震荡而击上的。"

霍桑重新坐下来，带着微笑说："原是啊。其实这是一种浅显的科学原理，任何人都有过这样的经验。可是我的脑子究竟是笨拙的，有时候依着直线进行，一时间竟不会自动地转弯，说破了真堪发笑！"

我也笑了一笑，又说："但那扇东窗没有拴上，你当时也认为奇怪，是不是。"

霍桑答道："是的。窗的关合虽不是由于直接的人力，但它被拔去了窗栓开着，一定是人为的。我已经指出过，那天东风很急，画室中没有开窗的必要，所以窗绝不是杏芳自己开的。现在推想起来，当梅芳进去向伊的妹妹申斥或警告的时候，大概就站在画桌面前。伊那时的伤寒热度正在炽灼，加上心头的怒火，一定感到闷热不耐，伊便就近将东窗拔去了栓拉开来。后来姐妹俩越谈越僵，杏芳离了座位，梅芳就拿起小钟来丢掷。等到杏芳流血倒地，梅芳看见闯了大祸，也就关了门奔回伊自己的卧室中去。"他叹一口气，又说："包朗，你若要证实我这个理想，也并不困难。过几天你等梅芳的病好一些，总有机会可以听伊自己说明白。"

很不幸，霍桑所应许我的机会并不曾实现。隔了两天，我听说何梅芳的病势增剧。霍桑除了向黄守白说明情由，叫他把林全发释放以外，也不曾再到何家去。他不再注意这件案子，一任何翰卿去和黄署长周旋，让它自然发展或结束。因着恋爱的妒火，牺牲了两个活泼泼的少女，一经提及了，就会钩起他无限的感喟。

犬 吠 声

吠声中的血案

"先生，一提起这件事还会教人发抖！

"时间是在半夜过后。一阵阵凄惨的吠声惊破了我的梦。我本来很贪睡，但那时不但我们的黑黑吠得很急，连屋子的前后左右也差不多都给这汪汪的声音包围了，仿佛有千百只犬合伙儿吠，不由使我惊醒！我想起上一次西隔壁王老九家里失窃，也有过这样一回吠声，今夜里莫非也有偷儿到我们的屋子里来？

"我轻轻地从床上爬起来，披了一件棉袄，点了油灯，走出房间，仔细地听一听，似乎是我家的后园吠声最剧烈。天很冷，我把棉袄扣一扣，拿了一根木棒，提了灯向后面去。不料我穿过了后厅，正跨出厅后的门口，踏进后园，猛觉得脚底下被什么厚重而不算得坚硬的东西一绊，几乎使我跌倒。我站定了拿灯一照，这一惊非同小可。原来老爷正血淋淋地横躺在门口外的地上！

"我吓坏了，喊了一声，立即退进后厅。到了西向的楼梯脚下，我高声叫'小姐'，可是没有回音。我觉得奇怪。因为我先前从楼梯前经过时，仿佛听得楼上有脚步声音。当时我还以为老爷也许也听得了吠声，正要下楼。此刻老爷既然倒在地上了，楼上的声音一定是小姐或小使女阿珠。可是我叫了两声，始终没有人回答，因此不由使我惊疑不定。

"我略停一停，再喊一声，依旧没有回音。我正打算上楼去瞧瞧，是否也出了岔子，但我才刚跨上了三级，忽然看见小姐从楼梯上走下来。小姐问我有什么事情，我说老爷已被人杀死，伊吓得几乎昏过去。我扶住了伊，走到后厅背后。小姐一看见躺在地上的老爷，便伏在他身上哭。

"这时我想起厨子董兴怎么还没有被吠声所惊醒，就向厨房走去。不料又吃一吓，董兴也直僵僵地躺在厨房门口，额角上血迹模糊，分明和老爷一样受了伤。

"我昏了，不知道怎样才好，忽听得小姐叫我，我就回到老爷的身旁。那时阿珠也下来了。据小姐说，老爷的呼吸没有绝，似乎还有救，叫我去请医生。我马上奔出去，到本镇的南翔医院里去敲门。隔了一会儿，医生来了，果然说老爷的脉没停，还有些希望，就把他抬进医院里去了。接着我们又将董兴救醒了。董兴的伤势不算重，故而没有进医院。等到天亮了，小姐叫我乘头班车到上海来报告少爷。少爷就领我到这里来。先生，这就是昨夜里的情形，没有一句虚言。"

这一节故事是张才福家的男仆江荣生在霍桑的办公室中讲的。那时候荣生的小主人张杏卿也在旁边。杏卿是个面色苍黑、衣饰朴素的少年。他等荣生说完了，又开口陈说他的本意。

他说："霍先生，这是大概的情形。你若想知道得更详细些，那不得不劳你的驾，到舍间去看一看。我觉得家父突然间遭这横祸，不无蹊跷，请你费些心，查一个水落石出。霍先生，你此刻可以同我们一块儿走吗？"

霍桑坐在炉边，一边吸烟，一边静听这主仆俩的谈话。我自然也一起在场。我看江荣生的体格很结实，面貌近乎粗野，可是胆子似乎特别小。因为他虽穿着厚厚的黑布棉袍，讲故事时身体好像有些抖。我不知道是不是因为天冷，还是恐怖的景象使他如此。张杏卿也是满脸忧容，进门时还说了不少恭维话，我这里都略去了。

霍桑放下了纸烟，说："也好。南翔距离很近，我们就走一趟。"他顿一顿："不，此刻我还有几封要紧的信必须立刻答复。你们不如先去，我们乘下一班火车来。"

那天十二点一刻，我们踏上了南翔专车。霍桑读报消遣，绝口不谈张家的案子。他每次探案，在证据完备和事实明了以前，从不肯轻发议论。我素知他的脾气，当然也不便说什么空话。但趁这余暇，姑且把张杏卿告诉我的话补叙几句。

被害的张才福是南翔镇上的一个小小乡绅。他从前在上海开过丰大米行，此刻却做些放款生利的事，在乡间享福。他有一男一女，男的就是来委托我们的主顾杏卿，已经二十一岁，在上海福新面粉厂里服务；女的名叫秀芳，也曾在上海中学里读过好几年书，这时却陪着父亲在乡间。此外有三个仆人：一个就是来报信的男仆江荣生，受雇还只三个月，年纪在三十上下；一个是受伤的厨子董兴，被雇约近一年；还有一个小使女阿珠，却是自幼生长在张家的。

火车到达南翔时，那个穿黑布棉袍的江荣生正伸着头颈在车站上迎候。荣生说，张家离车站不远，我们三个人就并肩步行。那条通车站的马路很阔，两旁种着许多树木，料想夏天的浓荫覆道，景致一定很好。电杆木上钉着些关于立身行事的格言，颇有些文明气象。

荣生告诉我们，警察局里蔡巡官已经去验过，发现后园门已被撬破，东书房中失去两件铜器，一只红木柜也给撬坏。园门外有一块泥土地，因着昨夜上半夜落过几滴雨，泥上显着几个足印，那印直通官道，一入一出，非常显明。他又说在这一星期中，镇上发生过两次窃案：一家虽所失不多，另一家姓浦的也是镇中的乡董，竟被窃去了价值五千多元的东西。这两案都至今没有破获。故而据警察们推想，一定是什么外乡来的窃贼干的。

霍桑问道："前两次窃案可也有什么人受伤？"

荣生道："这倒没有。不过警察们说，浦乡董家失窃时，也有很大的犬吠声音。因此，这一件案子也许是从一条路来的。"

霍桑喃喃自语地说："不过这是一件凶案，性质似乎不同。"

皮鞋印

张家的屋子接近南翔镇的东市梢，是朝南的，共有两进：第一进是平房，第二进是五开间的楼房。前门有一方旷场，正屋的后面有个小园，被短墙围着。张杏卿带着黯淡的神色，和我们招呼一下，便引我们进一间密室，忽而改变了清晨时的态度，鬼鬼祟祟地向我们陈说。

他道："霍先生，我已经发现一个线索，不过说出来有些惭愧。"他顿了一顿，才绉眉继续："舍妹秀芳有一个男朋友，是本镇第四小学校的校长，名叫郁小园。他从前一直在这里来往，所以和舍妹的关系很密切，曾有过求婚的意思。但家父以为坐冷板凳没出息，不赞成。三天前，家父和小园曾决裂过一次，不许他以后再踏进门口。小园也愤愤而去。因此我想昨夜的事，也许——"

霍桑忙摇摇手阻止他："慢。你的意思我明白了。我现在有几句话要问你。令妹和小园的交谊，你以前可知道？"

杏卿道："知道的，他也常和我通信。"

"那么你刚才在我们寓里所说的'有些蹊跷'，可就是指他说的？"

"这倒不是。对于舍妹和小园的婚事，我是没有成见的。况且他和家父决裂的事，我完全不知道。刚才我向阿珠问话，伊才告诉我。我所以疑他，完全是从情势上着想。"

"好，但我们为审慎计，眼前且慢下断语。现在令尊怎么样？"

"我刚从医院里来。他的气息还没有断，希望却渺茫。据郭院长说，他的脑子已经受伤。"

"是刀伤吗？"

"不是。他是被一只提水的木桶击伤的。桶是我们家里的东西，仍在后园中井旁边，桶上有两处血渍，可见董兴受伤的凶器也是这一只桶。"

"董兴怎么样？也好些吗？"

"他还睡在后园东边他的卧室中，但已经能说话。你可要问问他？"

"当然要。我还得见见令妹。不过第一步我们先要瞧瞧足印和园门。请你引导。"

我们出了第二进屋子的门口，便看见地上一大摊血迹，这就是杏卿的父亲张才福被害处。荣生说那时他主人的两足在石砌的园径上，上身和头部却在径旁的泥地上面。

荣生又指着东西的一带披屋，说："那边就是厨房和董兴的房间。厨房门外有一口井，井旁边的那只木桶就是昨夜行凶的凶器。"

霍桑抢上一步，取起木桶来细细查验。我也跟上前去。桶有一尺直径，木质很厚，桶的两面各有血迹，不过大小不同。霍桑瞧了一会儿，他的眼光闪动不定。

他又喃喃自语道："这桶很重。人们脆薄的颅壳当真受不起。"他把桶放在原处，向园门走去。

那园子恰在正屋的背后，园门离铺石板的官道约有七八步光景。园门和官道之间的足印，一入一出，一共约有十五六个，都很明显。

霍桑取出放大镜，俯着身子向地上查验。

他说："这是皮鞋印子。"

江荣生接嘴说："是，方才蔡巡官也这样说过。"

霍桑问道："你们家里可有穿皮鞋的人？"

荣生吞吐道："有。不过……"

霍桑忽仰面问道："不过什么？你为什么不说？"

荣生呆住了。他的眼光凝注在杏卿的脸上，口吻张动，却说不出话。

杏卿接口道："不错，我从前本是穿皮鞋的。我的鞋子比这印大得多——唉！我记起来了，小园也常穿皮鞋，并且我看尺寸也很相近。霍先生，你想这可就是——"

霍桑又岔口道："这当然是重要的证据。不过你姑且慢提问题。现在你们瞧。这是入印，这是出印；每一步的距离，也没有参差。包朗，你也瞧瞧。这一个印很有研究价值。"他随把手中的放大镜给我。

我走过去瞧视，看见那个霍桑指示的痕迹比别的印子长一寸光景，宽度也不很齐整。

我说："这可是另一个人的足印？"

霍桑摇摇头:"不是。你瞧,印的两端都是尖形,向南的一端更显明些。那一定是一出一入的两个足印交踏在一起。"

我点头道:"不错。不过骤然间看了,不容易分辨。"

霍桑将足印量了一量,立起来问江荣生道:"你刚才说昨夜惊醒的时候,屋子的四周都有吠声;可见那吠声已经起了好久,你并不是一吠就给惊醒的,是不是?"

荣生应道:"正是,先生。我是最贪睡的,如果只有一声两声的犬吠,我绝不会醒。"

霍桑点点头,又回脸说:"杏卿兄,你上楼去请令妹下来,让我问几句话。"杏卿正要回身进内,霍桑又叫住他:"慢。你们不是还失窃吗?失去的究竟是什么东西?"

杏卿道:"一只古铜香炉和一尊古铜罗汉。书房中的一只红木柜也给砍破了。柜是锁着的,柜中又没有价钱的东西,不但我不明白,连舍妹也不知道。"

霍桑皱眉道:"这是很可惜的。那么,这两件铜器是不是名贵的?"

杏卿答道:"并不。那香炉可值一二百元,罗汉还不到此数。我觉得那人的目的分明在行凶,却顺便拿了两件东西,使人家信作盗案。霍先生,你说是不是?"

霍桑仍不加可否,但说:"好了。你上楼去吧,叫阿珠一同下来。"

杏卿走了,我们三个人也回到后园门口。我看见那木门的榫子已被什么利器砍坏。

霍桑道:"像这样子破门进来,着实费功夫。"

我说:"正是。就是这砍门的声音也尽足以引起犬吠。"

霍桑点点头,随即走进园门,向厨房走去。厨房门外的浅廊下，有一只小黑犬躺着，看见我们走近，撑起了前足，嘴里发些呜呜声，像要发作，却给荣生挥挥手阻住了，没有吠出来。

霍桑指着问江荣生道："这就是你家的黑黑？"

荣生应道："是，先生。"

这时厨房中走出一个黑肤方脸的人来，身材相当高，上身穿一件黑洋缎的棉袄，下身是一条青布夹裤。他的额角上缠着棉花绷带，脸色微带苍白，眼睛也像失了神，年纪约有四十。我知道这就是厨子董兴。荣生先奔过去和他说了几句，董兴就向着我们这边走过来。我们就在一个晾衣架旁边站定。

霍桑问道："你的伤已好些吗？"

董兴答道："好得多了，我的伤原不太重。老爷怎么样，可还有希望？"

霍桑摇头道："我还没有去瞧过。据你家少爷说，恐怕已没有希望。现在你把昨夜经历的情形仔仔细细地说一遍。"

董兴说："我知道的不多。昨夜约莫半夜时分，我被黑黑惊醒。我仿佛听得园门推动的声音，觉得不好，忙从床上爬起来，穿好衣裳。那时黑黑汪汪地吠得越发厉害了。我又开了厨房门出来，忽觉一阵冷风吹得我浑身发抖。我没有带灯，仿佛看见门外一团黑影。我正待喊，猛觉额角上被什么东西击了一下，便身不由己地倒在地上，以后我就不知人事。直到医生用冷水将我救醒，我才知道老爷也给人打坏了。"

霍桑道："你起来时，只有这一只黑黑在吠吗？或是还有别的邻家的犬在一块儿吠？"

"我醒时，好像觉得隔壁李家的那只阿黄，也在汪汪地叫。后来我只在想有没有偷儿进来，不曾留心犬吠声。"

"但是那时候吠声的大小，你总应觉得的。"

"我记得不算太大。"

我接嘴说："凶手进来时一定有戒备，故而除了本屋中的犬以外，没有惊动别的犬。后来事成逃出去，那人心急慌忙，才引起了大群的吠声。"

霍桑又不表示，但向董兴点了点头，自顾自向后厅去。

杏卿的妹妹秀芳和使女阿珠都已等在后厅中。秀芳约莫十八九岁，脸形带些长方，微露颧骨，皮肤不大细腻，鼻梁有些凹，乌黑的眼珠却非常明净敏活。伊的姿色虽不过中材，装饰却很时式，身上穿一件浅蜜色大花舶来缎的灰鼠顾袍，长才及膝——因为那时候正流行着短顾袍。伊的足上也是肉色丝袜和高跟黄皮鞋，并没有一毫乡气。那女仆的年纪和秀芳相仿，双目灵活，分明也很聪慧。

霍桑向秀芳招呼的时候，秀芳的态度似乎很冷淡，又像有一种骄气。他问伊昨夜里的事情，伊回答得也非常简略。伊说伊昨夜睡得很熟，后来被荣生叫醒，才知道伊的父亲已遭了凶祸。

霍桑问道："张小姐，你可曾听得犬吠的声音？"

秀芳道："我下楼的时候，还听得几声吠声，不过断断续续的不多了。"

霍桑又问："下楼以前呢？"

那女子低垂了头，答道："没有听得。"

霍桑瞧着伊，缓缓道："这样说，你完全是被荣生叫醒的？"

"是。"秀芳的眼光仍垂在地上。

我看见杏卿和阿珠的目光都注视在秀芳的脸上，接着又都移过来瞧霍桑。霍桑也凝目瞧伊。他的眉峰渐渐蹙紧，似乎也觉得伊的话不大实在。这时外面忽然走进一个穿巡长黑制服的人来。秀芳一抬头，便乘势立起身来，向楼梯间走过去。霍桑并不阻留，但瞧着那进来的巡长。这巡长是个胖子，他向我们俩行了一个举手礼，说明蔡所长因为听说杏卿已经请了霍桑到南翔来，特地派他来接洽一下，顺便报告他们在镇上调查的结果。

巡长说："我们在左右邻居家调查过。东隔壁李家的老主人昨夜里也被犬吠声惊醒。他还听得脚步声音从他家后门外的空场上奔过。镇上元昌客栈中，我们又查得有两个异乡客人今天一天亮就走，形迹非常可疑。"

霍桑低头想了一想，说："好，我正要去拜访贵所长，也打算往外面去查一查。对不起，就烦你当一个向导。"他又和我附耳说："你留在这里，问问那个阿珠。你得注意，伊的话也许很有关系。我去一去就来。"他就跟那报信的胖巡长匆匆出去。

一封信

霍桑走后，张杏卿又趁空往医院里去看他的父亲。我把江荣生打发开去，以便一个人向阿珠问话。因为我看见阿珠听秀芳答话的时候，脸上似乎露一种窃笑的神气。霍桑临走时的叮咛，大概也看到了这一点。我先叫阿珠坐下来，才用温语问伊。伊说昨夜里伊也是被那宏大的吠声所惊醒，同时伊又听得开房门的声音，有脚声向楼梯走去。一会儿伊又听得步声回房来，再过一会儿，又听得荣生在楼下叫喊，伊也就起身下楼。

我问道："你听得开谁的房门？"

阿珠低垂了头，疑迟了一下，方才答道："小姐的房门。"

我心中微微一怔，暗忖这一着当真有重大关系，但仍不露声色。

我又问道："你没有弄错吗？我听说你的老主人也睡在楼上，你怎么知道不是开他的房门？"

阿珠道："不会错。因为小姐的房和我的房只隔一层板壁，老爷的房更近楼梯，并且脚声我也听惯。一定是小姐。"

"那么伊出房后有没有下楼？"

"我不知道。我只听得伊出房后向楼梯那边走去，过了一会儿，又听得伊回房里去。"

我记得荣生也说过他听得楼上的脚步声，合着阿珠的话，这一点势必实在。那么秀芳走出来干什么？伊为什么要说谎掩饰？伊曾下过楼吗？伊和这案子有什么关系？不过伊是张才福的亲生女儿，我再推想下去，未免神经过敏了吧？

我又向阿珠道："你既然听得这样清楚，显见你那时候必已完全清醒。你为什么不起来？"

阿珠道："先生，我害怕。我听了那汪汪汪的声音，心里实在怕。天气又冷，我把身子从被窝中抬起些，就觉得我的牙齿在厮打。后来我听得了小姐的哭声，才勉强爬起来。"

我又问起郁小园和被害的才福互相口角的事。阿珠的答话和杏卿告诉我们的完全相同，原因确是为了秀芳的婚事。我把所知的事实归纳起来，引出一种推想。这件事郁小园确有重大的嫌疑；瞧秀芳的言语状态，似乎伊也预先通谋。若凭旧伦理的眼光看，这推想当然不能成立。可是"自由恋爱"和"非孝"一类的论调浪潮眼前正汹涌着，不由使我不寒而栗。

半小时后，霍桑忽忽匆匆同着杏卿进来。我将阿珠的话报告他。他想了一想，忽叫杏卿把室中的一干人一齐唤到厅上。我不知道他有什么用意，但见他的眼光闪烁，神情非常紧张，似乎这案子已有非常的发展。

霍桑在主仆们聚集之后，当众说："这案子我已经有几分把握。那凶手撬门进来，伤了两个人，又匆匆出去，因此惊动了邻近的众犬。这里面有两个人处于嫌疑地位：一个是外乡来的陌生客，在镇上耽搁了三天，今天天明忽然失踪；另有一个虽也同有嫌疑，但情势上比较轻些。"

张秀芳忽颤声问道："这两个嫌疑人是谁？你可已查明白？"

霍桑向伊瞅了一眼，点头道："知道了，不过此刻还不便宣布。"

一个打岔挫断了霍桑的表白。一个邮差送进一封信来。杏卿忙接过一瞧，不自觉地失声惊呼：

"哎哟！霍先生，你瞧，这一封信有关系吗？"

霍桑接过信，我忙凑近去瞧。信封上写"张才福收"字样，信笺上只寥寥两句。笔迹近乎矫饰，笔画粗细不匀，但仍掩不住它的劲挺：

今夜十一时，在南桥堍面洽一切，请勿失约，免致后悔。

马启

霍桑的眼中露出异光。他将信纸、信封仔细查验了一回，又低头思索。

他问道："杏卿兄，你们可有一个姓马的熟识人？"

张杏卿疑迟地答道："姓马的……唔，亲戚中没有。若说家父的朋友，我可不大详细。"

他又问："那么这镇中可有这一条南桥？"

那男仆荣生立即道："有，就在南市梢口。"

霍桑点头道："是了。杏卿兄，我看出这信是昨天下午五点钟从本镇发出的。信中所说'今夜'，显然是指昨夜。那人以为这信当日可到，希望令尊昨夜去赴约。但乡镇邮局除了快信，日落后便不投递，故而直到此刻才到。但发信的人不知道，等令尊不到，以为他有意失约，故而便赶到这里来动手。"

张杏卿张目道："霍先生，你说这个姓马的就是凶手？"

"是。"

"那么现在怎么办？"

"我们但须追得这个发信的人，全案便可解决。"他回头瞧着三个仆人，"还有一句话，你们的主人这几天可有什么异状？譬如有什么陌生的客人来拜访，或是他接得了什么信札，便发生惊骇的情状。你们可觉得有这样的事？"

三个仆人都不回答，但面面相觑。

一回，厨子董兴答道："陌生的客人没有。但大前天老爷从镇上回来，脸上有些异样，好像怕什么人，吃夜饭时坐都坐不稳。"

霍桑道："他这种样子往日里可常有？"

董兴摇头道："不，难得看见。

霍桑又点点头："好了。这一点更足证合我的推想。现在我相信这个人一定已不在镇上，我们必须赶紧追捕。杏卿兄，这封信姑且交给我保存。我们还有些别的要事，打算先回上海去。你们这里也得谨防门户，没事别轻出，那凶手说不定另有恶计。一有消息，我会通知你。"

黑夜中的哑剧

我们离了张家，霍桑又拐到镇上警察分所去后，才直奔车站。回到上海时已交两点三十五分。霍桑始终在办公室看报休息，并无任何活动。到了那天断黑后七点一刻，霍桑又拉着我乘火车重新上南翔去。他保守着缄默，并不和我说明，只说到了南翔，便知究竟。经我一再诘问，他才告诉我他先前往镇上去探访的情形。他曾见过镇上的蔡巡官，又到邮局里去过；又去找过郁小园，但不曾见面。据说昨夜里小园在邻镇的亲戚人家应酬，还没回家。霍桑又查明警察们也曾到小园家去查问过，还拿了小园的一只皮鞋去。此外他又访得张才福新近曾往上海去过几次，又曾同一个旧时的米行同业在镇中喝过好几次茶。

我问道："你可知这同业的是谁？"

霍桑摇摇头。

我又问："那么那封约会信可就是这个人写的？"

"我不知道。"

"你想这姓马的和张才福有什么纠葛？"

"我也不知道，但迟早总可以明白。"

"那么你瞧那郁小园究竟怎么样？他昨夜一夜不归，会不会有什么干系？"

霍桑好像不耐烦，连简单的答复都懒得开口。他叫我耐心些，等这案子自然发展。我有些纳闷，可是也没法强迫他发表。

我们到南翔时，路上已很清冷。因着西北风上了劲，大半人家都已关窗闭户。我们到了张家的屋子外，霍桑先在外面兜一个圈子，却并不进去。他领我走到距离那屋子约莫百码的一棵大槐树底下，便停止脚步。那里已是市梢，一条往东的官道，岔着一条向南和西北的支路。官道的一边是田，田中点缀着几座坟和几棵白杨。

他低声说："包朗，我们在这里进晚餐吧。"

他从他的皮包中摸出些牛肉、饼干等物，给我分食。我更觉惊讶。他的行动太突兀，我看不透有什么用意。

霍桑又低声道："今夜有好戏呢。你慢发问句，吃饱了瞧戏吧。"

我虽不便多言，但谜团横梗在胸臆，再用不着别的东西填充我的胃脏了。霍桑似乎胃口特别好，把饼干、牛肉和西北风一起送进嘴里去。大约有半个钟头，我们才吃好。我感到冷飕飕，又不知道这好戏什么时候才能开演，开始耐不住。霍桑正在收拾他的皮包，忽然有一个人急匆匆从西北的支路上走过来。霍桑忙拉住了我的手臂，似乎禁止我声张。

那晚恰当上弦，空中的流云不绝，月光也时明时灭。但那来人是个穿短衣的工役，在半明光线下，我瞧得非常清楚。那短衣人走过了我们蔽身的大树，一直向张家的屋子走去。少停，我果然看见他敲门进去。

我低声问道："这个人是谁？"

霍桑道："这是一出有趣的喜剧，这个人只是一个配角。"

"还有主角？"

"是。"

"主角是谁？"

"说破了反而减少兴味。对不起，你自己瞧吧。"

我的纳闷加深了。这是二件血案，内中还夹杂窃盗，甚至有婚姻纠葛，情节相当严重。可是霍桑却说是一出喜剧——而且是有趣的喜剧！这未免太滑稽。他不会高兴地在寒凛的夜风中跟我开玩笑吧？可是他的老脾气又发作，处处把我困在鼓中，我有什么办法？

又隔了一会儿，那短衣人重新退出来，后面还跟着另一个人，又匆匆地从我们的树面前经过，走向支路去。当他们走近的时候，我认得出那后面跟着的一个就是被害的张才福的儿子张杏卿。

杏卿此刻往哪里去？他可就是这喜剧的主角？剧情又是怎么样？我的疑问堆叠到了咽喉，也没有法子冲破喉关。因为霍桑早筑好了一条"慢发问句"的防线！

我们默然地相对，更增加了我的寂寞无聊。霍桑找到了两块坟前的石碑，叫我坐下，又取出纸烟来给我。我勉强接受了吸着，才又挨过了近一个钟头。

夜气越发寒凛了。天空的云片得到增援，加强了阵容，月姐姐负气似的索性以逸待劳，深藏不出。四周一片墨黑。风先生在助威，砍得墓前白杨的枯枝"必剥必剥"地乱响，好几次击落在我的头上。吁吁吁！当然不是鬼啸，可是听在耳朵里也不会有美感。远村的犬吠声也活动了，一声两声，风先生好意地推送过来，可我只觉惨栗毛戴！

我再耐不住："霍桑，我们等在这里，到底干什么事呀？"

霍桑仍很安静地答道："瞧戏啊！瞧免费的好戏啊！喂，耐心些，戏马上就上场了！"

果然，东面的官道上出现一个人——一个男人彳亍地走过来。那人的步子并不快，且行且不住地向前后瞭望，状态的确很诡秘。从这个角色——假定真是个角色——的表演上估量，剧情似乎不会怎样坏，我的兴趣开始提振些。

霍桑一望见这个人，急忙丢了残烟站起来，张大了眼睛，好像很诡异。怎么？这个人在演员表上有姓名吗？还是额外的客串？要是有份的，他是主角还是配角？

那人走近大槐树时，霍桑忽蛇行着回到大树底下去，我也依样上前。这时月姐姐忽然发一个狠，刺破了一条云隙，突然亮一亮，照见那人穿着长袍马褂，头上戴一顶铜盆帽，年纪似乎很轻。他越近市梢，那种鬼鬼祟祟的状态比以前越发可疑，就是霍桑的表情也尽可欣赏。他偻着身子，全身的精神似都运注在他的双目之中；真像一头狮子瞧见了一种猎物，正待作势力搏。他看见我想走近去瞧清楚些，忽而伸过手来，用力把我拉住。转瞬间那人已悄悄地绕到张家的屋子后面去。

"包朗，你没有失望吧？这还是序幕——不，是一只插曲。正剧在后面呢！"

这是霍桑附着我的耳朵在打气，其实是多余的。我的兴味已经渐入佳境，此刻所企求的不是鼓励，而是连续的行动。这也没有失望。霍桑首先开步，我也蹑足跟着，远远地绕到了张宅的后面。我看见那少年正站在后园外面，除下了帽子，伸着头颈，仰望上面的楼窗。窗中本是有灯光的，霎时间灯光忽而熄灭。下面的少年仍静悄悄地等在门外。

霍桑拉我走得近些，又附在我的耳朵上说："戏剧中少了女角，会减弱趣味吧？你的眼福真不错，看到了戏外戏。瞧，女角快登场哩！"

那后园门微微地开动，先是一个人头，随后走出一个人来。月光恰被黑云遮住，我瞧不出是谁，但黑黝黝的剪影告诉我是个女人。

霍桑又附耳报告："是张秀芳！"

"唉！"

　　两个黑形接近了，并肩地转到屋子的西角去，我再瞧不清楚。他们当然有台词，可是我所看到的只是哑剧，而且哑剧也不彻底，因为霍桑仍拉住我，不许我跟上前去，我只得靠着围墙喝冷风。约莫有一刻钟吧，我重新见那两个角色回来。女角仍从园门里进去，男角也转身向东，打算悄悄地退回去。

　　霍桑忽放开脚步，回到我们先前藏身的大树底下。他把身子贴伏在树干上，探着头看那男角，我也依样葫芦地静伏着。那少年走近了，霍桑这个观客忽地跳上了舞台——他突地跳身而出，拦住了这少年演员的路。

　　他低声道："小园，慢！我跟你谈几句话。"

　　我才知道角色就是秀芳的情人郁小园。小园没料到，吃一惊。他的身子一侧，似乎要奔逃。可是霍桑的动作太迅速，早抓住了他的手臂，把他拉到大树底下。小园一边喘息着，一边还想抗拒。我也参加表演，上前去帮忙，将小园的另一只手臂捉住了。

　　霍桑又低声说："别惊骇。我是私家侦探霍桑。你只要把实情告诉我，我决不无故难为你。"

　　小园的惊魂定一定，喘息着说："唉！你就是霍桑先生？唉……我正要请教你。霍先生，这件事委实是冤枉的。现在警察们疑心我是凶手，已经派人监视我的屋子——"

　　霍桑插口道："你昨夜在哪里？"

　　"我在毛家宅表叔家里吃寿酒。你尽管去打听。今天有人告诉我，这里的才福先生被人打伤了，警察们似乎疑心我。故而我躲了半天，此刻特地悄悄地来看秀芳，问一个究竟。"

　　"伊怎样说？"

　　"伊说伊也不知道谁是凶手。"

"伊告诉你些什么？"

"伊说昨夜伊被吠声所惊醒，忽听得伊的父亲开了房门下楼来。后来吠声越发大了，伊疑心有什么人进屋子去。伊就也爬起来，出了房到楼梯头上去偷听。伊听得伊的父亲喊一声'哎哟'。伊知道出了岔子，便匆匆回房去了。"

"太奇怪了，伊既然听得了父亲的惊呼，何以反而回房去？"

郁小园的头沉下了，疑迟地不回答。他的一条膀子仍在我的把握中，我觉得他的身体有些发抖，霍桑拖一拖他的俘虏的另一条手臂："说啊，秀芳怎么说？"

小园吞吐地道："伊……伊那时有一种误会，才不敢下楼。"

"什么误会？"

"伊……伊以为……以为行凶的可能就是我。因为我最近和伊的父亲口角过一次。伊疑心我也许乘夜去报复，便慌得没了主意，重新躲到房里去。"

"那么伊所怀疑的可属实？"

小园慌忙摇头道："嗯！那……那委实毫无道理！霍先生，我总算在教育界上办事，怎么敢干这样不法的事？刚才我已经和秀芳说明白。伊此刻也完全明白了。"

霍桑不答，低了头寻思。他紧抓在他俘虏臂膀上的手却放松了。我估量这一着大概已没有必要，也放了手。郁小园自由了，又恳切地表示：

"霍先生，你如果不相信，尽可往毛家宅去打听。我的表叔叫毛颂周，你只要调查昨夜里我有没有离开过表叔家一步，就可以证明我有罪无罪。"

霍桑点点头，低声道："好。此刻你既然不能回家，不如直接往警察局去自首。你尽可放心，少停我会来发落。你未来的内兄张杏卿，谅必在局子里等得不耐烦了。"

小园听说杏卿也在警察局里，似乎很诧异。我也觉得出乎意料。这件事杏卿也有间接关系吗？

霍桑又说："快去吧。我们还要等一个人来，不能陪你去。你若不听，吃了苦别怪我。"

郁小园连连点着头："是，是。我马上就去。"他向我们鞠了一个躬，就回身向那条通警局的支路上进行。

我起初怀疑这个人是剧中的主角，现在霍桑轻轻地把他放走了，叫他去自首，显然并不是。那么主角呢？这出戏究竟怎样结束呀？

霍桑忽又低声向我说："当初我明知秀芳的话不实在，现在才明白。"

我问道："你相信这小园的话是可靠的？"

霍桑点点头。

我又问："那么这出戏谁是主角？"

"主角还没登场。"

"也会到这里来？"

"是。"

"究竟是谁？"

"你不用问，立刻便可以分晓！"

剧情虽在逐步开展，还不是最高潮。我仍不免牙痒痒地按捺不住。

我又问道："霍桑，你还卖关子？我们还等谁来？"

霍桑道："等凶手来！"

"凶手会自投罗网吗？"

"自然。那就是最后的高潮！"他忽在我的肩上拍一拍，低声道，"来了！"

我忙回头向东面官道上瞧，仍墨黑无人；一回头，却见一个黑影正从张家的屋子后面兜出来。原来演员的出场方向变换了。这一次霍桑所等的人是从屋子里出来的，并不像先前两个从外面进去。

那主角的剪影是个高个子的短衣人。他的步子很快，手里提一个小包，情态诡秘。霍桑照例贴伏在树干上，全神贯注地瞧着来人。

他低声叫我："包朗，这家伙有些蛮力，你得助我一臂。"

那黑影已经疾步近前来。霍桑不等他走到树下，抢先跳出去；我也跟上前去，直扑那人。霍桑张开两膀，像虾钳般地将那人抱住了。

他厉声问道："董兴，你这包里有多少钱呀？人家等得心焦哩！来，我们一块儿往警察局去吧！"

剧情的说明

高潮的表演并不太繁复。四条有力的手臂，在经过小小的挣扎下，终于将这厨子连着一包钞票押送到了警局。不过这案子主谋和实施的人只是董兴一个人，那也是出我意料的。

董兴的供语非常简单：有一天他看见他的主人张才福独个儿在书房中检点钞票，放进那只红木柜中去，似乎新近收回了一注本款，他就不禁见财起意，但他本没有谋杀的意思。昨夜里他利用雨天，先将那只黑黑关在他自己的房内，随即到书房中去砍破木柜，偷取钞票，顺手将香炉、罗汉取起。他将钞票严密地裹好，装在一只洋铁匣中，连着香炉、罗汉一块儿沉在后园的井中，准备事过后再取出来销赃。

布置既妥，他更将园门撬破，又穿了一双皮鞋，走出园门去，直到官道，随后又重新回进来，打算在湿泥地上印些足迹，企图嫁罪于外面人。这皮鞋本是郁小园穿旧了的，他在两个月前向小园讨来，别的人却不知道。他回来后，便将皮鞋一块儿投入井中灭迹。但在这个当儿，他卧房中的那只黑黑忽然吠叫不停。他不免惊惧，就将计就计，趁势走到后园门口，装作狗叫，以便引起邻犬的吠声，使人们信作是外来的贼。

不料他的计划不如意。他偶一回头，忽见他的老主人正从后厅中走出来，嘴里在失声惊呼。他知道他的机密破露了，一时慌乱，就提起井旁边的木桶，在才福的额角上击了一下。张才福立刻倒地。董兴慌乱地回到房中，把黑黑放出来。他想出了一个掩护计划，自己将额角划破些，将血涂在水桶上，装着昏晕的样子。他起初听说张才福已没有希望，自以为这件事万分秘密，足以瞒过警探们的眼目。他之所以带了贼款逃出来，实因他听得他的老主人的伤势已减轻，神志有清醒的希望。他想到当时张才福清楚看见他，张才福如果醒了，他的密谋迟早总不免破露，故而想连夜逃走。这才补足了这一出活剧的最后高潮。

末了，我低声问霍桑道："那张才福果真有希望吗？"

霍桑摇头道："他已没有希望了，这是我弄的狡猾。刚才那短衣人就是这里的一位警士装扮的。他假充了医院的役夫，去报告张才福苏醒的假信，使董兴进我的圈套。同时我又特地把杏卿打发开去，以便让董兴无所顾忌。我料想他一得到这个消息，绝不敢再逗留在屋子里。因为在他意中，只要杏卿一从医院回家，也许真相揭露了，他就脱不得身。"

那警察分所的蔡巡官听了厨子的供语，点头搓手地很高兴。他的脸上也满现着佩服和惊异的神气。在犯人提升以后，他代替我向霍桑根究。

他问道："霍先生，你怎样知道董兴是真凶？"

霍桑微笑着答道："这原是一件很平常的案子，并没有多大曲折。第一点，我知道这案子是屋中人干的，并没有外面人进去。"

蔡所长说："是，现在果然明白了，但昨夜外面的吠声和园门外的皮鞋印子，却很像——"

霍桑点头接口道："是，这吠声和足印似乎很足以乱人的耳目。我之所以知道不是外面人，这足印就是唯一的线索。试想如果外面人进去，自然应当先入而后出。但那足印明明是先出而后入，这就可见足印是屋中人故意造设的。"

蔡巡官张着眼睛瞧霍桑发呆。这表情似乎显示出他还不大了然，可是又为着顾全自己的身份，不便随便动问。

霍桑忽指着我道："你问包先生吧。他是同我一块儿查验的。包朗，你不是看见过一个较长而两端都尖的印的吗？我告诉你那是出入交叠的痕迹，你总也看得出那鞋尖向南的一个印比较清楚些，分明是后来印上去的。这屋子是朝南的，园门恰正朝北。那么，这向南的一印当然是进入的印。这样可见先出而后入，已经没有疑问了。"

我当时看出来吗？唉，我只有暗暗地内愧。先前我虽也同样地瞧见过那个交叠的足印，可惜我没有仔细查验，并且也不曾仔细考虑。这理解当时我实在没有想到。不过霍桑既然在替朋友"隐短"，我也不必自己揭发了。

霍桑继续道："还有一层。假使是外来的人，那人行凶以后逃出去时，又因着吠声的威胁，论情他的脚步势必要更急促错乱些，入印和出印就决不能像这样子一样齐整。这也是一个显明的可疑点。"

"还有旁的根据吗？"蔡巡官的好奇心驱使他再问一句。

霍桑点点头："还有一点，就是那水桶。我根据这桶，料定这件行凶的事是出于偶然的。因为假使有人蓄意进去行刺，势必不会不携带凶器，却借水桶来行凶。因此，我又假定这凶案定是因盗案而连带发生的。再进一步，自然可以知道这一件案子的动机是单纯的钱财，绝不是其他。"

警官的求知欲相当强，又问道："不是有一封匿名信吗？这又是哪里来的？不见得是董兴弄花巧吧？我听说他不识字。"

霍桑的嘴唇牵一牵，摇头道："这花巧不是他弄的，别冤枉他。弄这花巧的是我。"

蔡所长又一度表现出呆滞的目光："唔？是你？"

霍桑又微笑说："是的。因为我虽知道罪人就在屋子里，但还不能确知是哪一个。故而我在镇上写了一封信，叫邮局破例马上就送。我叫齐了一干人，假意问才福近来有没有异状，用意就是探探屋中人的口气。董兴就进了我的圈套，假说张才福近来有过畏惧什么人的状态。这才使我确知罪人就是董兴。我为着省却问供时的口舌和寻找赃物的麻烦，就结构了一幕小小的喜剧，让凶手自己用行动来表白。接着我们便托词回上海去，使凶手减少防范。"

他又带着笑容向那警官说："蔡所长，我在动身上火车之前，曾请你派一个弟兄，在今夜九点光景冒充医院院工到张家去报假信。当时你要我说明情由，我防走漏风声，实在不能说。这一点要请你原谅。"

所长笑一笑，又道："既然如此，昨夜里实在没有外面人往张家里去，但张家左右的邻犬怎么也会合伙儿吠起来？"

霍桑忽笑道："所长，你说笑话了！你岂不知'一犬吠影，百犬吠声'的那句俗语吗？"

蔡所长果然涨红了脸，答不出话，却用咯咯的一笑遮住了他的窘态。

旁边一个曾到张家去过的胖巡长插口道："可是那东隔壁李老头儿还听得脚步声音在空场上奔跑呢。"

霍桑瞧着他，问道："你想老年人在半夜里被吠声所惊醒，那时候他的意识状态怎么样？他的听觉会这样清楚吗？他的话也可当得证据吗？"霍桑说到这里，瞧一瞧表，又向所长说："所长，对不起，我们要在这里搅扰一夜了。你让郁小园回去后，也可以早些休息了。天亮了你得准备呈报公文哩。"

第二天我们回上海以前，闻得张才福果然在天明前逝世。一星期以后，张杏卿来道谢，我们又得到些补充消息。他提起他的妹妹秀芳定在寒假期间和郁小园正式订婚。他告诉我们他到宝山县去催讯过两次，董兴的处分要等下一次才能宣判。闲谈中他又说起他的父亲张才福藏在红木柜里的那笔进款，共有六千五百元之多，并不是收回债款的本金。原来他近来曾和他的同业朋友合伙儿干着贩米出洋的秘密勾当，这款子谅来就是从某方面得到的酬金。这回事杏卿本来不知道，是那合伙的父执隐约地吐出来的。青年人究竟有志气。他因着不满他的父亲的行为，才照实告诉我们。

无罪之凶手

一阵骚乱

"唉！不好！……不好！……"

"哎哟！……一个人倒了！"

"喝醉了吧？……"

"唔唔！……"

"不！……不像醉……"

"也许热昏哩！"

"哎哟！……又一个人要横下来了！"

"唉！……"

一连串惊惶而杂乱的呼声，从那外面敞座中传进了我们的小室，我们都惊异起来。接着而起的，又是喧哗声，惊呼声，椅桌推动声，重物坠地声，杂乱的脚步声，最后是碗盏杯盘撞击声。这一阵骚乱———串奇怪刺耳的声浪，霎时间杂然并作，不由使我们三个人都放下了酒杯。

是的，这里需要一个解释，但我在解说这许多声浪的来历以前，不能不先将我们和这些声浪发生关系的缘由说明几句。

凡熟识霍桑的人，总知道他是个反对饮酒和最不喜欢无谓应酬的人。譬如人家的弥月冥庆之类的宴会和俗例上无事生事"摆阔"性的酬酢，他往往规避不往。这不是他的矫情，也不是孤高落寞；他实在认为太虚泛无聊。但假使有二三知己，不拘形迹地把酒谈心，他也会高兴地喝几杯。并且在这种投契的当儿，引起了他的谈锋，他还肯把他经历的奇诡案子讲出来助兴。

这一天是七月中旬，天气大热的晚上。我和霍桑二人，因着总署侦探长汪银林的邀约，一同在东源酒楼上小饮。银林曾侦查一件胁诈案子，费了数个月的工夫，还没有结果；后来因着霍桑的指示，才得破案结束。故而他这一次邀饮，分明含着些酬谢的意思。

银林居于主人的地位，先提着酒壶，恭恭敬敬地向霍桑和我各敬了三杯，又极口称颂霍桑的才智和功绩。霍桑却反觉得不安起来。

他皱着眉头，答道："银林兄，你说得太过分了。这件事是完全靠机缘成就的，我实无功可言。机缘来了，一个人能够认识它，又能够抓住了利用它，这就是他或伊的能耐。所以我不敢说一个人单单凭着他的才能，件件事都能够无往不利；反之，一人的智力有限，有时自信过甚，还往往容易走进错路上去。"他忽含着笑容，斜过脸来瞧我："包朗，你和我相处好久了。我的成就往往是凭着偶然的机缘；但我的失败，也不止一次两次，你也是眼见的。只是你抱着替朋友隐恶扬善的见解，常把我成功的事迹记叙出来，失败的却一笔不提。因此，社会上有一部分人，竟把我当作有"顺风耳""千里眼"本领的神话中神秘人物看待。这实在是大大的错误！现在我请你把我失败的案子发表一两件，使人们可以知道我并不是万能的，更不是什么无稽的神仙鬼怪。我也只是一个'人'罢了。"

霍桑这一番话，不但使我首肯，银林也越发心折。霍桑的睿智才能，在我国侦探界上，无论是私人或是职业的，他总可算首屈一指。但他虚怀若谷的谦德同样也非寻常人可及。我回想起西方的福尔摩斯，他的天才固然是杰出的，但他却自视甚高，有目空一切的气概。若把福尔摩斯和霍桑相提并论，也可见得西方人和东方人的素养习性显有不同。

我们的座处是一间靠近楼窗的小小的密室。夜风一阵阵从窗口里枉顾，肃清了我们身上的汗液。那密室外面有一大间普通座位的敞室，排列了不少桌子，酒客们的猜拳行令和笑谈喧嚣的声音非常热闹。我们大家喝过了几杯，谈谈说说，倒也畅怀有趣。一会儿，壁上的时钟铛铛地敲了九下。霍桑因着银林的请求，正待讲述他最近经历的一件奇案，忽听得密室外面发生了一阵喧扰之声。它不但打断了霍桑的谈话，又使他站起来，连我们的杯筷也不得不暂时搁置。

汪银林跳起身来，诧异道："什么事？"

砰！

第二次重物坠地声又送入我们的密室，显然又有一个人跌倒在地板上面了。

我说："也许是什么人打架？"

霍桑早已走到了小室的活络门外，踮着足尖望了一望，又回过头来向我们说话：

"当真有两个人跌倒了！我们去瞧瞧。"

我们走到敞室中时，看见五六只桌子都已空着，酒客们都拥挤在一起，围住了一只近窗的桌子。有一两个人忽从人丛中退出来，急匆匆下楼而去，似乎不愿参加这个纷扰。霍桑的举动原是很敏捷的，便分开了众人挤上前去。我和汪银林也跟踵而进。

地板上面有两个少年，一横一竖地躺着。这二人都紧闭着双目，面色惨白地手捧着肚子，在地板上牵伸转侧，嘴里还不住地哼着。那情景委实很凄惨刺目。

喧哕的人丛中有一个人说："唔，这是霍乱病！"

另一个说："唔，大概是从那些苍蝇上来的！"

"怕是发痧吧？"是一个戴眼镜的大块头的建议。

"我看像中毒呢。"这是又一个年事较高的酒客的高见。

旁边一个穿汗衫的侍者，灰白着脸，正慌得束着手呆瞧。他听得酒客们的三三两两的闲话，抹了抹额汗，居然也找出两句答辩话来。

他忙道："不会！不会！这里的酒菜再洁净没有，苍蝇也不多，绝不会中毒。不是！不是！"

霍桑忽指着地板上的两个少年，说道："你们瞧哪！他们的嘴唇都已没有一丝血色，手脚也都拘挛着，还不住地抽动。可见他们正感受剧烈的刺痛。对，这真像是中毒！堂倌，快叫一个医生来，送他们往医院里去，再迟恐来不及了！"

"我去！"

一个有赭红鼻子的旁观客，倒也有见义勇为的精神，应了一声，便自告奋勇地奔下楼去。人家说酒国里颇多仗义尚侠的好汉，这里倒是一个小小的例证的表现。

霍桑见了这两个少年的凄惨模样，他的好奇心和怜悯心霎时间都被激起，伛偻着身子，想扶他们坐起来，但他们的手足都已失却了活动的自由，竟不能如愿。他们除了微弱的哼哼的呻吟声以外，没有半句话。这时要他们说话已不可能，所以霍桑也不曾浪费问句。

霍桑仰直了身子，问道："堂倌，你认识他们吗？"

一个热心口快的中年酒客抢着应道："我认识！这个年轻

的叫冯守成，是这里的老主顾。那一个，我不认识。"他向地板上一个年纪比较大些的指一指。

霍桑又问侍者道："那么，你可都认识他们？"

那侍者期期然道："这……这一个人我也不认识。他今夜还是第一次来。但他一定是冯少爷的朋友。我刚才还看见他们一块儿喝酒谈笑——谈得很多。"

我细瞧那冯守成的样子。他的脸瘦削而焦黄，鼻子平扁，牙齿深黄色，年纪约莫二十五六，穿一件香云纱长衫，却算不得怎样洁净。从他衣服上的斑污估量，好像是芙蓉城中的一个瘾君子。那另一个不知姓名的人，脸色比较白皙，嘴唇上有一颗相当大的黑痣，穿一套阴白印度绸短衫裤，式样比较入时，但已略见敝旧。他的年纪比冯守成大些。

霍桑又问："唔，你说这两个人一块儿喝酒？但桌子上怎么倒有三只酒杯？"

那侍者向桌面上瞪目呆瞧着，一时似乎回答不出。我果然看见那小方桌上共有三副杯筷，只空着靠窗的一面。

这时，一阵急促的步声走上楼梯来。一个警士跟随先前那个自告奋勇的赭鼻客人，满面汗淋淋地一同挤过来。

红鼻子酒客报告说："我找不到医院，所以就报告了这个警察。"

霍桑点了点头，便回头向汪银林道："我看眼前应立刻雇车子把这两个人送到附近的德济医院里去，越快越好。时机很危急了。"

汪银林赞成，便向那警士吩咐了几句。警士就招招手，请了几个义务助手，着手把这两个奄奄一息的人抬送下去。那穿汗衫的侍者忙着将衣钩上的一件白印度绸长衫拿下来，丢在那个被抬的有痣的人身上。

我正在瞧那些人帮着抬送下楼的时候，忽听得霍桑厉声呼喝：

"堂倌，住手！不要动桌子上的东西！——让这些东西留着。"

那侍者看见我们有指挥警士的能力，料想我们有些势力。他正想把桌子上的杯碟收拾起来，一听得霍桑的喝阻，立即住手。几个酒国同志散开了，回到他们的原座上去，有几个更热心的还留着旁听。

霍桑继续说："银林兄，请你把这些酒杯菜盆都收拾好，送到医院里去验一下子。"

银林作疑迟状道："为什么？你想这当真是一件中毒案？这些东西里面难道还留着什么毒迹？"

霍桑道："这虽还不能说定，但情势上很相近。我们为谨慎起见，应得把这些酒菜都查验一下。"他又回头问那侍者道："堂倌，你还没有回答我的话哩。这里有三个座位，三只酒杯，三双筷子，不是有三个人吗？"

那侍者相当胖，胖子容易出汗，也许有着生理的根据。这时他的汗衫好像已经湿透。他用手背在自己的额角和鼻子上抹了一抹，两只圆眼在霍桑脸上交替地霎动：

"先生，冯少爷当真是同着两个人来的——还有一个人已经先走了。"

"喔，先走了！他走了多少时候？"

"还不久，大约二十分钟。"

"这个先走的人，你可认识？"

"不认识。那人也不是常来的。"

"这个人坐在哪一个位子上？"

"这一个。"侍者随手指了一指。

霍桑摸出铅笔和日记簿来，把侍者的答语仔细记下。接着他撕下一页，把纸片裁小了，粘在那三只酒杯上，分别注明。那三只杯子中都留剩几滴余酒，桌上有三把酒壶，两壶已空，第三壶还剩小半壶光景。但这三把酒壶杂乱地放在桌子的一角，竟辨不出哪一个人饮哪一壶。霍桑仔细看了一看，便把酒壶、酒杯和几只菜碟，都交给汪银林，请他送到医院里去查验。查验的结果，请汪银林用电话通告。

汪银林答应了，借了一只提篮，把杯碟等装好，叫他的司机提下去，接着就和我们分别。霍桑和我重新回进先前的密室。那时旁观的热心人也跟着散开，外室中的酒客也已散去了大半。因此密室中更没有闲人，不再怕人家的惊扰。

我问霍桑道："你看这究竟是不是中毒？"

霍桑很有把握似的答道："一定是的。我虽然不是医生，但这两个人的容态已明明告诉我是中毒。我觉得这一幕小小的戏剧，也许有重大的背景，值得我们的注意。我要和那胖子堂倌谈几句话。"

他走到活络门口，向着那侍者招一招手。那侍者不太高兴地慢慢走进来。他的两眼圆圆地睁着，额角和鼻下的汗在交相竞赛，脸上也仍满现着惊惶。他手中执着一顶草帽，分明不是他自己的东西。

霍桑带着笑容，伸手拍着那人的肩，婉声说："朋友，你叫什么？"

胖子答道："我叫炳泉。"

"好，炳泉，你不用慌。我要问你几句话，你但老老实实地回答我就行。我决不把你牵连进去。"

炳泉感激地点了点头，又用手背在鼻尖上掠了一下，但他脸上的犹豫神色仍不见消减，似乎他还不敢轻信我朋友的话。

霍桑瞧着他手中的草帽，问道："这东西可是他们遗下来的？"

炳泉道："不是。他们都秃着头来的。刚才一件长衫我已经丢回给那个有黑痣的不相识的人。这顶草帽是我在他们旁边的一张桌子上发现的。"

霍桑接过草帽，略瞧一瞧，放在桌上，又回头瞧那胖子：

"唔，那么，我们且谈正经话。你说起先他们三个人一块儿来，内中有一个人先去，是不是？"

"是。"

"这个先走的人你究竟认识不认识？"

"我……我的确不认识。"

"但他的状貌你以前可曾见过？"

"这个……这个……"他顿住了。他的鼻尖似乎又痒起来。他又用手背抹了一抹，仍迟疑着不答。

霍桑继续道："说啊。譬如你以后瞧见了他，可还能认得出来吗？"

胖侍者点头道："这个我能够。他是一个高个子的老年人，穿一件黑绸长衫，瘦瘦的脸，眼睛是乌黑的。他……他好像曾和冯少爷来过一次。不过他并不是这里的老酒客。"

霍桑的眉峰掀了一掀："这样说，这个老年人明明也是冯少爷的朋友，是不是？"

炳泉但点点头。

霍桑又问："你说那有痣的人曾和冯少爷谈过不少话，但冯少爷可也和这一个老年人交谈？"

炳泉答道："也交谈的。我曾听得那个有黑痣的人说的是南京口音的话。这老头儿却很静默，并不见他多谈。我不曾留心他的口音。"

霍桑思索了一下，另换一个话题："这冯守成是这里的老酒客？"

"是。他没有一天不来。"

"他是做什么的？"

"我……我不知道。我听说他的老子，生前在衙门里当差，家里好像很有钱。赏小账，他不比人家少。他就住在长安里。"

霍桑沉吟了一会儿，忽把桌上的草帽拿了起来。他一边瞧那草帽，一边又偷偷瞧瞧那侍者：

"炳泉，你别这样子呆瞪瞪。我们坐下来谈。你不是说这帽子在邻桌上发现的吗？"

那侍者似乎拘执着礼节，仍不自然地站在一旁，不肯坐下。霍桑和我各自坐下来。

炳泉点头应道："正是，在冯少爷的隔桌。"

"这个人是谁？你可认识？"

"他已来过好几次，我认识他的脸，但不知他的姓名。"

"他今夜的酒账付过没有？"

"刚才他塞给我一张钞票，找头也没有拿。"

霍桑把那草帽凑在灯光下反复查验了一会儿。我看见那是一顶巴拿马草帽，配着黑色的狭丝带，还很新。

霍桑说："我想这个人很讲究修饰。他的发膏抹得很光泽，想起来衣服也非常漂亮，否则配不上这帽子。他的年纪大概还不出三十，是不是？"

这几句话忽似引起了炳泉的诧异。他不自然的窘态因此减除了些。

他反问道："先生，你可是见过他的？"

霍桑不答，摇摇头。他的嘴唇牵了一牵。

我也问道："霍桑，你的根据是什么？"

霍桑微笑道："这是很显明的事。帽子里面有几根修剪下来的头发。那头发很短，可见他是勤于修剪的。那块紫色缎子的衬垫上含着浓烈的香味和油光，那么这个人的讲究装饰已不成问题。那帽子里面的皮圈上又留着倾斜的痕迹，可见他戴帽时是偏向右额角的。从这种种状态上推测，可知他是一个时髦少年无疑。"

那胖侍者似乎听出了神，他的两片厚厚的嘴唇竟不期然而然地张得很大。可是他除了呆瞧以外，并不曾说出什么欣赏的话。

霍桑把帽子回给了他，又说："这东西你且保存着。假使这个人今夜来寻索这只帽子，你不妨就回给他。若使今夜不来，那你应得好好地保存着，我们也许还有用。"

我又插口道："我看这个人也许胆小怕事，因着不愿看见这种纷扰的事情，匆匆地离去，就忘了他的帽子。"

霍桑笑道："你的见解也许是的。但事实往往有出乎意料的内幕。假使那两个人不是在到这里以前已经中毒，却是到了这地方才中毒的，那么，这草帽在表面上虽似没有关系，我们为谨慎起见，却不能不加注意——或许就把它当作一种线索，也说不定啊。"

我点点头："但你对于这两个人中毒的情由可已有些意见？"

霍桑道："这还早，完全没有。我现在打算往冯守成家里去。我想到了那里，终可以问出些端倪。"

霍桑立起来，向炳泉问明了冯守成的地址，记在手册上。接着他又问起关于那冯守成的家庭状况。但炳泉并不深悉，毫无结果。

末后，霍桑又问道："那么，你再说得仔细些。你可曾瞧见这两个人怎样跌下来的？"

炳泉答道："这三个人大约在上灯时七点钟到这里来的。他们喝了约莫一个钟头，那穿黑纺绸长衫的老头儿就要走。冯少爷留住他。又坐了半个钟头光景，那老头儿才先去。他们两个仍旧谈着喝着。一会儿，我忽然看见他们都把头伏在臂上，像在打盹，又像喝醉了。一转瞬间，冯少爷先从椅上跌了下来；接着那第二个有黑痣穿短衫的人也倒在地上。"

蛋 壳

冯守成的住址是在北海路长安里二十九号。我们从东源酒铺中出来到他家里去时，经过那德济医院，就顺便拐了进去，问问这两个人的情形。汪银林还在医院中等候消息。据医生的诊断，这两个人的确是中毒，此刻正设法使他们呕吐解毒，但至今仍没有恢复知觉。那酒壶、酒杯中的余酒也正在化验中，还没有完毕。汪银林答应我们，等到化验有了结果，立刻通知我们。

我们从医院里出来时，霍桑又向我说话：

"你现在总相信了！这一出小戏里面一定有大文章哩！我觉得这件案子中有一个紧要的关键：就是这两个人的中毒，究竟在进酒馆以前，还是在进酒馆以后？假使他们在进酒馆时已先中毒，问题更严重了。我们不能不更谨慎些。"

"那么，我们怎样着手？"

"现在我们往冯家去，姑且不要说起我们已查明了什么。这样他们既不防备，我们便可从他们的言语状态上探得些线索。"

我记得那酒馆的侍者炳泉曾告诉我们，冯守成的父亲生前曾在衙门里当过差役，死后大概留下了不少造孽钱，故而他的儿子守成平日的用度非常阔绰。

冯家的住宅是一所两上两下连侧厢的石库门屋。客堂中电灯雪亮，全副家具都是红木的，墙壁上居然也挂着几幅名人的字画，果真满显着富有的景象。

我们到了里面，有一个老妇出来招待。伊是冯守成的母亲，年纪五十光景，头发已有些花白，额上也已有几条线纹。伊的外貌上似乎很慈祥，但伊的一双乌黑的眼睛却似有一种足以使人震慑的威力。我们声明是守成的朋友，因着许久不见，特地来访候他。

那老妇的礼貌不见得怎样周全。伊并不请我们坐，但站在客堂门口向我们答话：

"守成已和守恒往东源酒铺里去了。你们可以往那里去找他。"

霍桑忽向我瞟了一眼，我也暗暗惊奇。守成和守恒，很像是弟兄的名字。难道他们俩果真是兄弟？假使如此，这两个人又何以同时中毒？

霍桑乘机说道："我们和守成相识虽已好久，却不知道他还有一个哥哥。他哥哥的嘴唇上是有一颗黑痣的吗？"

"是的。你也看见过守恒？"

"唔，刚才见过。他们俩不见得是同胞弟兄吧？"

那冯母微微含着笑容，答道："他们是同父不同母的。守恒是我丈夫的小妾生的，伊也已死了两年。但守恒的年纪却比我的儿子守成长两岁。他在南京大学里读书，已经读了好几年，平日不常在上海，此刻他是放暑假回来。"

霍桑假作领悟状道："唉！守恒是在南京读书的，怪不得我们以前不曾见过他。我想他们弟兄俩总是很和睦的吧？"

老妇不即回答，那一双有力的眼睛在霍桑脸上瞟了一眼，忽又低下头去。伊分明已感觉到这问句的突兀。

一会儿，伊才说："弟兄俩是很和睦的。不过守恒浪费些。他在大学里读书，一年要用千把块钱，我常常写信叫他俭省些。除了这点以外，我们家里原是快快乐乐的。"伊点了点头，便旋转身子，作势要进去的样子。

霍桑却不很知趣地继续问道："守恒是几时回来的？"

不耐的神气已从老妇的眉宇间充分地显露出来。伊紧皱着双眉，侧着脸，悻悻然作简语回答："今天下午。"

霍桑的嘴唇继续动着，明明想再问一句，可是那冯母向霍桑瞅了一眼，竟老实不客气地下逐客令了：

"先生，对不起。我里面还有事呢。你要看守成，到酒铺里去找吧。"

局势不大妙，看来我们不得不走了。我不知道霍桑在这几句谈话之中，是否已得到什么线索。我却只觉得空泛异常，毫无头绪。那老太太要回身走进去了。在这种形势之下，我们只有立即退去的一法，当然不便再发什么取憎的问句。可是霍桑偏不知趣，忽然踏前一步，依着老妇的口气乘势搭讪：

"冯太太，我们刚才从酒楼里来啊。"

冯母刚才移动脚步，正想回身进去，一听这句，果真又立定了回过头来："那么你没有瞧见他们？"

霍桑直僵僵地站着，定目瞧着伊的脸，没有回答。情势有些僵。我不知道霍桑准备着什么步骤。

冯母开始怀疑，作疑讶声道："你们究竟是谁？客客气气，为什么向我问这些话？"

霍桑的脸容很庄严，略略弯了一弯腰："冯太太，我们是私家侦探。我们刚才见过你的儿子，此刻却带得一个消息来给你。"

老妇微微一震，忙用手撑住了那只方桌，伊的一双眼睛越发可怕了："什么消息？"

"请你不要太胆小。这消息很坏。"

"唉，到底什么事呀？"伊的声音有些抖。

"他们已中了毒——并且很厉害！"

老妇突然张大了眼睛，呆了一呆："可是守恒中了毒？"

霍桑缓缓道："是的，但不单是守恒，守成也中毒了。"

那老妇脸色顿时惨变，浑身都战栗起来，连伊的身体都依靠在方桌边上："哎哟……哎哟……"

伊的身子已支撑不住，向里面倾斜下去。霍桑急忙走近去扶住伊。我也上前帮忙，扶伊坐在客堂中的一把红木椅子上。

伊喘息地呼道："哎哟！我的儿子守成中毒吗？这……这一定是守恒干的啊！一定是他！"

霍桑仍很镇静地答道："冯太太，你也许误会了。我已经告诉你，他们俩都中了毒。"

"哎哟！……那么，谁害他——谁会害他？"

"冯太太，不单是他，守恒也一样中了毒。你想谁会害他们？"

"这个……这……我……不知道！我……要去看守成！他……他在哪里？"

"他们此刻一同在德济医院里。假使他们中毒的时候不太久，大概还可以救治。冯太太，你姑且定定神。现在我们要侦查的，就是他们俩究竟在什么时候中的毒。"

那老妇的泪珠已从那失了威力的眼睛的眶中迸涌而出，从伊的灰白的两颊上滚落下来。伊摸出一块白巾来抹拭着，背心靠着红木椅子的背。

伊呜咽着问道："哎哟！这怎么办？谁下的毒？先生，你知道吗？快告诉我！"

霍桑自动地在老妇下首的一把椅子上坐下来，我也不客气地坐在他们对面。有个女仆在屏门里面探一探头，重新缩了进去。霍桑用眼角略一飘瞥，并不理会。

他答道："冯太太，我还不知道。但你如果能暂时抑制你的惊悲，回答我几句问句，那对我们彼此都有益。我瞧这件事也许是出乎意料的，未必见得有什么人存心谋害。我问你，他们什么时候往酒铺里去的？"

冯母又把手巾在脸上抹了一抹，忍住了眼泪，想了一想，才颤声答复。

伊说："他们出去时，太阳还在西墙角上，大约在六点和七点之间。"

"两个人一块儿出门的吗？"

"是的。"

"不曾约别的人吗？"

"没有。"

"那么守恒在什么时候从南京回来的？"

"今天三点半光景。"

"南京车本是三点钟到上海的，他大概是从车站上直接回来的。他回到这里以后可曾吃过东西？"

"他吃过一碗面。"

"只有他一个人吃面吗？还是守成也一起吃过面的？"

"这面是我的媳妇兰珠——守成的妻子——烧的，不但他们兄弟俩吃，我们大家都吃过。"

霍桑的眼光似在那幅山水中堂上定了一定，但我相信他绝不是有闲心思欣赏那赝鼎的文衡山画，分明在那里构思。

一会儿，他继续问道："可有什么别的东西，只有这弟兄俩吃过而你们没有吃过？"

冯母摇摇头："没有——唉，不，不——我记得他们俩曾一块儿喝过一会儿茶，我和媳妇却不曾陪他们喝。"

霍桑道："喔，他们俩在什么地方喝的茶？我想进去瞧瞧。"

妇人向西首的次室指着，说道："这就是今天特地给守恒预备的卧室。刚才守成和他在里面谈过好一会儿。"

霍桑立起来走到那次间门口，便握着门钮开门进去，随手扳亮了里面的电灯。老妇也颤巍巍地立起来陪着进去，我也跟在后面。

这次间——和厢房隔绝的次室——中有一只单人小铁床，一只小小的圆桌，靠窗另有一只西式的茶几，几的左右各有两只椅子，也都是红木的。茶几上放着一把很大的白瓷茶壶。靠分隔的板壁上放一个玻璃书橱，橱中的书却寥寥无几，玻璃也被尘埃封蔽，显见不大开动。圆桌旁边还围列着几只圆凳。圆桌上有一架小风扇，两只茶杯，一只夹火柴的黄铜烟盆。我瞧室中各物的情状仍很整齐有致，绝不见有什么可疑。霍桑的目光在室中打了一个回旋，便指着榻上一条蓝绉纱的夹被，回头来问话：

"冯太太，守恒从南京回来的时候，可是只有这一条被？"

"不，这不是他带来的。他准备暑假后就要回南京去，故而没有带铺盖，只带了一只小小的皮包。"伊走到小榻前，俯着身子从榻底下取出一只手提的小皮包来。

那皮包并没有下锁。霍桑接过了打开一瞧，只有两件夏布的短衫，一条旧纺绸裤子，几本小说和两张旧报。此外还有几种漱洗的用品，却都是高价货。霍桑在皮包中翻了一翻，似因着找不到什么，皱了皱眉。接着他把圆桌上的空茶杯拿在手中，仔细地瞧视。我也凑过去瞧瞧，杯中各剩着些余茶，茶色清淡，分明是雨前。霍桑又把那两杯余茶都送到嘴边，先嗅了一嗅，又伸出舌来尝了一尝，最终微微地摇头。他忽又走到茶几旁边，把那白瓷壶提起了注了半杯，又很胆大地饮了一口。我不由得暗暗地替他担忧。

霍桑忽叫我道："包朗，你也来尝一尝。可有什么异味没有？"

我不好意思拒却，只得接过茶杯，勉强饮了一小口。那茶味清冽可口，香味也不差，还有些微温。

他接了我还给他的杯子，问道："怎么样？"

我答道："是上品的雨前茶。"

霍桑点点头，随手把杯中没有饮完的余茶，倾在茶几面前的一只白铜痰盂中。这时他的眼光忽而跟着茶汁的倾泻，也凝注在痰盂之中。他的双目一张，两粒敏感的眸子转了一转，忽又把身子俯下去。接着他放了茶杯，伸手从痰盂中取出了什么东西，嘴里又自言自语似的嘀咕着："这里有蛋壳呢……唉！

冯太太，谁吃蛋呀？"

老妇摇头道："我不知道啊。"伊走近一些，瞧了一瞧霍桑手掌中的东西："唉！这是新鲜的鸡蛋壳。但今天早晨我叫蔡妈把这痰盂弄干净的啊。"

霍桑不答，但全神贯注似的把蛋壳凑在电灯下反复瞧察，又凑到鼻子上去嗅了一嗅。我看见那鸡蛋壳一面是糙米色，内部的一面是白的，显见是不曾煮过的鲜蛋。

老妇从旁说："从我生了耳朵，不曾听得过鸡蛋可以毒死人！"

霍桑一边把蛋壳丢入痰盂，一边用白巾抹抹额角上的汗，含笑答道："不错，不错。我也从来没有听得过哩。"

老妇又道："若是陈腐的蛋，吃了也许会生病，但这分明是新鲜的蛋啊。"

霍桑又点点头，不再答辩。他向冯母安慰了几句，告诉伊那弟兄俩施救得还不算迟，不一定会有性命危险。冯母忙着要往医院里去看守成。我们也就分别出来。

我们回到了爱文路霍桑寓里，时间已近十一点钟，忽听到了几种意外的消息。

据仆人施桂告诉我们，侦探长汪银林已经来过，声言医院中的检验已有了结果。那两个人的呕吐物中都含着烈性的砒毒。那三把酒壶中，只有剩酒的那把有毒，另两把空的并无毒迹。酒杯的情形恰正相反。那弟兄俩的两只杯中都有毒，但第三个同饮老人的那杯中却完全无毒。据医生说，那毒性因着酒的激发，故而发作得更快。至于这两个中毒的人仍没有脱出昏迷状态，是否有救，眼前还无把握。

这消息相当惊人。霍桑也紧皱着眉头，背负着手，在室中往来踱着。他连把好几支白金龙纸烟吸成灰烬，兀自低垂着头，默默地思索。这件意外的案子发生时本平淡无奇，却不料内幕中真有可惊的背景。我也曾尽力推索，却没有结果。这两个人的中毒可是偶然的？还是有人谋害？假使是有意的，那下毒谋害的凶手是谁？又有什么目的？

一会儿，霍桑忽挺直了身子，丢了手中的纸烟，向我说话："包朗，你去睡吧，不必虚费什么脑力。我还要出去有些事儿。"

"你往哪里去？"

"往东源酒铺里去。"

"要调查什么？"

"我对于那第三个老年客人，那顶遗留的草帽和那侍者的踌躇状态，都不能满意。我还得去问几句。"

苦肉计

霍桑出去的时候，十一点钟已在铛铛地敲着。我因着这件疑案盘踞在脑海之中，一时也不能入睡。夜气既凉，身体上舒适得多。我洗了一个澡，宽了衣服，赤足趿着拖鞋，躺在一张靠窗的藤椅上。那窗外的虫声在唧唧地唱歌，和着一阵阵凉风弄叶的沙沙声音，仿佛合奏着一种幽咽细碎的雅乐。我坐在窗口吸着纸烟，身体虽已有些疲乏，脑中的思潮却仍激荡得非常厉害。

我起初的观念，料想这两个弟兄必有一个含着阴谋毒害的意念。就情势而论，守恒既是庶出，又非常浪费；守成和他的母亲因他如此，又欺他孤立无助，或者就发生了谋害的计划。

因为从守恒的学费仍须冯母供给，可见这兄弟俩还没有分产。那么守成如果把这异母的哥哥守恒谋死，既可以减免不时需索的累，又可使全部的财产归他——守成——一个人独享，在情势上确有可能。霍桑当时似乎也抱着这一种推想。他向冯母究问守恒回家后吃过什么东西，明明也着眼在这一点上。

不过这推想有一个显著的冲突之点：守成怎么也会同时中毒？我起先曾默自忖度，或者那下毒的人偶一不慎，铸成了这一个大错；或是因着别种意外的原因，就酿成了两个人同时中毒的结果。可是我们回寓以后，因着汪银林的消息，这推想便完全推翻。因为他们俩既然同是在酒铺里中的毒，可见并不是家庭的阴谋。三只酒杯中只有一只无毒，可知这案的主凶一定另有第三个人。这个人是谁？我们虽已知道守成有一个老年的朋友，先时曾在一块儿同饮，但是这老人是个什么样的人？此刻是否已经逃走？霍桑又从哪里去探听？这都是不易解答的疑问。我又推想到这阴谋的动机。二冯的父亲既因当差役起家，难免没有怨仇。因为清末时的衙门差役，往往狐假虎威，欺诈压迫，无所不为，结怨的事难保没有。莫非有什么受怨的人不能向那已故的老冯报复，故而在他的儿子们身上下毒手吗？

我反复地推索，始终寻不出一个确切的理解。直到夜半后一点多钟，我还不见霍桑回来，只得先自回房。我因着思索过久，脑力也有些疲惫，一到床上便即酣睡，连霍桑什么时候回来，我也不曾听得。

第二天早晨，霍桑又比我先起。我下楼的时候，他的惯例的清晨户外运动已经完毕回来。早餐既毕，进了办公室，我便忙着向他发问：

"霍桑，你昨夜的奔波可已有什么结果？"

"有。凡我所要知道的一切都已查明白了。但我还需等待一下。你如果能再耐心些，这案子随时有解决的可能。"

我的精神自然被他这句话提振起来："你可是已经把那第三个老年人查明了？"

"没有。我还不知道那个人是谁。但我们如果需要他，炳泉认得出这个人，以前也看见过，汪银林一定可以找得到他。"

这未免太"如意算盘"了吧？假使这个人已经远飏，汪银林难道也一定找得到？何况连这个人的姓名都不知道？

我又问："那么你得到了些什么？这案子的真凶？还是那凶手犯案的目的？"

霍桑忽又用着迟疑的神气，低垂着头："包朗，对不起，我还不能发表。"

"为什么？"

"我要等医院里的消息。"

"什么样的消息？"

"一个人死，一个人活。"

"唔，你在等一个人死？"

"这有什么办法？他们两个人都中了毒，医生已在尽力施救。我不是医生，有什么法子可以挽救？"

"要是那两个，都不死？怎么样？"

"那我至少必须先向医院方面证实一下，才能发表我的意见。"

"唔，是不是又卖关子？"这是我脑子里的猜想，并没有形成口语。

霍桑自顾自地继续："那酒铺的堂倌告诉我，守成平日很和悦可亲，不像会和人结怨。昨夜这三个人中间，守成饮酒最多，谈论也最高兴；他又时常执壶敬酒。眼前最切要的一个问题，就是究竟是哪一个人下毒在酒壶里。这一点我还不敢确定。昨夜我从东源酒铺里出来以后，我还曾去见过另一个人。这个人叫朱锦章。你可也知道？"

我寻思道："他不是南京大学的化学教授吗？他时常有作品在报纸上发表的。是吗？"

霍桑微笑着应道："正是，你的记忆力很好。我和这人有一面之缘。我料想在夏天晚上，人家睡得晚些，故而冒夜去访他。他果然接见我。我就拿这件案子的疑问向他询问——"

嘀铃铃！……嘀铃铃！……

电话的铃声割断了霍桑的话，我未免有些扫兴。我勉强立起来接电话，那是德济医院里李医生打来的报告。冯守成在天明四点钟光景已经死了。霍桑一听这个消息，忽而搓着两手连连点着头。他烧了一支纸烟，身子仰靠着椅背，两手抱着右膝，显出很闲豫的样子。

他说："唉！果真不出我所料！现在我想我不必再往医院里去了。我的推想已完全成立！包朗，你不必再怨我卖关子！现在你不论发任何问句，我都可以提前答复你。"

我高兴地答道："很好！你先告诉我谁是凶手。"

"冯守恒！"

"冯守恒？可是守恒故意谋杀他的弟弟？"

"是。他是故意谋杀的。"

"目的呢？是不是夺产？"

"是。他想独吞产业。"

"但守恒自己也是中毒的啊！难道这是他假装的？"

"不，这倒不是。假装决不能这样子真切。并且李医生已经验明，两个人的胃中同样有毒。"

"那就奇了。可是他偶然粗心，自己也误饮了有毒的酒？"

"也不是。他饮毒酒的时候，明明是知道的。"

我还是莫名其妙，呆住了答不出话。

霍桑又说："你觉得奇怪吗？其实这就是他阴谋的狡狯处。你想他自己既已中毒，谁再会疑信他就是下毒的人？"

"唔，是一种苦肉计！"

"对！你想狡狯不狡狯？"

"哎！这果真是狡狯的！可是也太冒险了。假使他也因毒而死，那岂不是害人自害？"

"包朗。不会。你尽可放心！我可以给你保证，他绝不会死。"

"这又难解释了。难道守恒所饮的毒是有一定的限度的吗？"

"他所服的毒也许比较少些，但他另有免死的方法。"

"喔？什么方法？"

"你还不明白？"

"是啊，我当真不知道。你总已知道了吧？"

"是，我是知道的。但你自己也研究过化学，总知道蛋白质有凝敛毒质的作用。昨晚上我们在守恒的卧室中发现两个蛋壳，这蛋壳并不曾煮过，却只在热茶中烫了一烫。因此我最初的推想便成立了。我知道一个人若使胃中先有了蛋白质，等到毒质入胃，便能被蛋白所吸收凝聚，不会渗入血液，只需施一番呕吐的手术，毒质便能完全吐出。数星期前，我在《中华医学杂志》上见过一段新闻。有一个女人误服毒药，幸亏那女人在中毒以前，恰巧吃过几个生鸡蛋，竟因此救了伊的性命。所以昨晚上我一看见蛋壳，便记起那个新闻，随即构成了这个推想。"

"唉！这新闻我也听得过，原是很普通的。那蛋壳我也一样瞧见的，可是我竟想不到把它关联到这案情上去。"

霍桑吐了一口烟，把那抱着的右腿摇了几摇，微笑答道："当侦探的也是一个'人'，原没有什么超自然的神通；唯一的关键，就是能注意这种细小之点，并且肯随时随地运用他的脑力罢了。"

我点头道："不错，我很佩服你的目光敏锐。你当时可就怀疑守恒？"

"不。第一步我知道这一定是家庭问题，不过还不知道谁谋害谁。我们听得冯母说守恒浪费，我又见他的皮包中除了几件旧衣以外别无长物，因此料想他是家庭中的一个浪子。所以若使假定守成母子为着要除去一个赘疣，故而设计谋害守恒，原是很可能的。同时守恒如果习于下流，因浪费而企图夺产，进而产生这个阴谋，也同样可能。但这只是初步的假定，我还应进一步查明守恒平日的品行，才能下确切的结论。

"守恒是在南京大学读书的。我记得朱锦章就是那大学的教授，此刻也放假在上海。所以我就连夜赶去见他。他果真知道守恒，说他是一个无赖的少年，平日赌博狎妓，无所不为，因此欠了不少债款。其实他在上学期已被校中斥退了。这一点他的大母和弟弟分明还不曾知道。他在校中时，只有化学功课还有心得。因这一来，这案的关节又加重一点。"

我听了这一番解释，前后的真相已逐渐明了。略停一停，我又继续向霍桑质问。

我道："这样，可见你对于这件案子早已明白。但我先前问你的时候，你怎么还叫我忍耐，不肯直截告诉我？"

霍桑又吐出了一串烟圈，庄容道："包朗，你不能怪我。

你岂不知道，我先前所凭借的，还不过是单纯的推想，在得到实证以前，我又怎能轻易发表？我本预备到医院里去，瞧瞧守恒、守成的呕吐物中是否当真含着蛋白。你总知道人事的变幻千绪万端，推想和事实往往会有相反。我怎能不谨慎些？这案子的关键，就在蛋白在什么人的腹中，才能指定那人就是真凶。故而我打算先往医院里去证实一下，然后再发表意见。刚才李医生的电话，报告守成已死，守恒却没有死。我才敢确信我的推想果已成立——主谋的是守恒，不是守成。守恒大概自己觉得浪费不堪，迟早会受家庭的嫉视，所以就先发制人。包朗，现在你总可以明白和原谅我了吧？"

我谢过道："这话不错，我当真不能怪你。这样说，这守恒确很刁恶。他现在虽绝不会死于毒药，但因着你的证实，大概还逃不掉法网吧？"

可是人事的变幻果真是匪夷所思的！霍桑的话立即得到了印证。在这当儿，霍桑还没有回答，电话的铃声又一度响动，我接了一听，又是医院里来的消息。

冯守恒也死了！

失败了

这消息竟使霍桑大大地震动。他手了烟尾，霍地放下了抱着的右腿，仰直了身子。他的两眼张得怕人，呆瞪瞪地凝注在地板上面。他的额角上有汗，面颊霎时泛白，嘴唇也微微有些颤动。这一种失望而惊骇的情状，我委实从来不曾见过。唉！推想和事实往往会有相反！他刚才所解说的推想，听了原是很入情入理。可是那不知趣的事实，竟把他的空中楼阁完全摧毁！因为如果像霍桑所料守恒是这案中的主谋，那他绝不会自己毒死自己的！

唉，这一次霍桑竟不幸失败了！这对于他是一个多么严重的打击！其实我在他完全证实以前，强着他解说案由，因而他才提前发表，闹出这个岔子，我委实也有些处分。我也开始抹汗。

我们静寂了一会儿，霍桑缓缓地从衣袋中摸出一块白巾，在额角上抹了一抹，又低垂了头，似乎羞于见我的样子。不过他的神情似乎宁静些。我这时只有同情，绝对没有轻视他的意思。因为他的推想在我看来实在是致密无隙的，却不料事实的变化竟出乎意外。

那凶手究竟是谁？又有什么目的？这不可思议的疑问，我实在无从解说。

霍桑又摸出烟盒，努力吐吸，一连烧尽了三支纸烟。约莫静寂了半个钟头，他忽而从椅子上跳了起来，赶到电话机前，匆匆打了一个电话。他的语声很低，但我听得出他是打到德济医院里去的。电话打好了，他的脸上又现出一种变态。

他大声呼道："唉！包朗，我错了！我错了！"

我忙答道："正是，霍桑，你当真弄错哩。不过'人是会错误的'。你难得失错一次，也不必这样懊恼。现在你可有别的新的理解？"

"有，有的！这里面还有第三个人！"

"可就是那邻桌上遗留草帽的人？你早些为什么不想到他？"

"你说那漂亮少年吗？这个人我倒忘怀了。我第二次往酒铺里去时，那堂倌炳泉告诉我，这少年曾回转去索取他的草帽。"

"炳泉可曾把草帽还给他？"

"是。他已依照我的话，把帽儿还了那少年哩。"

"炳泉可曾问明这少年的姓名地址？"

"没有。"

"现在我们还能找寻这个人吗？"

"找寻他做什么？这个人和此案没有关系。"

"唔！没有关系？"

"是啊！我所说的第三个人，就是那个和冯氏兄弟同桌的穿黑绸长衫的老年人。"

我领悟道："唉！我早就疑心他了。我们起初不从这方面着想，却虚费许多功夫绕圈子，实在是很可惜的。"

霍桑似乎没有听得，但自言自语地高声说："是的……冯守恒实在是那老人杀死的！"

我点头道："现在你既已明白，你可知道这老人是谁？"

"我不知道。"

"那么我们从哪里去捕他？"

"捕他？为什么？"

"为什么？奇怪！这个人可以任他逍遥法外吗？"

霍桑忽摇头道："不必，不必。我们用不着捕他，也没有查明这老人的必要。"

这话近乎不伦不类，我不明白他的含意，不禁暗暗纳罕。霍桑的神经会不会失常了？

我瞧着他道："太奇怪！霍桑，你既然说他杀人，又说不必捕他。这究竟是什么意思？"

霍桑叹了一口气，庄容地说："这老人在事实上虽然杀人，却并不负法律的处分。根据江湖的说法，就是借着他的手裁判了一个恶徒罢了！"

　　这几句话太玄妙，我仍是莫名其妙。我凝视着霍桑，难道他因着失败的缘故，刺激过度，神智果真昏乱，才有这不伦不类的话？霍桑似已瞥见了我脸上疑惑的神气，便也抬头瞧瞧我。他重新坐下来。

　　他道："包朗，你还不明白？我告诉你。那杀死守成的凶手是守恒；那守恒本身，却又死在那第三个同桌的老人的手中。这老人好像是天平上的砝码，竟把这件事的轻重平了下来。我们知道他们离家时只有兄弟二人。这老人定是守成的朋友，他们大概是在路上相遇的，守成就邀他上酒楼去同饮。老人也许说有别的事情，不能久留，曾有过一度推辞。那时守恒在旁，大概也竭力怂恿。因为他们如果有三个人同桌而饮，那么他们俩中毒以后，既有另一个嫌疑的人负责，守恒的计划更不容易穿破。所以在邀饮的时候，守恒必以为这老人暂时同饮，可以助成他的计谋。不料事实上恰正相反，竟因此丧失了他的性命。"

　　我仍有疑问地问道："怎么？照你的说法，这案子的主谋人还是那冯守恒？是不是？"

　　霍桑点点头："是啊。他利用了他的化学知识，预先吃了两个生鸡蛋——这一点李医师此刻已经给我证实，守恒的胃中还有残余的蛋白质，守成的胃中却没有。他起先想利用那老人暂时坐一坐，给他做一个挡箭牌。我们听炳泉说，老人坐了一个钟头光景就要先走，可见他另有事情，守成邀饮时，老人一定曾表示过。守恒想利用他，当时必也帮着邀请。谁知道老人在第一次辞退时——那是在到酒楼一小时以后——又被守成留住，又隔了半个钟头方才辞去，这才坏了守恒的大事。因为有老人在旁，多一双眼睛，守恒不便下毒；等那老人辞去以后，

守恒才将砒毒悄悄地放在酒壶里，弟兄俩一同喝了，就也一同
送了性命。

当前还是白茫茫的一层薄雾。我承认我的眼力太弱，一时
还看不透它的内幕。空气非常闷热。窗开着，可是"风姨"不
肯光顾。我头部的汗液溜到我的颈项。一会儿，我乘着霍桑略
略停顿的机会，又提出我的疑问：

"霍桑，你再说得明白些。你说下毒的是守恒自己，而且
下毒时又在那不知姓名的老人离去以后，那又与老人有什么相
干？你怎么又说老人杀了守恒？"

霍桑直视着我，反问道："怎么？你还有这样的问句？你
总也知道人们的胃的正常消化机能，食物在入胃后三至四个小
时，可以完全消化。但有些容易消化的东西，还无须这么长的
时间，蛋白质就是其中之一。守恒在离家前就吃鸡蛋，到达
酒楼的时候，离他吃鸡蛋至少已有半个钟头。他们到酒楼以
后，经过了一个半钟头，那老人才分离辞去，守恒才有机会下
毒，那么，前后已经有两个以上的钟头——换一句话，守恒喝
毒酒的时候，离他吃鸡蛋时已经间隔了两个钟头以上。包朗，
你想那时候守恒胃中的鸡蛋怎么样了？不是已经——至少是大
部——消化了吗？那么它还能有吸收毒素的作用吗？当然不能
了！可是守恒也许不曾彻底地明了这微妙变化的作用，也许是
阴谋昏迷了他的脑子，一时迷糊，忽视了蛋白质的时效，依旧
喝他自己下毒的毒酒！你想如果当时没有那个老人，或者那老
人坐一坐就走，守恒的胃中蛋白质还没有消化，他中毒后自然
马上会被人送到医院里去洗胃，因着蛋白质的吸收作用，毒素
绝不会散发，他毫无危险，而别人也不致疑他，不是吗？然而
他的弟弟守成，因着没有蛋白质的收敛，必致丧命无疑。这样

他的夺产计谋不是可以安全遂行了吗？"

这揭露是非常微妙的，也使我非常激动。我一时没有说话，静默就控制了这办公室。闷热的空气似乎松舒些。霍桑的面容仍非常庄肃，我不知他的思绪又漾到了哪一方面。

我说："这样看，这老人的确是无形地杀死了这个阴谋的冯守恒。"

霍桑点点头："对，可是他是完全无罪的。"

"那么，你的推想仍旧没有错。你到底不曾失败。"

"不，这不能不算是我的失败。守恒的死完全不在我的推想的范围之内。"

"这里面只多了一重曲折，也怪不得你。"

"至少我的结论是过早的，下得太迅速。这就违反了科学态度。包朗，我决不能宽恕我自己，你如果要把它发表出来，应得列入失败的一类中。"

我又沉默了。他的所谓"过早"，我至少也得担负一半的责任，可是我也用不着向我的朋友认错，我知道认了他也不会接受。

我自言自语地说："那冯老太知道了这个消息，不知要怎样伤感哩。"

霍桑突然抬头说："包朗，这是不值得你寄予同情的。我们传统的'因果'观念，绝不是单纯的迷信'种瓜得瓜'，尽合得上科学的因果律。冯守成的父亲用什么方法挣得他的家产，用不着费什么注解。现在守恒是个刁恶的浪子，守成也是个专诚消费的烟鬼。社会上少了他们，绝不是损失！你不值得为他们伤感。"

我辩道："不，我当然不是为这样的人伤感。我想到那冯老——"

霍桑突然立起来："好了。包朗，别再空谈。汪银林也许正在等我们的消息。我们得马上去看看他，走。"

他从衣架上拿下了两顶草帽，一顶给我，一顶自己戴在头上，拉着我走出去。